Für Gesa!

Ohne Leipzig gäbe es
unsere Freundschaft
nicht!!

    DeineVera
im Juni 199

In Zusammenarbeit
mit dem Mitteldeutschen Rundfunk

Die großen Leipziger

26 Annäherungen

Insel Verlag

Herausgegeben von Vera Hauschild

Erste Auflage 1996
© Insel Verlag Frankfurt am Main und Leipzig 1996
Alle Rechte vorbehalten
Satz: Druckerei zu Altenburg GmbH
Druck: Offizin Andersen Nexö, Leipzig
Printed in Germany

Inhalt

Vorwort

Leipzig ist eine kleine, aber ungemein schöne und zum Teil prächtige Stadt... Sie ist der Mittelpunkt des Bücherhandels von ganz Deutschland, des Wollhandels von fast ganz Sachsen, und wenige deutsche Städte werden es ihr in Wechselgeschäften zuvortun ... Leipzig erhält sich im Besitz dieses Buchhandels ... durch den häufigen Verlag, den es selbst von neuen Büchern hat und weil es mitten in der Gegend von Deutschland liegt, wo die Künste und Wissenschaften vorzüglich blühen.«

»Ungemein schön« konnte die Messe-, Universitäts- und Verlagsstadt Leipzig auch am Ende des 18. Jahrhunderts, als ein durchreisender Franzose sie so anziehend beschrieb, nicht etwa durch eine besonders reizvolle Lage erscheinen: Die Tieflandsbucht, in deren Zentrum, am Zusammenfluß von Pleiße, Elster und Parthe, sie liegt, ist eine zwar fruchtbare, aber eintönige, fast trostlose Ebene. Weder Fürsten und Könige, noch Bischöfe sind je in Versuchung geraten, ihren Sitz hierher zu legen – sie haben Dresden gewählt, Meißen oder auch Merseburg und zu deren reizvoller Lage prachtvolle Schloß- und Domanlagen hinzugefügt.

Was die Stadt Leipzig dennoch seit Jahrhunderten »ungemein schön« und »zum Teil prächtig« erscheinen läßt, ist ihrer Anlage durch eine reiche, kunstsinnige und naturliebende Bürgerschaft zu danken. Die eigentliche »Stadt« erwuchs aus einer slawischen Ansiedlung im Bereich des heutigen Richard-Wagner-Platzes und des Brühl. Von dieser hat sie den so poetischen Namen behalten: »Lipzi« – »Ort bei den Linden«. Im Kreuzungspunkt alter Handelsstraßen gelegen, wuchs der »Lindenort« rasch zu einem wichtigen Warenumschlagplatz. Um 1165, in einer Zeit besonders zahlreicher Städtegründungen (Freiburg, Lübeck, München und Gotha entstanden in dieser Zeit), erteilte Markgraf Otto von Meißen der germanisierten Ansiedlung das Stadt-

recht und bald schon das Marktprivileg. Zum Handel mit
Silber, Kupfer, Stoffen und Spezereien, Gewürzen, Leder,
Fellen oder Wein kam Anfang der 80er Jahre des 15. Jahrhunderts ein stetig wachsender Handel mit Büchern hinzu,
der Gründungen von Druckereien, Buchhandlungen und
von Verlagen nach sich zog.

Mitte des 18. Jahrhunderts war Leipzig »Mittelpunkt des
Bücherhandels von ganz Deutschland«, es war Deutschlands literarische Hauptstadt (bis Weimar diese Rolle übernahm), und es war die wirtschaftliche Hauptstadt Sachsens.
Der Reichtum der Bürger erlaubte ein von Jahrhundert zu
Jahrhundert prachtvolleres Bauen. Innerhalb der Stadtbefe-
stigungen dominierte, wie heute noch, der große recht-
eckige Marktplatz mit dem Rathaus, umgeben von einem
gitterartig angelegten Straßennetz mit Brühl und Grim-
maischer Straße in der einen, Peters-, Hain-, Katharinen-,
Nikolai-, Ritterstraße und Neumarkt in der anderen Richtung, dazu die Thomas- und die Nikolaikirche, die Universität. Goethe 1765: »Leipzig ruft dem Beschauer keine
altertümliche Zeit zurück; es ist eine neue, kurz vergangene,
von Handelstätigkeit, Wohlhabenheit, Reichtum zeugende
Epoche, die sich in diesen Denkmalen ankündet … ganz
nach meinem Sinn waren die mir ungeheuer scheinenden
Gebäude, die, nach zwei Straßen ihr Gesicht wendend, in
großen, himmelhoch umbauten Hofräumen eine bürgerliche Welt umfassen, großen Burgen, ja Halbstädten ähnlich
sind.« Eine nochmalige Steigerung zum Prachtvollen hin
sollten dann das Ende des 19. und der Beginn des 20. Jahrhunderts bringen: Mustermessehäuser mit weitläufigen
Laden-Passagen, Pelzgewerbehäuser am Brühl und in der
Nikolaistraße. »Zum Teil prächtig« – demnach ja, aber
»ungemein schön«?

Dem relativ kleinen Stadtraum gaben Rosmarin- und
Myrtenbäume, Levkojen und Veilchen, Käfige mit Nach-
tigallen und anderen Singvögeln in allen Fenstern eine
freundliche Atmosphäre; der Eindruck »ungemein schön«

aber ging von Weiträumigerem aus: Schon im 16. Jahrhundert hatte es in den Vorstädten Kaffeegärten und »wohlgezierte Lustgärten« gegeben, am Beginn des 18. Jahrhunderts entstanden dort Gärten in französisch-holländischem Stil, wahre Wunder der Gartenkunst. Unter den Sehenswürdigkeiten Leipzigs wurden sie schon bald an erster Stelle genannt. »Die Gärten sind so prächtig«, schrieb Goethe 1765 an seine Schwester Cornelia, »als ich in meinem Leben etwas gesehen habe; ich schicke dir vielleicht einmal den Prospekt von der Entree des Apelischen, der ist königlich. Ich glaubte das erstemal, ich käme in die Elysischen Felder.« Die meisten dieser Gartenanlagen sind ab Mitte des 19. Jahrhunderts der einsetzenden Industrialisierung Leipzigs zum Opfer gefallen. Erhalten aber sind die in die Innenstadt hineinwachsenden und sie belebenden »Promenaden«. Man ahnt noch immer, welcher Schmuck für die Innenstadt diese Anlagen einmal gewesen sein müssen. Sie und die Gärten gaben der »prächtigen« Stadt eine »ungemein schöne« Fassung.

Wenn von der »Schönheit« Leipzigs die Rede ist, gehört die besondere Atmosphäre dieser Stadt unbedingt dazu – eine Atmosphäre, in der »die Künste und Wissenschaften vorzüglich blühen«, gefördert von den Bürgern der Stadt und selbstverständlicher Bestandteil ihres Lebens.

Früh schon war die Musik hier beheimatet. Im 1212 gegründeten Thomaskloster wurde mit dem Thomanerchor geistliche Vokalmusik gepflegt. Und früh schon hielten die Wissenschaften ihren Einzug in die Stadt, mit der 1409 begründeten Alma mater Lipsiensis. Sie war Ende des 16. Jahrhunderts die begehrteste Universität Deutschlands. Von ihr gingen wichtige Impulse für das geistige Leben der Stadt aus, auch für die Pflege weltlicher Musik. Bereits einige Jahrzehnte bevor sich 1743 Musikenthusiasten zu einer Vereinigung zusammenfanden, aus der das Gewandhausorchester hervorging, gründete an dieser Hochschule Georg Philipp Telemann ein erstes Collegium musicum. In der Musikstadt Leipzig wurde das deutsche Singspiel begründet – mit der Musik von Johann Adam Hiller und Texten von Christian Felix Weiße. Hier entstanden die wichtigsten Opern Albert Lortzings und wurden zum Erfolg geführt wie die Carl Maria von Webers. Zur Ostermesse 1693 war am Brühl ein Opernhaus eröffnet worden, die zweite deutsche Oper nach Hamburg. Ein Kaufmann der Stadt investierte nach dem Niedergang dieses Hauses sein ganzes Vermögen in den Bau einer neuen Oper; auch das »Leipziger Stadttheater« ist einer Initiative von Bürgern zu danken, wie auch viele Kunstsammlungen aus privaten Sammlungen und Schenkungen entstanden. »In der Tat glaube ich«, schrieb Gustav Freytag 1849 über die Leipziger, »daß eine sehr wohltuende Zuneigung zu der Kunst und ihren Jüngern sich hier häufiger und liebenswürdiger äußert als sonst irgendwo.«

Daß Leipzig schon immer Kultur lebte, wurde durch zwei Umstände besonders begünstigt: Noch bis in die zweite Hälfte des 19. Jahrhunderts wohnten nicht nur die Handelsleute und wohlhabenden Bürger, sondern auch die Studenten und Professoren in der heutigen Innenstadt. Das hat den Kontakt untereinander und die Teilnahme am kulturellen Leben ungemein befördert. Abendgesellschaften und Bälle gehörten dazu, gelehrte Gesellschaften und Klubs, Lesezirkel, salonartige Geselligkeiten von Künstlern, private Ausstellungen, Konzerte in Kaffeegärten und Wirtshäusern, Sommertheater im Freien usw. Das Unterhaltungs- und Bildungsbedürfnis war allgemein. Während der dreimal jährlich abgehaltenen Messen – zu Neujahr, Ostern und Michaelis –, wenn »das artige sächsische Frauenzimmer, die Leipziger galanten Herren« vermischt waren »mit allerlei Ausländern« (Johann Christian Müller), achteten die Stadtväter darauf, daß das Angebot an Kultur noch gesteigert wurde. Die Messen haben die Weltgewandtheit der Leipziger befördert, und sie haben den Blick überhaupt nach außen gerichtet und ein Hinabsinken der nie sehr groß gewordenen Stadt ins Kleinstädtische verhindert.

Diese Andeutungen zu einer Skizze von Leipzigs vergangenem urbanen Leben – an dessen Kontinuität man wieder glauben möchte, mit jeder geschlossenen Lücke, die der Zweite Weltkrieg und 50 Jahre Nachkriegszeit in der einen oder anderen Form hinterlassen haben – müssen genügen für die Vorstellung des Ortes, an dem die »großen Leipziger« lebten und wirkten. Sie wurden in dieser Stadt geboren oder fanden hier ihren Aufgabenbereich und (einige nur vorübergehend, die meisten auf Dauer) ihre Heimat.

Nicht alle der in der Vergangenheit mit großen Leistungen hervorgetretenen, berühmt gewordenen »Leipziger« konnten für diese Sammlung berücksichtigt werden. Eine Ausgabe nach dem Vollständigkeitsprinzip angelegt wäre mehrbändig geworden. Sie sollte aber, analog zu dem 1994 im Insel Verlag erschienenen Band »Die großen Frankfurter«, nur sechsundzwanzig Persönlichkeiten vorstellen. Die damit zwangsläufig subjektive Auswahl reicht von den Anfängen des Buchdrucks in Leipzig bis in die ersten Jahre nach dem Zweiten Weltkrieg und berücksichtigt Berufe, die ein individuelles Hervortreten ermöglichen und brauchen. Außer bekannten Namen wie Bach, Gottsched, Gellert, Breitkopf, Mendelssohn Bartholdy, Wagner oder Clara Schumann sind auch unbekanntere, aber nicht weniger bedeutende vertreten, so Samuel Heinicke, Gustav Harkort, Gustav Theodor Fechner, Louise Otto-Peters oder Wilhelm Wundt. Die Beiträge sind chronologisch, nach den Geburtsdaten der Porträtierten geordnet und geben, in der Folge gelesen, in Umrissen auch ein Stück Stadtgeschichte und ein Stück Kulturgeschichte Deutschlands.

Die Autoren dieses Bandes sind Leipzig durch Herkunft, Studium oder ihre heutige Tätigkeit verbunden, sie leiten wichtige Institutionen oder Niederlassungen in der Stadt, engagieren sich für deren Wiederaufblühen auf besondere

Weise. Die meisten schildern als Berufene einen berühmten Vertreter ihrer Profession. So schreibt der Bankdirektor über den vermutlich ersten Geldwechsler, der heutige Thomaskantor über seinen berühmtesten Vorläufer im Amt, der Verleger über den Verlagsgründer oder einen langjährigen Vorgänger, die Schuldirektorin über den Schulgründer, der Schüler über den Lehrer usw.

Diese doppelte »Nähe« hat subjektive Annäherungen herausgefordert und ermöglicht. Biographische Vollständigkeit, wie Lexika sie bieten, oder ausgewogene wissenschaftliche Gesamtbewertungen wurden nicht angestrebt. Schwerpunkte durften gesetzt werden, Eigenschaften, Haltungen und Leistungen aus parallelen Erfahrungen heraus beschrieben und an die Gegenwart herangeführt werden, auch in literarisch verdichteter Form. Der Leser erfährt auf diese Weise zusätzlich etwas über die Porträtierenden selbst, über die Voraussetzungen und Ziele ihres eigenen Leistens, die Gründe ihres Engagements.

Ich danke allen Autoren, die sich für diese Art von »Annäherung« haben begeistern lassen – trotz schwerer Krankheit, eines Unfalls, trotz eines neuen, alle Kräfte beanspruchenden Amtes, trotz einer Überfülle von Aufgaben. Ich danke denen, die »in letzter Minute« für Autoren einsprangen, deren Beitrag nicht gelingen wollte. Und ich danke Frau Maike Spreer für ihre umsichtig zusammengestellten Materialsammlungen und vielfältigen Recherchen zu Daten und Bildern dieses Bandes.

»Die großen Leipziger« wollen kein Gedenkbuch sein. In den Essays dieses Bandes herrscht ein freudiger Geist, einer, der mit Zustimmung vom Tätigsein spricht, einer, in dem die Freude spürbar ist, im Vergangenen das Bleibende zu entdecken, das, was uns heute und in Zukunft hilfreich sein möge.

Dezember 1995   *Vera Hauschild*

Melchior Lotter
Anfänge des Buchdrucks
in Leipzig

Von Eckehart SchumacherGebler

Der von Johannes Gutenberg erfundene Buchdruck mit beweglichen Metalltypen hielt in Leipzig relativ spät Einzug, einige Jahrzehnte, nachdem er in Mainz, Köln, Augsburg, Nürnberg und Erfurt bereits Fuß gefaßt hatte. Der bedeutendste unter den frühen Druckern Leipzigs wurde Melchior Lotter – Typograph und Kaufmann, später auch Ratsherr, Schwiegersohn des ersten in Leipzig ansässig gewordenen Druckers Konrad (Kunz) Kachelofen.

Melchior Lotters herausragende Leistung ist aber nur mit einem Blick wenigstens auf seine Vorläufer und auf einige besondere Zeitumstände verständlich.

Die umwälzende Erfindung Gutenbergs fiel in eine Blütezeit der Buchkultur. Die uns heute tagtäglich zu Gesicht kommenden Arbeiten und Drucksachen der Nach-Gutenberg-Ära lassen ahnen, welche Entwicklung das typographische Aussehen gedruckter Informationen genommen hätte, wäre die Grundlage nicht so ausgesprochen günstig gewesen. Gutenberg ging es in erster Linie darum, den bis dahin einzig möglichen Vorgang der Vervielfältigung von Büchern mittels der Handschrift durch einen anderen, einen mechanischen Prozeß mit wesentlich höherer Effizienz zu ersetzen. Dabei war er gezwungen, den dazumal hohen Standard der Skriptorien zu erreichen, wollte er nicht Gefahr laufen, seine gedruckten Bücher als billige Ersatzprodukte abgewertet zu sehen. Nicht immer ist das gelungen. So wird von dem ebenso draufgängerischen wie feinsinnigen Herzog Federigo de Montefeltro (1444-1482) – er besaß nur ein Auge, das andere verlor er in einem Duell – berichtet, daß

er in seine erlesene Bibliothek in Urbino aus ästhetischen
Gründen kein gedrucktes Buch aufnahm. Im großen und
ganzen aber erreichte der frühe Buchdruck ein der bisherigen Buchkunst ebenbürtiges Niveau.

Auch in Leipzig, der späteren Metropole des deutschen
Buch- und Verlagswesens, begann die Druckkunst nicht an
einem Nullpunkt. Die 1409, etwa dreißig Jahre vor Erfindung des Buchdrucks, gegründete Leipziger Universität ist
ohne eine reichhaltige Bibliothek nicht denkbar. Weit älter
noch als die Universität waren die drei damals in Leipzig
bestehenden Klöster, das Chorherrenstift zu St. Thomas, zu
dem seit der 1214 erfolgten Gründung eine Schule gehörte,
das Dominikanerkloster zu St. Paul und das Franziskaner-
kloster. Auch ihre Bibliotheken waren, Urkunden und historische Beschreibungen belegen es, zum Teil mit beträcht-
lichen Buchbeständen ausgestattet. Skriptorien scheinen die
Leipziger Klöster allerdings nicht unterhalten zu haben.
Das, so meint der Historiker Gustav Wustmann, habe man
lieber den »tätigen Nachbarn, den Mönchen des Zister-
zienserklosters Altenzelle und des St.-Jakobs-Klosters in
Pegau« überlassen.

Ein ausgebildetes Schreib- und Buchwesen gehörte
dagegen wohl von Anbeginn zu den Einrichtungen der Leipziger Universität, mit Schreibern, Rubrikatoren, Buch-
malern und Buchbindern. Eindrucksvolle Beispiele von der
hohen Kunst der Leipziger Universitäts-Werkstatt finden
sich in verschiedenen öffentlichen Bibliotheken. Dazu zählt
auch die prächtige Illuminierung von zwei Exemplaren der
Gutenberg-Bibel. Eine davon wurde von dem in Leipzig ansässigen Johannes Wetherhan gebunden, der Inhaber einer
der bedeutendsten örtlichen Buchbindereien des 15. Jahrhunderts war. Er, wie auch seine Kollegen, sollen ab 1480
gut beschäftigt gewesen sein, nicht zuletzt durch damals
von außerhalb eingeführte Drucke, die es zu binden galt.

Leipzig verfügte also schon vor Einzug der Druckkunst
in die Stadt über Werkstätten und Einrichtungen der Buch-

herstellung. Die neue Art der Fertigung mittels beweglicher und wiederverwendbarer Lettern traf auf eine gut ausgebaute und buchfreundliche Infrastruktur. In Leipzig brachten Rubrikatoren, Illuminatoren und Buchbinder gedruckte wie handgeschriebene Bücher in die endgültige, oft reich und kunstvoll ausgestaltete Form.

Begünstigt wurde diese Entwicklung durch das Aufblühen der Stadt als Handels- und Gewerbemetropole. Ihre geographische Lage im Schnittpunkt wichtiger Handelsstraßen ließ weitreichende Verbindungen zu anderen Märkten entstehen und gestaltete die Oster- und Michaelismesse – 1458 war als dritter Handelstermin der Neujahrsmarkt hinzugekommen – zu bedeutenden Treffpunkten. Zusätzlich befördert wurde dieser aufkommende Wohlstand durch Metallvorkommen und deren Abbau in den Freiberger Silberbergwerken, an denen auch eine Gruppe Leipziger Kaufleute beteiligt war. Der Bergbau gehörte damals zu den lukrativsten Einnahmequellen, zeitweilig wurde er in Deutschland zum beherrschenden Wirtschaftszweig, dem das Land seine ökonomische Sonderstellung in Europa verdankte. Und auch im Falle Leipzig hatte er seinen Anteil am wirtschaftlichen, sozialen und zugleich kulturellen Aufschwung der Stadt.

An all dem partizipierte nicht zuletzt auch das Druckgewerbe, zunächst freilich die bereits etablierten Drucker in den verschiedenen anderen Städten des Reiches, in denen es schon gut eingerichtete Werkstätten gab. Sie entsandten entweder ihre Buchführer, wie Johann Mentelin aus Straßburg, der, soweit bekannt, seine Bücher als erster zu den Leipziger Märkten schickte, oder kamen persönlich angereist, wie Johann Sensenschmidt aus Nürnberg. Dabei wurde keinesfalls nur an die einheimische Kundschaft verkauft, Leipzig entwickelte sich rasch zum rege besuchten Umschlagplatz für die »Ware Buch«. Diese kam aus bekannten Druckorten wie Basel, Köln, Lyon, Nürnberg, Venedig u.a., wurde hier gehandelt und gekauft, und ging weiter nach Breslau oder Görlitz, nach Prag, Brünn, Olmütz oder Buda. Ja, dieser rege Handel mit Büchern und das damit verbundene reichhaltige Angebot könnte dazu beigetragen haben, daß das Fehlen einer am Platz ansässigen Offizin zunächst nicht als Mangel empfunden wurde, könnte also Grund gewesen sein für das verhältnismäßig späte Aufrücken Leipzigs in den Kreis der Druckerstädte.

Andreas Friesner und Marcus Brandis

Über die Ursprünge des Leipziger Druckwesens selbst und die Frage, wer der erste Drucker in der Stadt an der Pleiße gewesen ist, gab und gibt es widersprüchliche Auffassungen. Vielfach wird Andreas Friesner als erster Drucker der Stadt angesehen. Er war der Sohn des Ratsherrn Johann Friesner aus Wunsiedel im Fichtelgebirge und hatte 1465 in Leipzig studiert. Später arbeitete er als Korrektor bei dem bereits erwähnten Nürnberger Drucker Johann Sensenschmidt. Vielleicht hat er bei ihm auch das Drucken erlernt und sogar ausgeübt und ist dessen Partner geworden. 1479 verließ Sensenschmidt Nürnberg und zog nach Bamberg, wo er wahrscheinlich in seiner Jugend bei Albrecht Pfister, einem der ganz frühen Wegbereiter der Druckkunst und Schöpfer wahrer Meisterwerke, gelernt hatte. Friesner ging zurück in die Stadt seiner akademischen Studien, wurde hier Professor der Theologie und erhielt 1482 das Rektorat der Universität Leipzig. 1491 folgte er dem Ruf von Papst Alexander VI. nach Rom, wo er 1504 starb.

Anlaß, Friesner als den ersten Leipziger Drucker zu betrachten, gab dessen in Rom verfaßtes Testament, in dem er u. a. bestimmte, daß eine in seinem Eigentum befindliche Presse zusammen mit den dazugehörenden Druckwerkzeugen dem Paulinerkloster in Leipzig zu übergeben sei. Denkbar ist, daß Friesner diese Presse bei seiner Trennung von Sensenschmidt erhalten und nach Leipzig gebracht hat.

Ob er sie aber auch eingesetzt und damit gedruckt hat, scheint eher fraglich.

Das erste nachweislich in Leipzig gedruckte Buch – es gibt in seiner Schlußschrift den Druckort und das Erscheinungsjahr an, ohne allerdings den Namen des Druckers zu nennen – ist das am Vortage zu Michaelis, am 5. Oktober 1481, rechtzeitig zur vielbesuchten Herbstmesse, erschienene »De futuris christianorum triumphis in Saracenos. Glossa super Apocalypsim« – Über die künftigen Siege der Christen über die Sarazenen; Kommentar zur Apokalypse. Es handelt sich um ein Buch in lateinischer Sprache, verfaßt von dem italienischen Dominikaner Johannes Annius – Giovanni Nanni – aus Viterbo, in dem er den Niedergang der Türkenherrschaft prophezeit und die europäischen Fürsten zum Kampf gegen das Osmanische Reich aufruft. Dieses Buch wird vielfach Marcus Brandis zugesprochen, obwohl die Verschiedenheit zu den später von Brandis verwendeten Typen dies nicht unbedingt nahelegt.

Der Name Brandis taucht in der frühen Druckgeschichte häufig auf. Neben Marcus Brandis wird Lucas erwähnt, der 1473 bis 1475 in Merseburg und danach ab 1475 in der für den Ostseeraum und die skandinavische Region so bedeutenden Hansestadt Lübeck eine Druckwerkstatt betrieben hat, die auch für die Entwicklung des Druckens in Leipzig eine indirekte Rolle spielte. Ebenfalls in Lübeck wird 1486 ein Matthäus Brandis nachgewiesen. Als weiterer Drucker mit gleichem Nachnamen ist Moritz Brandis bekannt. Sie alle stammen aus dem kleinen romantischen Städtchen Delitzsch im Norden Leipzigs, das mit seinem Schloß und den mittelalterlichen Wallanlagen auch heute noch einen reizvollen Anziehungspunkt darstellt. Schon allein die Tatsache, daß drei von ihnen die Namen der Evangelisten tragen, läßt vermuten, daß sie Brüder gewesen sind. Wobei auch der vierte Evangelist, Johannes, nicht fehlte. Doch hatte dieser das Braurecht geerbt und ist kein Drucker geworden.

Von Marcus Brandis wird berichtet, daß er von 1474 bis
1476 an der Universität in Leipzig studiert und den Grad
des Baccalaureus erworben hat. Anschließend ist er bei seinem Bruder Lucas in Lübeck gewesen, der ihm alle Fertig-
keiten zur Ausübung des Druckhandwerks wie auch die
Kunst, Schriftstempel in Stahl zu schneiden, vermittelte. Seinen Beruf übte er vermutlich als Wanderdrucker aus, zuerst
1479 in Merseburg, wie schon sein Bruder, vom Ende des
Jahres 1480 an dann wahrscheinlich in Leipzig. Dabei ver-
zichtete er zunächst (wie vielleicht auch bei dem oben
genannten Werk von Annius) darauf, sich namentlich in
seinen Drucken zu erwähnen. Das erste Buch, das einen
Namen von ihm im Druckvermerk aufweist, ist der »Trac-
tatu(lu)s de regimine hominis«, ein Hygienebuch des Erz-
bischofs Albicus von Prag aus dem Jahre 1484. Bis 1487
soll Brandis in Leipzig mehr als sechzig Drucke ausgeführt
haben, darunter als erstes größeres Projekt ein Brevier für
die Diözese Havelberg, das ihm 1483 die Berufung nach
Meißen zum Druck eines weiteren Breviers einbrachte. Zu
diesem Zeitpunkt beherrschte Marcus Brandis bereits die
Herstellung zweifarbiger Drucke zur Hervorhebung wichtiger Textstellen recht gut, wobei der Wechsel von der einen
Farbe zur anderen oftmals mitten in der Zeile erfolgte.
Nach seiner Rückkehr nach Leipzig schloß sich der Druck
eines Diurnale für Merseburg an. Ab 1487 hat er in Leipzig
mit Moritz Brandis – es ist nicht ganz klar, ob dieser ein weiterer Bruder oder ein Vetter von ihm war – zusammengear-
beitet. In dieser Gemeinschaft entstand ein Missale für
Havelberg, zu dem Marcus Brandis drei Textura-Schriften
schnitt. Diese Zusammenarbeit scheint bis 1490 angedauert
zu haben, dann trennten sich offenbar beider Wege. Schon
ab 1488 erschienen Druckwerke nur noch mit dem Namen
von Moritz Brandis im Kolophon, darunter ein Helden-
gedicht von Capotius und Ausgaben einer umfassenden
Rechtsliteratur. Nicht enthalten ist der Name von Moritz
Brandis in dessen wohl bedeutendstem Druck, dem 1490

erschienenen Sachsenspiegel. Doch läßt sich aus dem Umstand, daß er aufgrund von wirtschaftlichen Schwierigkeiten Teile der Auflage dieses Buches seinen Gläubigern überließ, mit ziemlicher Sicherheit auf seine Urheberschaft als Drucker rückschließen. Um seinen Schulden endgültig zu entkommen, verließ er Leipzig noch im gleichen Jahr und zog nach Magdeburg. Er wurde dort der bedeutendste Frühdrucker dieser Stadt.

Von Marcus Brandis sind später, nämlich 1498 und 1501, nochmals Drucke in Leipzig nachgewiesen. In der Zeit zwischen diesen Jahren kehrte er der Stadt wohl den Rücken und folgte einem Ruf an den Zarenhof. Auch wenn diese Reise wegen widriger Umstände nicht ans Ziel führte, so unterstreicht die Berufung doch die damalige Bedeutung dieses Inkunabeldruckers. Davon ist heute vieles in Vergessenheit geraten. Das mag damit zusammenhängen, daß mancher der Brandis-Drucker sein Gewerbe im Umherziehen betrieben hat. Um so mehr ist zu begrüßen, daß die Stadt Delitzsch, um die Erinnerung an die mit mehreren Mitgliedern gleichzeitig hervorgetretene Druckerfamilie wieder wachzurufen, und darüber hinaus, um an handwerkliche Traditionen anzuknüpfen, 1995 erstmalig einen Brandis-Preis vergeben hat. Er wird alle zwei Jahre verliehen werden; bewertet werden Drucke, die im Bleisatz- und Buchdruckverfahren hergestellt wurden, auf manuelle Bildtechniken zurückgreifen und auch von Hand gebunden wurden.

Konrad (Kunz) Kachelofen

Als erster »richtiger« Drucker Leipzigs hat sich Konrad (Kunz) Kachelofen ins Bewußtsein eingeprägt, nicht zuletzt vielleicht deshalb, weil er in Leipzig seßhaft war und das Bürgerrecht besaß. Vorbehalte gegenüber dem fahrenden Gewerbe können dabei durchaus eine Rolle gespielt haben.

Contze Holtzhusen alias Kacheloffen aus Wartberg erlangte das Bürgerrecht im Jahr 1476. Der früheste von ihm bekannte Druck stammt jedoch erst aus dem Jahr 1485. Ob er in der Zwischenzeit bereits gedruckt oder seinen Lebensunterhalt ganz oder teilweise auf andere Art bestritten hat, ist unklar. Bekannt ist, daß er neben seiner Druckerei einen Kramerladen in der Ecke des vormaligen alten Rathauses besaß, dort mit allerlei Waren, aber auch mit Papier handelte und außerdem einen kleinen Weinschank betrieb. Die Druckerei wurde aus bescheidenen Anfängen aufgebaut, zunächst ist nur von einer Type die Rede. Aber 1495 scheint die Ausstattung bereits recht umfänglich gewesen zu sein. Zu den Drucken seiner Werkstatt zählen theologische und liturgische Bücher, einzelne mathematische und medizinische Schriften, sowie Unterrichtsliteratur. Im wesentlichen war die Buchproduktion auf den kaufmännischen Geist der Stadt ausgerichtet und entsprach inhaltlich den praktischen Bedürfnissen wie dem zeitgenössischen Wissensbedarf. Als Höhepunkt seiner Tätigkeit gilt das Jahr 1495, in dem zehn Werke seine Presse verlassen haben. In dieses Jahr fällt auch die Herstellung eines seiner bedeutendsten Drucke, eines Missale für das Bistum Meißen. Es ist zweifarbig in Rot und Schwarz gedruckt und mit Holzschnitt-Initialen versehen. Was die Sauberkeit und Schönheit der Ausführung anbelangt, so kann sich dieses Werk mit den besten süddeutschen Drucken der Zeit vergleichen, unbestritten gilt es als die Glanzleistung unter den Inkunabeln Leipzigs, auch wenn es hier nicht fertiggestellt wurde. Als nämlich in der Stadt die Pest ausbrach, flüchtete Kachelofen mit seiner Druckerei nach Freiberg, wo er das Buch vollendete.

Konrad Kachelofen wurde in relativ kurzer Zeit in Leipzig zu einem angesehenen Bürger. Er genoß allgemeines Vertrauen. Auch ein gewisser Wohlstand blieb ihm nicht versagt. Wir wissen von einem Haus in der Hainstraße, das er 1490 erwarb. Später, als er dieses seinem Schwiegersohn Melchior Lotter überließ, bezog er ein kleineres, aber ebenfalls ihm gehörendes, in der Nikolaistraße. Seine Druckerei konnte unter seiner Leitung eine beachtliche Bedeutung erlangen, auch von auswärts kamen interessante Aufträge, wie zum Beispiel 1497 der zu einem Missale für das Erzbistum Prag. Vielleicht war es dieser wirtschaftliche Erfolg, der ihn veranlaßte, sich verhältnismäßig früh und nach einer nur kurzen Zusammenarbeit mit seinem Schwiegersohn, mehr und mehr aus dem Geschäft zurückzuziehen. Seinen Laden im Rathaus hat er jedoch weitergeführt. Auch vom Drucken konnte oder wollte er nicht ganz lassen. Immer wieder gibt es Hinweise auf zumindest gemeinsame Arbeit von ihm und Melchior Lotter. Auf das Jahr 1513 ist nochmals ein alleiniger Druck von ihm für das Bistum Naumburg datiert, den heute die Leipziger Stadtbibliothek besitzt. Zum letzten Mal hören wir von Kachelofen, als 1528 in einer Untersuchungssache die Leipziger Drucker vor den Rat zitiert werden und er sich als Senior an die Spitze seiner Kollegen stellt. Wenig später, Ende des gleichen Jahres oder Anfang 1529, ist er im hohen Alter von fast achtzig Jahren gestorben.

Melchior Lotter

War Konrad Kachelofen unbestritten der bedeutendste Drucker Leipzigs der Inkunabelzeit, so gebührt dieses Attribut Melchior Lotter für die Reformationszeit. Ohne Zweifel ist er eine der markantesten Druckerpersönlichkeiten der damaligen Zeit überhaupt –, einer Zeit, die im schnellen Wandel begriffen war. Gutenberg ging es um eine effizientere Vervielfältigung von Wissen und Bildung. In diesem Sinne hat der Buchdruck in der zweiten Hälfte des 15. Jahrhunderts den Humanismus beflügelt und vorangetragen, antike und biblische Quellen einem größeren Publikum zugänglich gemacht, wissenschaftliche Erkenntnisse und neue gesellschaftliche Gedanken allgemein er-

schlossen. Dieses Gedankengut hat eine neue Epoche ein-
geleitet: die Reformation und die Bauernkriege zogen
herauf. Martin Luther und Thomas Müntzer erkannten
rasch die Wirksamkeit des in großen Auflagen verbreiteten
Schriftgutes. Aus dem Mittel zur Verbreitung von Bildung
und Wissen wurde ein Mittel des Kampfes. Zahlreiche Flug-
schriften und Traktate, einfach in der Aufmachung, wurden
in hohen Auflagen gedruckt – und begierig vom Volk aufgenommen. Schmähschriften erschienen gegen die Feudal-
herren, die Behörden und die Geistlichkeit. Streitschriften
kamen heraus, besonders zwischen Luther und seinen Geg-
nern, und fachten die Diskussion an. Die Fülle der Publikationen ließ eine bis dahin unbekannte öffentliche Meinung
entstehen. Die daraus resultierenden Gefahren für die bestehenden Machtstrukturen wurden von den Betroffenen
im vollen Umfang erkannt und zeitigten entsprechende
Reaktionen über Zensur, Berufsverbot bis hin zur Todes-
strafe. Dort aber, wo eine gewisse Liberalität herrschte, be-
scherte die Entwicklung dem noch verhältnismäßig jungen
Gewerbezweig einen raschen Aufschwung.

In dieses Spannungsfeld wuchs Melchior Lotter hinein.
Er wurde etwa 1470 in Aue im Erzgebirge geboren. Wann
er nach Leipzig kam ist unbekannt. 1491 sei er hier schon
ein vielbeschäftigter Drucker gewesen; in diesem Jahr, so
heißt es in anderer Quelle, habe er bei Kachelofen seine
Lehre begonnen. Unbekannt ist auch das Datum seiner Eheschließung mit Kachelofens Tochter Dorothea. Da er 1498
das Bürgerrecht erwarb, erscheint das Ende der neunziger
Jahre wahrscheinlich. Um die Jahrhundertwende, in manchen Quellen wird das Jahr 1499 angegeben, übernahm
Melchior Lotter den Betrieb seines Schwiegervaters, Konrad Kachelofen, der sich zur bedeutendsten Druckerei Leipzigs entwickelt hatte, in die eigene Verantwortung. In den
daran anschließenden Jahren hat er zielstrebig das Unternehmen weiter ausgebaut. Dazu gehörte vor allem die
Erweiterung des Angebots von acht auf 25 Fraktur- und

Melchior Lotter
(um 1470–1549)

Antiquatypen, darunter auch eine Variante der süddeut-
schen Schwabacher, die überwiegend in dem späteren
Zweigbetrieb in Wittenberg Verwendung fand und daher in
Analogie zur Schwesterschrift als »Wittenberger« in die
Schriftgeschichte eingegangen ist. Schon um 1510 taucht in
seinen Drucken eine sehr schöne neue Type auf, mit langen
schrägstehenden Kommastrichen und einem breitspurigen
Rubrum. Diese beherrscht fast alle seine deutschen Drucke
in der Reformationszeit. Lotter war der erste Leipziger
Drucker, der 1511 Antiqua-Lettern einführte, nachdem er
ein Jahr zuvor als erster auch mit griechischen Typen
gedruckt hatte. Der erste überlieferte Text mit Antiqua-

Druckzeichen ist zugleich die erste in Leipzig erschienene
Originalübersetzung aus dem Griechischen. Ähnliche für
die Druckgeschichte wichtige Neuerungen durch Lotter
wären zu nennen, wie zum Beispiel aus einem Stück geschnittene Titeleinfassungen und Titelholzschnitte. 1533
druckte er einen hebräischen Psalter mit hebräischen
Lettern.

Der Ausbau des Schriftenbestandes durch Lotter ging
einher mit hoher Sorgfalt in der Ausführung. Die Schönheit
von Lotters Drucken wird außer durch die eingesetzten
Schriften durch Initialen erreicht. Er verwendete u. a. ein
Alphabet, das Lukas Cranach geschaffen hatte. Es zeigt
weiße Buchstaben und weißes Blattwerk auf weißem
Grund. 1512 verwendete er erstmals Bildinitiale, geschaffen
vermutlich von einem Meister der Cranach-Schule. Man
muß einmal Drucke aus dieser Offizin in Händen gehalten
haben, um die Universalität des frühen Drucker-Verlegers
Melchior Lotter ermessen zu können, dazu dessen Sensibilität und Formempfinden.

Sein Fleiß und seine Bemühungen finden ihren Niederschlag in vielen anspruchsvollen Druckaufträgen. Sein Sig-

net (das von ihm zumeist verwendete zeigt einen knienden
alten, »verlotterten« Mann mit
Wappen und gilt als eines der
schönsten in der ganzen Frühzeit
des Buchdrucks) schmückt
Meßbücher, Breviere und Psalter
für eine Reihe von Diözesen wie
Brandenburg, Havelberg, Magdeburg, Meißen und sogar Prag.
Über 550 Drucke soll Lotter als
Verleger selbst herausgegeben
haben. Hier zeigt sich sein unternehmerischer Geist, der
auch später den Ausschlag für die Gründung eines Zweig-
betriebes in Wittenberg, als sich 1519 die Gelegenheit dafür

bot, gegeben haben dürfte. Es wäre interessant zu wissen, ob Lotter mit seiner Entscheidung für Wittenberg einer kommenden, von ihm erahnten Entwicklung entgegentreten wollte. Denn als außerordentlich hemmend für die zukünftige Entwicklung des Leipziger Buchhandels und Buchdrucks erwies sich die rigide Regentschaft Herzog Georgs des Bärtigen bis zu dessen Tod 1539.

Verlage und Druckereien Leipzigs waren zu Mittlern der Reformation geworden. Zwischen 1519 und 1539 aber waren Handel und Druck reformatorischer Schriften im Sachsen Georgs untersagt und wurden streng verfolgt; katholische Lektüre fand wiederum in der Atmosphäre des geistigen Aufbruchs in Leipzig kaum Käufer. Die unausbleibliche Folge war ein rapider Rückgang im Handel und in der Herstellung von Büchern, der in Leipzig existenzbedrohende Formen erreichte. Trotz anfänglicher Versuche konnte der Rat den Betroffenen auf Dauer keinen Schutz gewähren. Die Konsequenzen waren Abwanderung, Betriebsschließung oder die Gründung von Zweigniederlassungen.

Zum besseren Verständnis der Zusammenhänge mag ein Blick auf die Machtverhältnisse im Lande hilfreich sein. Sachsen stand seit 1423 unter der Herrschaft der Wettiner, einem alten deutschen Fürstengeschlecht, benannt nach der Burg Wettin aus dem 10. Jahrhundert, nordwestlich von Halle an einem alten Saaleübergang gelegen. 1089 hatten die Wettiner die Mark Meißen, 1247/64 die Landgrafschaft Thüringen und 1423 das Herzogtum Sachsen-Wittenberg erworben. 1485 trennten sie sich in die beiden Hauptlinien der Albertiner und der Ernestiner.

Das Albertinische Haus mit dem Regierungssitz Dresden übernahm nach dem Tode von Herzog Albrecht dem Beherzten im Jahr 1500 dessen ältester Sohn, der schon erwähnte Georg der Bärtige (1471-1539). Anfangs für den geistlichen Stand vorgesehen und bereits 1484 als Domherr in das Stift Meißen aufgenommen, interessierte er sich sehr

für die Wissenschaften. Er verließ den eingeschlagenen Weg
jedoch, als seine beiden Brüder sich für die Nachfolge ihres
Vaters als weniger geeignet zeigten. Georg heiratete 1496
Barbara, die Tochter des Königs Kasimir von Polen. Nach
dem Tod des Vaters übernahm er die Herrschaft über die
sachsen-albertinischen Erblande – im wesentlichen das heutige Sachsen. Obwohl er eine Reformation der Kirche im
Grunde nicht ablehnte und über die damaligen Mißstände
innerhalb der Kirche durchaus informiert war, ließ er sich
durch seinen Briefwechsel mit Erasmus von Rotterdam
dahingehend beeinflussen, daß eine Änderung der kirchlichen Verhältnisse nur durch päpstliche Richtlinien und ein
vom Papst einberufenes Konzil herbeigeführt werden
dürfte. Hinzu kam, daß er sich durch Luthers Schriften und
Briefe persönlich herausgefordert und verletzt fühlte. Auch
glaubte er, daß der Bauernaufstand eine Folge der Reformation sei, und dieser daher mit äußerster Strenge begegnet
werden müsse. Wir wissen heute, daß alle Zwangsmaß-
nahmen, das Verbot der lutherischen Bibelübersetzung,
selbst Verbannung, Einkerkerung und Hinrichtungen, die
Entwicklung nicht aufhalten konnten. Um so tragischer
endete das Leben Georgs. Kurz nacheinander starben seine
Frau – nach deren Tod er sich den Bart wachsen ließ und
damit seinen Beinamen erhielt – und seine acht Kinder.
Schon den Tod vor Augen, und ohne es noch ändern zu
können, mußte er erkennen, daß sein Bruder Heinrich als
Nachfolger die Reformation im albertinischen Sachsen
einführen würde.

Martin Luthers Leben wäre wohl anders verlaufen, hätten
im ernestinischen Teil des Landes, in Wittenberg/Sachsen-
Anhalt, nicht aufgeklärte und tolerante Herrscher ihre
schützende Hand über ihn gehalten – Friedrich der Weise
(1486-1525), Herzog und Kurfürst von Sachsen, und sein
Bruder Herzog Johann der Beständige (1525-1532) –, auf
den, als Friedrich ohne Erben starb, auch die Kurwürde

überging. Besonderes Verdienst gebührt Friedrich. Er stiftete 1502 die Universität Wittenberg, berief die fähigsten
Köpfe der damaligen Zeit und begleitete die dann 1517 von
dieser Hochschule ausgehenden Impulse zur Kirchen-
erneuerung mit sensibler Umsicht für die politischen Verhältnisse. Er hat sich zwar nie öffentlich zur Lehre Luthers
bekannt, aber ohne seine Klugheit und Gewandtheit, ohne
seinen persönlichen Einsatz bei Maximilian I. und Karl V.,
als deren Stellvertreter er bei ihrer Abwesenheit von
Deutschland fungierte, wäre Luthers Leben in höchstem
Maße gefährdet gewesen. Friedrich war es, der sich gegenüber dem Papst Luthers annahm, der 1521 freies Geleit für
ihn nach Worms erwirkte und ihn auf dem Rückweg dann
auf der Wartburg in Sicherheit bringen ließ.

Friedrich war es auch, der Luther 1512 die Promotion
zum Doktor der Theologie ermöglichte. Die dafür notwendigen 50 Gulden ließ er ihm in Leipzig aushändigen. Es
dürfte dies Luthers erster Besuch in der Stadt gewesen sein.

In den Jahren darauf erlangte Leipzig für Luther aus zwei
Gründen besondere Bedeutung: Hier lebte sein wichtigster
Drucker, Melchior Lotter, und hier fand 1519 die Leipziger
Disputation statt, in der nach Vorstellung Georg des Bär-
tigen und vor allem seines Kontrahenten Johann von Eck,
Luther sich als Ketzer offenbaren sollte.

Am 31. Oktober 1517 schlug Luther seine 95 Thesen
gegen Tetzels Ablaßbriefe an die Schloßkirche zu Wittenberg. Schon Mitte November wurden sie in Leipzig in
großen Auflagen gedruckt: bei Jakob Tanner und Wolfgang
Stöckel; Melchior Lotter druckte sie als Plakat.

Nicht nur in diesem Falle, auch sonst ist die rasche Ausbreitung der Reformation ohne das Druckgewerbe nicht
vorstellbar. Und genau in diesem Punkt war Luther mit
Wittenberg, oder besser gesagt, mit dem einzigen am Ort
ansässigen Drucker nicht zufrieden. In einem Brief an den
Theologen Georg Spalatin, einen seiner Freunde und Förderer, beklagt er sich bitter über die liederliche Arbeit des

für ihn hauptsächlich tätigen Johann Grunenberg. Er besaß keine griechischen Typen, auch seine deutschen gefielen Luther nicht, vor allem aber empfand er den Druck als unsauber und mit zu vielen Fehlern behaftet. Aus dieser Unzufriedenheit heraus hatte er bereits 1518 mit dem bedeutendsten Buchdrucker Leipzigs, mit Melchior Lotter, der damals schon Antiqua-Lettern besaß, Kontakt aufgenommen und ihm kleinere Aufträge von Wittenberg aus erteilt. So sehr diese Zusammenarbeit wohl Luthers Erwartungen entsprochen hat, so zeigte sich doch, daß viele der kleinen Druckschriften schnell gebraucht wurden und die Entfernung Leipzig–Wittenberg sich als hinderlich erwies. Um Melchior Lotter zu einer Übersiedelung nach Wittenberg zu bewegen, richtete Luther im Februar 1519 ein entsprechendes Gesuch an Kurfürst Friedrich. Und im Mai des gleichen Jahres schreibt er erfreut an Spalatin: »Melchior Lotter kommt mit treffelichen Matrizen versehen, die er von Froben bekommen hat, und ist bereit, bei uns eine Druckerei einzurichten, wenn unser durchlauchtigster Fürst geruhen wird, seine Zustimmung zu geben ...«

In der Zwischenzeit wurde der Kontakt der beiden Männer enger: Als Luther am 24. Juni 1519 zusammen mit Andreas Karlstadt, Philipp Melanchthon und anderen Wittenbergern, begleitet von 200 bewaffneten Studenten, in Leipzig einzieht, steigt er bei Melchior Lotter in der Hainstraße ab. Er wohnt bei ihm während der vom 27. Juni bis zum 16. Juli andauernden »Leipziger Disputation« mit dem Ingolstädter Theologieprofessor Johann von Eck.

Das nach strengen Regeln geführte Streitgespräch fand im großen Festsaal der Pleißenburg statt, vom 4. Juli 1519 bis zum 14. Juli stellte sich Martin Luther den Angriffen Ecks. Er hatte bereits am 29. Juni eine Predigt in deutscher Sprache gehalten. Sie wurde noch 1519 von Wolfgang Stöckel in Leipzig gedruckt und enthält Ausführungen Luthers zu den Punkten, um die es in der Disputation ging: die Gnade, den freien Willen und die Gewalt des Papstes.

Eck versuchte vergeblich, ihn auf die Positionen des Hussismus und damit in die Rolle eines Ketzers zu treiben. Luther kehrte, obwohl Eck sich als »Sieger« fühlte, bestärkt in seinen reformatorischen Ideen nach Wittenberg zurück.

Die Einrichtung einer Lotterschen Druckerei in Wittenberg verzögerte sich noch etwas und scheint erst Ende 1519, wie einer Briefpassage Luthers zu entnehmen ist, Wirklichkeit geworden zu sein. Allerdings zog Lotter nicht selbst nach Wittenberg, was man vielleicht erhofft hatte, sondern übertrug die Führung des Betriebes seinem ältesten Sohn, Melchior Lotter »dem Jüngeren«, wie er sich dort nannte. Dessen erster nachweisbarer Druck ist eine akademische Festrede Melanchthons auf den Tag des heiligen Paulus. Sie wurde im Februar 1520 fertiggestellt und nennt Melchior Lotter d. J. als Drucker. Eines der wichtigsten Werke war der Druck des Neuen Testaments, das Luther auf der Wartburg ins Deutsche übersetzt hat. Die Arbeit wurde im Frühjahr 1522 begonnen und am 22. September vollendet, was der Ausgabe auch den Namen September-Bibel eingetragen hat. Die Folio-Ausgabe trägt den schlichten Titel: »Das newe Testament, Deutsch, Vuittenberg«. Übersetzer, Drucker und Erscheinungsjahr bleiben ungenannt, dies wurde erst bei der zweiten Auflage, der Dezember-Ausgabe, nachgeholt, die Melchior Lotter als Drucker aufführt. Es ist augenscheinlich die fruchtbarste Phase der Zusammenarbeit. Im Sommer 1522 waren drei Pressen im Betrieb, neben dem Neuen Testament wurden mehr oder weniger gleichzeitig die Evangelien und die Apostelgeschichte gedruckt. Das Alte Testament folgte, allerdings in mehreren Teilen, um einen vielleicht unerschwinglichen Einzelpreis zu vermeiden. Im Januar 1523 waren die fünf Bücher Mose im Druck, sie erschienen noch im gleichen Jahr; ohne Druckernamen, aber sicherlich aus der Offizin von Lotter d. J., in der damals schon der Bruder Michael Lotter mitarbeitete. Anfang 1524 wurde der zweite Teil des Alten Testaments begonnen. Mit dem dritten, der noch im Laufe des Jahres folgte, kommt es zum Stillstand in der Entwicklung des Unternehmens. Ursache ist ein bislang nicht aufgeklärtes Vergehen, das einer der beiden Söhne, vermutlich Melchior, sich hatte zuschulden kommen lassen, wodurch Vater Lotter beim Kurfürsten in Ungnade fiel. Verschiedene Briefe Luthers an Spalatin in dieser Angelegenheit bieten wenig Anhaltspunkte. Es scheint aber doch eine Sache von gewisser Tragweite gewesen zu sein, denn es wird von einer schweren Buße berichtet, die Lotter d. Ä. auferlegt wurde und von einer an den Fürsten gerichteten, letztlich erfolglosen Bittschrift. Für diese Vermutung spricht auch die Tatsache, daß der sonst so nachsichtige Luther der Offizin seine Aufträge entzog und das Verlagsgeschäft seinen Freunden Christian Döring und dem berühmten Maler Lukas Cranach in Verbindung mit dem Drucker Hans Lufft übertrug. Michael Lotter druckte noch bis zum Jahr 1528 in Wittenberg, dann zog er mit seiner Druckerei nach Magdeburg, wo er diese zu neuer Blüte brachte und 1554 als ein Mann, der die Geschicke der Stadt in dieser Zeit mit geprägt hatte, starb.

Melchior Lotter jedoch ging zurück zu seinem Vater nach Leipzig. Auch hier stand nicht alles zum besten. Zwar hatte Anfang der 20er Jahre die Leipziger Offizin parallel zu dem Wittenberger Betrieb einige von Luthers Schriften gedruckt, darunter waren vermutlich auch etliche unautorisierte Nachdrucke. Verwunderlich, daß Luther überhaupt noch Aufträge an die Leipziger Werkstatt vergeben hat, nachdem Lotter d. Ä. von 1520 an (offensichtlich auch unter der starken Einflußnahme von Georg dem Bärtigen) Druckschriften für die katholische Gegenpartei ausführte. Dieses Verhalten ist oft als wenig loyal und als Widerspruch in seinem Verhältnis zur protestantischen Sache kritisiert worden. Anfang April 1524 gehörte Melchior zu den 105 Bürgern, die eine Petition an Herzog Georg richteten, er möge dem lutherischen Prediger Andreas Bodenschatz das Predigen in einer der beiden großen Stadtkirchen

gestatten, der Thomas- oder der Nikolaikirche. Seine Predigten in der kleinen Vorstadtkirche des Jungfrauenklosters
am Peterstor hätten immer größeren Zulauf, sie wären nicht
aufrührerisch, sondern ermahnten zu Gehorsam und Unter-
tänigkeit gegenüber der weltlichen und geistlichen Obrigkeit.

Am 28. März 1533 taucht Lotters Name in dem Bericht
des Leipziger Rates an Herzog Georg auf, in dem die Ver-
höre der Bürger festgehalten sind, die am Begräbnis eines
Dr. Specht teilgenommen haben. Lotter »entschuldigt« sich
für seine Teilnahme mit einer Höflichkeitsgeste der Witwe
gegenüber. In der Bewertung dieses Protokolls war oft die
Rede von nüchternem Geschäftssinn, der sich über moralische Bedenken stellte. Wie weit aber auch die wirtschaftlichen und politischen Realitäten, sprich Zwänge, das ihre
dazutaten, läßt sich heute nur schwer beurteilen.

Tatsache bleibt, daß Lotter d. Ä. sich dem allgemeinen
Niedergang des Leipziger Buchdrucks in dieser Zeit nicht zu
entziehen vermochte. Er druckte vor allem amtliche Schriften und Drucke für Herzog Georg, die eine besondere Ausstattung erforderten. Daneben druckte er für Kirchen-
instanzen, auch für den Bischof von Meißen. Nach Meißen
war er 1520 der Pest wegen gegangen und hatte dort ein
Breviarium für das Domstift gedruckt.

Melchior Lotters Name ist verbunden mit zahlreichen
Missalen, Brevieren und Psaltern, deren Schriften und
Holzschnitt-Initialen zum Besten gehören, was der Missaldruck überhaupt geschaffen hat. Wegen der Schönheit seiner Buch-Ausstattung erhielt er bis in die 20er Jahre alle
Aufträge, die das Bistum Meißen zu vergeben hatte. Alle
städtischen Verordnungen, Mandate und Patente sind ausschließlich von Lotter gedruckt worden.

Von 1524 bis 1526 aber hat seine Offizin möglicherweise
überhaupt nicht gearbeitet. Herzog Georg hatte 1522 ein
Mandat zur Ablieferung lutherischer Schriften erlassen, das
zwar kaum befolgt wurde, aber den Druck solcher Schrif-

ten nahezu zum Erliegen brachte. Am 20. Mai 1527 wurde Hans Hergot, ein Buchdrucker und Buchführer aus Nürnberg, wegen der Verbreitung einer »aufrührerischen« Schrift auf dem Leipziger Marktplatz enthauptet. 1533 schließlich forderte der Herzog, alle Bürger aus Leipzig auszuweisen, die sich zur Lehre Luthers bekannten. Es waren etwa 400, die nach Wittenberg, Grimma oder Eilenburg gingen. Melchior Lotter hat ab 1530 eine gewisse Neubelebung seiner Druckerei erreicht, doch es waren betont gegen Luther gerichtete Schriften, die nun den Hauptteil seiner Aufträge bildeten. Für 1537 ist der letzte Lotter-Druck in Leipzig belegt.

Im fortgeschrittenen Alter ist ihm noch eine späte Ehrung zuteil geworden. Bereits 1513 als Ratsherr vorgeschlagen, aber von Herzog Georg nicht bestätigt, wurde er dann doch noch 1539, nach Georgs Tod, als erster Buchdrucker Leipzigs, Mitglied des Rates der Stadt und in dieser Eigenschaft mit vielfältigen Aufgaben, nicht zuletzt dem eines Stadtrichters, betraut. Im hohen Alter von etwa 80 Jahren ist er als angesehener Bürger seiner Stadt am 1. Februar 1549 gestorben.

Hieronymus Lotter
»Es hat mich Kurfürst Moritz
zu einem Baumeister allhier gemacht«

Von Rudolf Skoda

Als Leipziger kennen Sie doch Ihren Marktplatz mit dem Alten Rathaus. Wer hat es entworfen? Skizzieren Sie den Platz und das Gebäude!« – Das liegt über 40 Jahre zurück. Ein Professor der Weimarer Architekturhochschule stellte mir die Frage als Auftakt zur Aufnahmeprüfung. Ich hatte Glück. Der Mann war mir bekannt: Hieronymus Lotter. Das Gebäude konnte ich auch einigermaßen skizzieren. Als ich den Turm asymmetrisch auf meiner Skizze unterbrachte, unterbrach mich der Professor: »Das genügt!« Ich war froh, wer weiß, was aus mir geworden wäre, wenn ich hätte weiterzeichnen müssen! Das war meine erste Begegnung mit Hieronymus Lotter – und ein Grund, mich später noch etwas näher mit dem Mann zu beschäftigen.

Die meisten Lexika halten sich bedeckt: Lotter, Hieronymus, in Nürnberg um 1497/98 geboren. Den Todestag aber kennt man genau, es war der 22. Juli 1580, gestorben ist er im sächsischen Geyer. Er war Kaufherr und Baumeister und als Bürgermeister auch verantwortlich für die Errichtung öffentlicher Bauten. Wer war dieser Mensch, dieses offensichtliche Multi-talent der Renaissance, dessen Geburtstag nun fast 500 Jahre zurückliegt?

Hieronymus war 11 Jahre alt, als seine Familie von Nürnberg in das erzgebirgische Annaberg übersiedelte, wo sein Vater, Michael Lotter, nicht nur zu Reichtum und Ansehen gelangte, sondern auch noch als Bürgermeister seit 1536 die Annaberger Kommunalpolitik bestimmte. Daß den jungen Lotter die Bauarbeiten an der zu dieser Zeit nahezu vollendeten Annenkirche nachhaltig beeindruckten, ist leicht vorstellbar.

Hieronymus Lotter
(um 1497/98–1580)

Im Jahre 1522 war Hieronymus Lotter mit seinem jüngeren Bruder Anton Lotter nach Leipzig gezogen – sicher ein Zeichen seiner frühen Selbständigkeit und seines Gespürs für den schon damals vorhandenen ›Standortvorteil‹ der Stadt. Denn obwohl Leipzig – wenn man die Steuerbücher befragt – 1529 nur etwa 10.000 Einwohner besaß, galt die Stadt als die wirtschaftliche Hauptstadt des Territorialstaates. Parallelen zur Gegenwart drängen sich auf. Eine Ursache für die Wirtschaftskraft Leipzigs lag in den dreimal im Jahr stattfindenden Messen, die durch kaiserliche Privilegien bereits 1497 und 1507 in den Rang von Reichsmessen erhoben worden waren. In einem Umkreis von 15 Meilen, also etwa 115 km, war es allen anderen Orten verboten, Jahrmärkte zu halten, die den Leipziger Messen hätten schaden können.

Wo der erfolgreiche Kaufmann Hieronymus Lotter seine bautechnischen und architektonischen Kenntnisse erworben hat, läßt sich nicht nachweisen. Vermutlich war er Autodidakt und als solcher wie eine ganze Reihe von Berufskollegen – als Beispiel aus der Neuzeit sei Le Corbusier genannt – außerordentlich erfolgreich. Zunächst baute er sich 1532 ein Wohnhaus neben dem gerade im Bau befindlichen ›Auerbachs Hof‹. Ein Jahr später erhielt Lotter das Bürgerrecht, und 1541 heiratete er Katharina Bauer. Kaum hatte das Paar ein Haus vor dem Grimmaischen Tor bezogen, mußte es das Anwesen wieder verlassen, weil Herzog Moritz von Sachsen im Schmalkaldischen Krieg am 5. Januar 1547 die Vorstädte, »Eutritzsch, Kohlgärten, die Mühlen vor Ranstädter und Peterstor, item die Grimmische und Peterssche Vorstadt samt dem Hospital zu S. Johannis« (nach J. J. Vogel, 1714), aus strategischen Gründen niederbrennen ließ. Auf einem vom Rat der Stadt zugewiesenen Grundstück Ecke Brühl/Katharinenstraße – also direkt gegenüber dem Romanushaus – baute er 1550 ein Haus, in dem er nun 20 Jahre wohnte, seit 1551 als kurfürstlicher Baumeister und ab 1555 als Bürgermeister der Stadt. Das

unstete häusliche Leben hatte damit ein Ende – sicher eine
der Voraussetzungen, daß Lotter Aktivitäten entwickeln
konnte, die ihn zu der überragenden Persönlichkeit Leipzigs
im Zeitalter der Renaissance werden ließen: zum acht-
maligen Bürgermeister, zum Kaufmann und zu einem
Unternehmer im erzgebirgischen Bergbau, zum Architekten
und – heute würde man sagen – Manager.

Herzog Moritz von Sachsen scheint, wie einige der
Mächtigen heute, so seine Allüren gehabt zu haben.
Während des Baus der nach ihm benannten Bastei forderte
er von Lotter, der gemeinsam mit Paul Speck für den Neubau herangezogen worden war, den zugeschütteten Stadt-
graben innerhalb von 10 Tagen vom Schutt zu befreien –
eine schier unmöglich scheinende Aufgabe. Lotter schaffte
es mit Hilfe seines Organisationstalentes und vor allem mit
etwa 1.200 Bauern der umliegenden Dörfer. Mit welchen
Methoden die Bauern zu dieser ihnen fremden und unge-
liebten Arbeit herangezogen wurden, ist im einzelnen nicht
bekannt, jedoch auch mit wenig entwickelter Phantasie vorstellbar.

In den Folgejahren entstanden unter Lotters Leitung eine
Reihe von Bauten, die das Erscheinungsbild der Stadt Leipzig maßgebend bestimmten: das Kornhaus am Brühl
(1545), die Pleißenburg, die 1547 bei der Belagerung der
Stadt erheblichen Schaden genommen hatte (zwischen 1550
und 1564), das Amtshaus Ecke Thomaskirchhof/Kloster-
gasse (1554), die Alte Waage auf der Nordseite des Mark-
tes (1555) und im gleichen Jahr der Mittelturm der Nikolaikirche mit eingebauter Glöcknerwohnung, schließlich
1556/57 sein Leipziger Hauptwerk: Das Alte Rathaus »mit
dem Turm, 40 Gewölben und 28 Stuben«, wie es in einer
Stadtchronik von 1655 heißt. Selbst wenn Lotter außer diesem Gebäude nichts anderes geschaffen hätte, wäre diesem
Mann ein Ehrenplatz in der Baugeschichte Leipzigs sicher
gewesen.

Der Gebäudetyp ›Rathaus‹ war im 13. Jahrhundert in

Italien entstanden. Die bedeutendsten Bauten aus dieser
Zeit können wir noch heute in Siena und in Florenz
bewundern. Von Anfang an handelte es sich um einen städtischen Universalbau – eine Verbindung von Verwaltungs-
und Gerichtsbau, von Theater und Kongreßhalle, von
Markthalle und Gaststätte. Es war, das weiß jeder, der heute
mit einer ähnlichen Aufgabe betraut wird, eine höchst an-
spruchsvolle und schwierige Angelegenheit. Die Verantwortung des Baumeisters für die Lösung einer solchen Bauaufgabe wird natürlich dann noch größer, wenn der
Standort von besonderer städtebaulicher Bedeutung ist.
Dieser Verantwortung wurde Hieronymus Lotter in vollem
Maße gerecht, denn sein Leipziger Rathaus leitete – neben
dem in Heidelberg – nicht nur zu jener Entwicklungsstufe
über, die wir als eigentliche deutsche Renaissance bezeichnen, sondern es gilt unbestritten auch heute noch als das
schönste historische Gebäude der Stadt.

Über den Standort wird es vor dem Bau keine Diskussion
gegeben haben. Im Altstadtkern Leipzigs, der bis heute trotz
der Zerstörungen des Zweiten Weltkrieges und der städte-
baulichen Sünden der letzten vierzig Jahre eine gewisse bild-
hafte Ordnung zeigt, lag der Alte Markt als ein typischer, in
nord-südlicher Richtung orientierter Tiefenplatz. An dessen
Ostseite stand zunächst noch ein altes, aus der Zeit der
Gotik stammendes Rathaus, das jedoch weder den funk-
tionellen Anforderungen noch dem Repräsentationsbedürf-
nis der sich sprunghaft entwickelnden Stadt genügte. Daß
es darüber hinaus auch erhebliche bauliche Mängel zeigte,
ist anzunehmen. Das Rathaus wurde abgebrochen, aber ein
Teil der Grundmauern erhalten und für den Neubau genutzt
– sicher auch ein Zeichen für die ökonomische Verantwortung, die für den Baumeister und Kaufmann Hieronymus
Lotter typisch war.

Fast die gesamte östliche Platzwand einnehmend, beherrscht der an sich flache, langgestreckte Baukörper insbesondere durch seine sechs Zwerchgiebel und den asym-

metrisch angeordneten Turm den gesamten Marktplatz. Sowohl die Lage des vorgezogenen charaktervollen achteckigen Treppenturms als auch das Abknicken der südlichen Giebelpartie scheinen aus dem Ausnutzen der noch bestehenden Grundmauern entstanden zu sein. Aber auch ohne diese Gegebenheiten sollte man Lotter zutrauen, auf eine ähnliche Baukörperkonzeption gekommen zu sein, da die städtebauliche Qualität des Rathauses gerade dadurch evident wird. Sicher wäre ihm, der auch bei der Alten Waage den Treppenturm am Giebel asymmetrisch angeordnet hat, ein in der Mitte stehender Turm zu spannungslos erschienen, ganz abgesehen davon, daß eine städtebauliche Achse, die auf den Turm zuführen könnte, hier fehlt. Und das planmäßige oder zufällige Abknicken im südlichen Giebelbereich hat den positiven Effekt, daß das Rathaus auch von der Grimmaischen Straße aus eine dominierende Rolle spielt.

Immer wieder wird in der Literatur die in der Tat selbst für heutige Verhältnisse – was haben wir jetzt für bautechnologische Möglichkeiten! – außerordentlich kurze Bauzeit von neun Monaten erwähnt. Lotters Organisationstalent hat sich hier offenbar wieder bestens bewährt. Man muß allerdings auch berücksichtigen, daß die Zeit zwischen zwei Messen im wesentlichen für den Rohbau genutzt wurde. Im Februar 1556 war mit dem Bau begonnen worden und zur Michaelismesse desselben Jahres waren die Gewölbe schon benutzbar. Der arbeitsintensive Innenausbau wurde erst im Folgejahr 1557 durchgeführt.

Das durch Hieronymus Lotter und seine beiden Bauleiter, Paul Wiedemann und Sittisch Pfretzschner, forcierte Bautempo hatte offensichtlich einen negativen Einfluß auf die Qualität der Bau-Ausführung, denn von erforderlich werdenden Reparaturen und Sanierungsmaßnahmen wird wiederholt berichtet. So mußte sich das Alte Rathaus im Laufe der Geschichte sowohl innen als auch außen eine Reihe von Veränderungen gefallen lassen. Sie verbesserten jedoch die funktionelle Qualität des Hauses und taten der architektonischen Qualität keinen Abbruch – es handelte sich jeweils um ein maßvolles Anpassen an den Zeitgeist. Hieronymus Lotter hätte diese Umbauten und Ergänzungen sicher mit getragen. Dazu gehören der noch von ihm beeinflußte Bau des hölzernen Altans – ein vom Erdboden aus gestützter Turmanbau über dem Eingangsbereich (1564), der Bläseraustritt unterhalb der Uhr (1599) und schließlich im Jahre 1672 die vollständige Restaurierung des Gebäudes. Für jeden heute sichtbar, und als integrierter Bestandteil der Fassade empfunden, stammt aus dieser Zeit der Restaurierung die das gesamte Gebäude umlaufende, nunmehr vergoldete Inschrift unterhalb des Hauptgesimses.

Im Jahre 1744 schließlich erhöhte Christian Döring den Turm und versah ihn mit einer Barockhaube. Döring, im Vergleich zu Hieronymus Lotter wesentlich unbekannter, war der nicht weniger begabte Barockbaumeister der Stadt Leipzig, der sich insbesondere durch glänzende Bürgerhausschöpfungen einen Namen gemacht hat. Sein heute wesentlich geringerer Bekanntheitsgrad mag vor allem an der Tatsache liegen, daß fast alle seine Leipziger Bauten in der Katharinenstraße im Zweiten Weltkrieg zerstört worden sind.

Es spricht für das weitsichtige Denken und Planen des Bürgermeisters und Baumeisters Hieronymus Lotter, daß das Leipziger Rathaus 350 Jahre lang allen an ein solches Haus zu stellenden Anforderungen im wesentlichen gerecht werden konnte. Erst mit der Wende vom 19. zum 20. Jahrhundert ergab sich die Notwendigkeit, die Verwaltung der inzwischen durch zahlreiche Eingemeindungen auf 456.000 Einwohner angewachsenen Stadt in ein neues Gebäude zu verlagern.

Daß wir uns auch heute noch an dem bekanntesten Bau von Hieronymus Lotter erfreuen können, ist einem außerordentlichen Glücksumstand zu verdanken. Nur eine, allerdings gewichtige, Stimme entschied 1905, daß das Rathaus erhalten blieb und nicht einem an diesem Standort mehr als fragwürdigen Kaufhaus weichen mußte. In den Jahren von 1906 bis 1909 erfolgte die Rekonstruktion des sich in einem desolaten Zustand befindlichen Gebäudes. Die damals unter Leitung des Architekten Otto Wilhelm Scharenberg durchgeführten Arbeiten wurden aus der Sicht einer Art interpretierender Denkmalpflege durchgeführt.

Auch der Fachmann kann mit dem Ergebnis heute leben, denn trotz des Neuaufbaues der ehemals hölzernen Arkaden in Stein (Rochlitzer Porphyrtuff) ist zumindest das äußere Erscheinungsbild des 16. Jahrhunderts in gewisser Weise wiederhergestellt worden und damit eine würdige bauliche Hülle für das Stadtgeschichtliche Museum entstanden.

Am 4. Dezember 1943, bei dem verheerenden Luftangriff auf Leipzig, wurde der Hieronymus-Lotter-Bau stark beschädigt. Insbesondere der Turm und die Dachgeschosse brannten völlig aus.

Die Bedeutung dieses Gebäudes wurde rechtzeitig erkannt. Bereits ein Jahr nach Beendigung des Krieges begann man mit den Aufräumungsarbeiten, die im Jahre 1950 abgeschlossen wurden. Daß das Alte Rathaus das erste wieder aufgebaute historische Gebäude Leipzigs war, ist sicher kein Zufall gewesen. Es war vielmehr als eine Art Referenz der Stadt Leipzig und ihrer Bürger an den großen Baumeister dieser Stadt zu verstehen.

Man würde Hieronymus Lotters Persönlichkeit und Leistung nur unzureichend würdigen, wenn lediglich seine Leipziger Aktivitäten Erwähnung fänden. Auch außerhalb unserer Stadt hinterließ sein Wirken bis heute Spuren, die ihn in die erste Reihe deutscher Renaissancebaumeister stellen. Bereits nach dem Leipziger Rathaus wurde unweit von Leipzig das Pegauer Rathaus nach seinen Plänen errichtet. Pegau, eine Stadt etwa 30 km südwestlich Leipzigs gelegen, leistete sich den Luxus eines bekannten Baumeisters. Das

entsprechend Größe und Bedeutung der Stadt wesentlich
kleinere und bescheidenere Gebäude mit seinem damals
reich gegliederten Giebel – der in Leipzig angewandte
Staffelgiebel sollte sicher der Messestadt vorbehalten bleiben – und dem niedrigeren Turm war im Jahre 1559 unter
Leitung des Steinmetzen Paul Wiedemann fertiggestellt
worden und läßt durchaus die architektonische Handschrift
des Leipziger Meisters erkennen. Die gesamte Anlage zeigt
auch einige Ähnlichkeiten mit dem Leipziger Rathaus: der
gestreckte zweigeschossige Bau und die ursprüngliche Betonung der Giebel. Bereits in der zweiten Hälfte des 17. Jahrhunderts teilweise zerstört, mußte das Pegauer Rathaus eine
Reihe von Renovierungen über sich ergehen lassen – die
letzte große erfolgte 1960 –, die gewisse architektonische
Vereinfachungen zur Folge hatten. Die beim Leipziger Rathaus bewährte Zusammenarbeit zeigt auch in Pegau ihre
Früchte, wobei wir davon ausgehen können, daß Lotter sich
stets für den gesamten Entwurf zuständig fühlte, während
Wiedemann als Steinmetz – neben der eigentlichen Bau-
leitung – für das architektonische Detail und den plasti-
schen Schmuck Verantwortung trug.

Das bedeutendste außerhalb Leipzigs entstandene, von
Hieronymus Lotter geplante und realisierte Bauwerk ist
ohne Zweifel das Schloß Augustusburg. Bedeutend sowohl
hinsichtlich seines Standortes als auch in bezug auf seine
Abmessungen. Kurfürst August ließ den als Jagdschloß
konzipierten Komplex in landschaftsbeherrschender Lage
auf dem Schellenberg nahe Chemnitz errichten. Nach Dehio
ist der allgemeine Charakter des Baues der eines monu-
mentalen Residenzschlosses mit festungsmäßigen Anklän-
gen. Und was die Abmessungen anbelangt, so sind diese in
der Tat bedeutend: Es handelt sich um ein Quadrat mit
Seitenlängen von etwa 86 Metern. Markant sind die nach
innen zum Hof zu einspringenden quadratischen Eck-
häuser, wodurch im Grundriß – bewußt oder unbewußt –
ein Hof von griechischer Kreuzform entstanden ist.

Es war das Alterswerk des Leipziger Meisters, denn als er
den Bau auf Wunsch des Kurfürsten übernahm, war er fast
70 Jahre alt. Für Lotter war es zugleich ein Schicksalsbau,
den er »mit großer unerträglicher Mühe und Bestellung in
vier Jahren«, von 1568 bis 1572, begleitete, man muß sagen
begleiten durfte, denn der Bauherr entzog ihm ein Jahr vor
der Fertigstellung die Leitung des Baues – sicher ein Zeichen
der Unzufriedenheit über Baufortschritt und Baukostenent-
wicklung. Das scheint Willkür und Undankbarkeit gewesen
zu sein. Denn Lotter hatte nicht nur eine der gewaltigen
Bauaufgabe gemäße Leitung des Baues organisiert – schon
frühzeitig arbeiteten etwa 1.000 Menschen auf dem Schellenberg –, er handelte auch sonst ganz im Sinne seines Bau-
herren. Zwangsweise durch kurfürstlichen Befehl herbei-
geholte Arbeitskräfte, darunter schon bald auch Frauen und
Mädchen, waren zu einem großen Teil ›seine‹ Arbeitskräfte,
die rücksichtslos zum wirtschaftlichen Erfolg ausgebeutet
wurden. So lag eine gewisse Tragik über dem letzten
Lebensjahrzehnt Lotters. Durch den Bau des Schlosses
Augustusburg nahm er ideell und materiell gleichermaßen
Schaden. Zunächst wird er durch den Entzug der Baulei-
tung und das damit verbundene Verbot, die Baustelle zu
betreten, tief getroffen gewesen sein. Dazu kam, daß sein
privater Kredit in Höhe von 15.000 Gulden – das Leipziger
Rathaus hatte 18.000 Gulden gekostet –, den er in den Bau
des Schlosses eingebracht hatte, vom kurfürstlichen Bau-
herrn nicht zurückerstattet wurde. So kündigte sich sein
wirtschaftlicher Niedergang an, obwohl er 1573 zum achten Male zum Leipziger Bürgermeister gewählt wurde. Vom
14. September 1573 stammt ein Eigenbericht Lotters, in
dem er »nicht um Ruhmes willen, sondern daß solches nach
meinem Tod meinen Kindern um ihres Vaters willen zu
Ehren und Gutem gereichen möchte«, seine Arbeiten für die
Kurfürsten Moritz und August aufzählt und davon berichtet, wie er über dem Bau der Augustusburg, den er nicht
hatte übernehmen wollen, »gar unvermöglich worden«

war. Hinzu kam, daß der Ertrag seiner seit Anfang der sechziger Jahre im erzgebirgischen Zinn- und Kupferbergbau getätigten Geschäfte immer geringer wurde. Bereits im Jahre 1566 hatte Lotter im erzgebirgischen Geyer vorsorglich ein Herrenhaus – ›Lotterhof‹ genannt – erbaut und sich damit seinen Alterssitz gesichert. In diesen zog er sich zehn Jahre später zurück. Dort verbrachte er die letzten Jahre seines Lebens, in bescheidenen Verhältnissen.

Am 22. Juli 1580, im Alter von 83 Jahren, starb Hieronymus Lotter in seinem Haus. Ihm war also ein für die damalige Zeit vergleichsweise langes Leben vergönnt gewesen, ein Leben mit Höhen und Tiefen, mit glänzenden Erfolgen und demütigenden Niederlagen.

Lotters Biographie ist wie jede andere Lebensbeschreibung nur im Zusammenhang mit der Zeit zu bewerten, in der er lebte. Auch der Ort ist stets entscheidend. Im 16. Jahrhundert ging ein neuer Aufschwung des Bergbaues im Erzgebirge mit einer Blüteperiode der Leipziger Stadtentwicklung einher.

Der künstlerisch wie technisch-organisatorisch gleichermaßen begabte Hieronymus Lotter erkannte und nutzte die Zeichen der Zeit auch als Unternehmer. Seine baukünstlerischen Leistungen waren nicht denkbar ohne Mitarbeiter von Rang, wie Paul Speck und Paul Wiedemann, und seine organisatorischen und kaufmännischen Erfolge waren auch ein Ergebnis eines teilweise rigorosen Ausnutzens der Möglichkeiten, welche bereits die Anfänge der kapitalistischen Produktionsweise boten.

Das schmälert keineswegs die Verdienste dieser starken Persönlichkeit, dieser herausragenden Erscheinung der Leipziger Baugeschichte.

So werden Lotters Werke auch in Zukunft wegen ihrer funktionalen und ästhetischen Qualitäten das Erscheinungsbild unserer Stadt mit prägen und für den jetzt in Leipzig studierenden Architektennachwuchs eine gewisse Vorbildwirkung besitzen – ebenso wie für mich vor über vierzig Jahren. Jährlich werden von der Kulturstiftung Leipzig beispielhafte Sanierungs- und Rekonstruktionsmaßnahmen mit dem Hieronymus-Lotter-Preis für Denkmalpflege ausgezeichnet. Auch dies wird den Namen des Baumeisters wachhalten.

Gottfried Wilhelm Leibniz
Rätselhafte Größe

Von Manfred Bierwisch

Meine Freunde gingen auf die Leibniz-Schule in Leipzig, die galt als moderner als das traditionsbewußte König-Albert-Gymnasium, das ich besuchte. Dann kam die sogenannte demokratische Schulreform, und wir machten alle das Abitur auf der Karl-Marx-Einheitsschule: Im Sozialismus hatte Leibniz keine bedeutenden Chancen gegen Marx. Auch die Leipziger Universität hieß nach Marx, nicht nach Leibniz – für beides gab es keine guten Gründe. Allerdings, in der Phase ihrer Neugestaltung hat die Universität eine Leibniz-Professur eingerichtet, die bedeutenden Forschern die Gelegenheit geben soll, in seinem Geist an der Zusammenführung von Natur- und Geisteswissenschaften zu arbeiten.

Vierzig Jahre vor dieser Wende haben wir als Studenten auf dem Leibniz-Standbild posiert, das damals noch im Hof der Universität stand, bevor die realsozialistische Kahlschlagsanierung beim Abriß von Augusteum und Universitätskirche das nun störende Denkmal in die Grünanlagen verdrängte: zum zweiten Mal, nunmehr symbolisch, war Leibniz um seinen Platz an der Leipziger Universität gebracht worden. Zunächst aber war die Statue von Ernst Julius Hähnel für uns einfach ein Stück Realität, ein Denkmal eben, Leibniz, du weißt schon, die fensterlosen Monaden; in Wahrheit war da aber nichts Vertrautes. Das änderte sich nicht wirklich, als ich dann in Ernst Blochs eigenwillig-bedeutender Vorlesung zur Geschichte der Philosophie Leibniz als dem ›Denker der genetischen Aufklärung‹ begegnete. Von einer Prozeßlandschaft war die Rede, in die er durchaus hineingehöre und in der er »zum ersten Mal seit Aristoteles wieder den Begriff der ›*Möglichkeit*‹ eröffnet«

habe. Zwar war da großer Respekt vor einem Entwurf, der
›*die Welt als Erhellungsprozeß*‹ vorstellte in einer ›kontinuierlichen Intensitätsfolge der Lichtvermehrung‹. Ein bedeutender Möglichkeits- und Hoffnungsphilosoph also,
und das hieß für Bloch: einer von uns! Dennoch schien uns
deutlich, daß dem raunenden Jakob Böhme, bei dem das
Licht aus dunklem Urgrund quillt und treibt, größere Sympathie galt als dem überlegenen Rationalismus des Logikers
Leibniz. Hochachtung demnach für den Aufklärer, aber
nicht ohne Reserviertheit. Vielleicht war das einfach die
Schwierigkeit, die die reinen Lichtgestalten fast immer
etwas unzugänglicher, auch spannungsloser erscheinen läßt
als die problematischen, aus Hell und Dunkel gemischten
Figuren (das Paradies ist irgendwie langweiliger als das
Purgatorium), vielleicht aber hing es zusammen mit den in
Wahrheit ganz verschiedenen Weltsichten.

So oder so, Leibniz blieb auf eigentümliche Weise verschlossen, und zwar offenbar gerade weil seine überragende
Bedeutung ganz außer Frage stand, sich aber der gewohnten Einordnung irgendwie entzog. Diese merkwürdige Diskrepanz ist nun nicht einfach der eigenwilligen Dialektik
der Blochschen Philosophiegeschichte und nicht einmal stu-
dentischer Unbedarftheit der Zuhörenden zuzuschreiben. Je
unterschiedlicher meine späteren Begegnungen wurden, je
spezifischer die Bemühungen, hinter das Rätsel zu kommen,
um so deutlicher glaubte ich zu verstehen, daß das den
Erwartungen nicht Entsprechende, das sie allemal hinter
sich Lassende ein charakteristisches Motiv sein muß, das in
wechselnder Gestalt zur Erscheinung von Leibniz selbst
gehört.

Einer ziemlich alltäglichen Variante dieses Motivs begegnen wir am Anfang seiner ungewöhnlichen Karriere. Nachdem er bei Jacob Thomasius 1663 mit einer ›metaphysi-
schen Abhandlung über das Individuationsprinzip‹ das
Bakkalaureat erlangt, in Jena ein Semester Mathematik und
Jura studiert und mit einer programmatischen Arbeit über

›die Kunst der Kombinatorik‹ erstes Ansehen in der scientific community erlangt hatte, reichte der gerade Zwanzigjährige 1666 eine Doktorarbeit *Über schwierige Rechtsfälle* bei der juristischen Fakultät in Leipzig ein. Das Außergewöhnliche dieses Doktoranden dürfte vor allem dem assessoralen Mittelbau, der um sein eigenes Vorankommen besorgt war, offensichtlich und daher suspekt gewesen sein. Jedenfalls wurde die Promotion verschleppt, um den lästigen Kandidaten hinzuhalten – ein bis heute funktionierendes Verhaltensmuster, auf das Leibniz rasch und entschieden reagierte: Er promovierte noch im gleichen Jahr an der zur Stadtrepublik Nürnberg gehörenden Universität Altdorf. Die Universität Leipzig hatte das jugendliche Genie nicht ertragen, die Stadt war ihrem außergewöhnlichen Sohn nicht gewachsen. Leibniz hat seine Vaterstadt früh und gründlich verlassen, seine weitere vielfältige Wirksamkeit hat – mit einer verspäteten Ausnahme, nämlich der schließlich auf sie gekommenen Akademie – nichts mehr mit der Messestadt zu tun gehabt. Allerdings hat er auch eine ihm angetragene Professur an der Universität Altdorf ausgeschlagen – das Zutrauen des zielstrebigen jungen Gelehrten zur Leistungsfähigkeit der Universitäten war offenbar insgesamt gebremst, er hat sich auch später nicht mehr um sie bemüht.

Mißlicher als die verweigerte Promotion erscheint die Diskrepanz, die den letzten Lebensabschnitt in Hannover überschattet. Vier Jahrzehnte war Leibniz als Hofrat, Bibliothekar, Geschichtsschreiber und Diplomat für das Haus Hannover tätig gewesen, als 1714 sein damaliger Dienstherr, der Kurfürst Georg Ludwig von Hannover, König von England wurde – eine Entwicklung, an deren Zustandekommen Leibniz durch geschickte Ratschläge entscheidend mitgewirkt hatte. Statt ihn nun aufgrund seiner Verdienste an den englischen Hof zu holen, ließ der König ihn wissen, daß er in London nicht erwünscht sei. Pikantes Detail dieser kränkenden Entscheidung: Zu den Untertanen seiner Majestät gehörte nun der große Physiker Sir Isaac Newton, mit dem Leibniz in einen fatalen Streit um die Urheberschaft der Infinitesimalrechnung verwickelt war. Da mochte es dem König nicht opportun erscheinen, Leibniz seinen Verdiensten entsprechend zum Historiographen Englands zu machen. Es ging dabei um mehr als höfische Anerkennung, es ging um den geistigen Rang des Zurückgelassenen. Isolation, Zurücksetzung bis zum zeitweiligen Ausbleiben seiner Bezüge, wiederkehrende Plagiatsverdächtigungen und zu all dem die wachsenden Beschwerden der Gicht haben die letzten beiden Jahre des Mannes schwer belastet, der wie kaum ein anderer auf der Höhe seiner Zeit gestanden hat.

Nun sind die Mißgunst mittelmäßiger Kollegen und der Undank einer gleichgültigen Obrigkeit nichts sonderlich Ungewöhnliches und für sich genommen gewiß kein Indiz unentschlüsselter Größe. Im Ganzen der ausgreifend glanzvollen Karriere, die Leibniz zum gesuchten, manchmal umstrittenen, aber immer geachteten Partner fast der gesamten europäischen Elite macht, erscheinen sie deshalb eher wie Kontrastmomente zu einem atemberaubenden Erfolgsprogramm: Mit 24 Jahren ist er Präsident des Obersten Gerichts des Kurfürstentums und Erzbistums Mainz, bald darauf mit diplomatischem Auftrag in Paris, später in Rom, Brief- und Gesprächspartner der Herrschenden vor allem der gelehrten, aber auch der politischen Welt, Gründer und Anreger von vier Wissenschaftsakademien, Verfasser politischer Gutachten und Streitschriften, Konstrukteur, Historiker, Mathematiker, Theologe, Philosoph – eine detaillierte Aufzählung seiner Tätigkeitsbereiche käme einer Enzyklopädie seiner Zeit gleich. Von heute aus gesehen müßte er nicht nur als der erste Präsident der brandenburgisch-preußischen sowie der österreichischen Akademie der Wissenschaften gewürdigt werden, sondern auch als ein Vorläufer des ökumenischen Rats, die Grünen müßten sein Projekt zur Nutzung der Windenergie im Harz

Gottfried Wilhelm Leibniz
(1646–1716)

als Schritt zur Erzeugung regenerativer Energie lange vor
dem Boom der Nutzung fossiler Brennstoffe würdigen, die
Psychoanalyse müßte ihm die Entdeckung des Unter-
bewußtseins danken, die Informatik und die Computer-
technologie ebenso wie die mathematische Logik und das
noch immer utopische Projekt einer präzisen und universellen Begriffsschrift hätten in ihm ihren Ahnvater zu erkennen. Dieses beeindruckende Panorama, das durch etliche
weitere Facetten zu bereichern wäre – etwa durch Studien
zum Militärwesen, eine Verteidigung der Oper, auch Gedichte, die ihn freilich nicht berühmt gemacht hätten –, es
offenbart beim nicht nur oberflächlichen Hinsehen dann
doch immer wieder merkwürdige, rätselhafte, ins Leere ver-
laufende Züge, die ihm Momente der Unwirklichkeit ver-
leihen.

Man wird sich Leibniz als ein eher konziliantes Tem-
perament vorstellen müssen, soweit irgend möglich um
Verständigung bemüht, in allem zunächst das Vernünftige
suchend, dabei immerfort geschäftig, voller Energie, aber
doch umsichtig. Das Persönliche tritt dabei beinahe be-
fremdlich hinter die Geschäftigkeit zurück – die Biographen
berichten von zwei Ansätzen zur Eheschließung, die beide
dann doch nicht ernsthaft verfolgt werden, die Beziehungen
zu seiner Familie bleiben Gelegenheitssache, das Verhältnis
zu seinem langjährigen Sekretär Johann Georg Eckhart
scheint immer Distanz gewahrt zu haben. Ein Barock-
mensch – diese Klassifizierung ordnet ihn wohl in die Zeit
ein und erinnert allenfalls an die Allongeperücke, mit der
ihn die bekannten Darstellungen zeigen; das Stereotyp, das
ansonsten mit diesem Ausdruck assoziiert wird, ist auf den
mit dem Katholizismus spirituell sympathisierenden, aber
doch loyal protestantischen Gelehrten offenbar kaum zu
beziehen. Hat es ihm an der Durchsetzungskraft, der
Robustheit gefehlt, die die prägenden Figuren jener Zeit
diesem Stereotyp zufolge ausgezeichnet hat? Der Gedanke
mag unpassend sein, aber er drängt sich auf.

Viele der Anregungen und Projekte von Leibniz sind nachdrücklich begrüßt worden, manche seiner Denkschriften hat er ganz direkt als Auftragsarbeit verfaßt – die Verwirklichung freilich stand oft genug auf einem anderen Blatt. So wurde Leibniz zwar vom Kaiser zum Reichshofrat und unvermutet auch zum Präsidenten einer zu gründenden Wiener Akademie der Wissenschaften bestellt, aber deren Einrichtung – von den Jesuiten hintertrieben – fand, wie die der Sächsischen Akademie der Wissenschaften, erst mit der Verzögerung von rund 150 Jahren statt, – aus Anlaß seines 200. Geburtstages und also als Ehrung mit ungewollter Ironie, denn Leibniz hatte für beide Gründungen nicht nur die Konzepte ihrer Zielstellung, sondern auch praktische Vorschläge zu ihrer Verwirklichung entworfen. Etwas energischer als der habsburgische und der sächsische Monarch war Peter der Große zu Werke gegangen, der die Anregungen von Leibniz bereits 1711 in St. Petersburg in eine Akademie-Gründung umsetzte. Seinen eigentlichen Erfolg aber hatte Leibniz in Berlin, wo seine Beharrlichkeit und die Unterstützung der außerordentlich aufgeschlossenen und interessierten Königin Sophie Charlotte 1700 zur Errichtung der Brandenburgischen Sozietät der Wissenschaften führten. Auch hier wurde Leibniz zum Präsidenten bestellt, und er hatte dieses Amt bis zu seinem Tode inne. Allerdings ergab sich auch hier bei allem Engagement wieder eine gewisse Verflüchtigung der Realität: Leibniz war, wie schon gesagt, in Hannoverschen Diensten, Besuche in Berlin konnten nicht sehr häufig sein und waren zunehmend belastet durch Spannungen zwischen Preußen und Hannover. In den letzten Jahren wurden nicht einmal alle Zuwahlen zu seiner Akademie mit Leibniz abgestimmt, zu seinem Tod gab es keine Gedenkrede, keine Veröffentlichung. Dennoch war die Berliner Akademie wissenschaftspolitisch sein deutlichster Erfolg. Angelehnt an die Vorbilder der Académie Royal des Sciences in Paris und der Royal Society in London, die ihn beide zum Mitglied gewählt hatten, sollte seine

Sozietät sich doch deutlich unterscheiden: es gab in ihr keine bloß repräsentative, das heißt politische Mitgliedschaft des Adels, alle Mitglieder waren Gelehrte oder aber Männer der Praxis, die Akademie sollte geprägt sein vom Geist der ›Gelehrtenrepublik‹, sie war gemeint als Ort wissenschaftlicher Tätigkeit und insofern die Vorwegnahme der bürgerlichen Akademien des späteren 18. Jahrhunderts.

Die Mischung von Vergeblichkeit und Erfolg begleitete auch zahlreiche andere Aktivitäten, mit denen Leibniz, immerfort reisend, befaßt war. Das Projekt, die Windenergie zu nutzen, blieb unverwirklicht, aber die Konstruktion einer Rechenmaschine war nach einigen Fehlschlägen schließlich erfolgreich. Dagegen war die einigermaßen illusorische Bemühung, Katholizismus und Protestantismus wieder zu vereinigen, natürlich zum Scheitern verurteilt, sie brachte den Vermittler am Ende lediglich in den Verdacht, seine lutherische Herkunft verraten zu haben. Und auch die bescheidenere Absicht seiner letzten Jahre, wenigstens die Protestanten der lutherischen und der reformierten Konfession zusammenzuführen, lief ins Leere. Man muß nicht über Gelingen und Scheitern bei weiteren, oft vertraulichen, politisch-diplomatischen Missionen spekulieren, um auf Fragen zu kommen, die das Rätselhafte der Gestalt in einem nicht mehr trivialen Sinn betreffen.

Unbeschadet der Anregungen, Vermittlungen, Einmischungen auf so vielen Gebieten – ein Macher, ein erfolggewohnter Praktiker kann Leibniz nicht gewesen sein. Zu vieles ist Versuch geblieben, war vielleicht zu klug gemeint, zu vermittelnd, zu wenig rücksichtslos ins Werk gesetzt, vielleicht auch nur zu illusorisch. Also ein Gelehrter, nicht unbedingt weltfremd, aber doch den Unbilden der Wirklichkeit nicht gewachsen? Dagegen spricht nicht nur die höchst fragliche Anwendbarkeit dieser Einteilung auf das 17. Jahrhundert, sondern vor allem die Energie, die Leibniz unzweifelhaft auf diese Aufgaben verwandt hat – und die Wirkungen, die davon ja doch ausgegangen sind:

Zwar bemühen sich die Kirchen nach wie vor vergeblich um ihre Vereinigung, aber die Leibnizsche Akademie hat erstaunlich viele Fährnisse überlebt, ein noch immer probates und variierbares Modell. Dennoch, das Eigentliche seiner Wirkung, das, was seinen Platz in der Geistesgeschichte ausmacht, ist eigentümlich verdeckt, versteckt, verstreut, nur schwer greifbar.

Zunächst ist auffällig, daß er anders als etwa Descartes, Hume oder Kant und Hegel nicht schulbildend gewirkt hat, wenn man den emsigen Popularisierer Christian Wolff und seine Schülerschar hier fairerweise beiseite läßt. Das ist eigenartig genug, denn die geläufige Meinung stellt uns ja nicht von ungefähr Leibniz als den letzten Universalgelehrten vor, der das Wissen seiner Zeit nicht nur souverän überschaute, sondern es auf durchweg professionelle Weise bereicherte, wo immer sein offenbar uneingeschränktes Interesse sich hinwandte. Dieser Umstand allein sollte Ausstrahlung genug haben angesichts der einsetzenden Spezialisierung des Wissens und der Entfremdung der Disziplinen, bis hin zu jener Herablassung, mit der Geistes- und Naturwissenschaften jeweils aufeinander herabblicken: Für Leibniz waren die Einheit des Denkens und die Zusammengehörigkeit der Wissenschaften kein fernes Ziel, sondern alltägliche Erfahrung. So sehr man in dieser ganz selbstverständlich praktizierten Einstellung Momente und Strukturen erkennen mag, die aus dem frühen Rationalismus weit in die Zukunft vorausgreifen – Schulen und philosophische Leitbilder bilden sich durch inhaltliche Deutungen der Welt im Ganzen. Und das führt zum eigentlichen Kern der Rätselhaftigkeit. Leibniz hat ja sehr wohl ausgreifende Entwürfe, Darstellungen zur Struktur und zum Sinn des Ganzen, also zu dem, was den Titel Metaphysik trägt, formuliert; Leitbegriffe seiner Metaphysik sind mit Spott – ›die beste aller möglichen Welten‹ –, mit Ratlosigkeit – ›die fensterlosen Monaden‹ – oder Verwunderung – ›die prästabilierte Harmonie‹ – in das allgemeine Bildungsgut eingegangen. Daß sie trotz aller Bewunderung, die dem Genie Leibniz gezollt wurde, in Wahrheit weitgehend aus der Wirkungsgeschichte des philosophischen Denkens herausgefallen sind, hat mehrere Gründe, von denen der wichtigste und tiefste mit der faszinierenden und rätselhaften Konsequenz dieses Gedankengebäudes selbst verbunden ist. Dieses Gebäude hier auch nur skizzieren zu wollen, wäre nicht vermessen, sondern lächerlich. Ich will dennoch und auf die Gefahr hin, die Mißdeutungen von Wolff und Voltaire bis zu Bloch um eine weitere Variante zu bereichern, den Versuch machen, diese Faszination immerhin anzudeuten.

Bevor ich dieses Risiko beginne, sind einige Bemerkungen zu der Gestalt notwendig, in der nicht nur die Philosophie, sondern das gesamte Œuvre von Leibniz auf uns gekommen ist. Denn dies ist eine weitere, nicht triviale Facette der Diskrepanz zwischen dem äußeren Bild und der verdeckten, sich entziehenden Bedeutung der Figur. Bei keinem vergleichbaren Autor stellt allein das quantitative Verhältnis zwischen dem veröffentlichten Werk und der Gesamtheit der Schriften eine solche Merkwürdigkeit dar. Die tatsächliche Wirkung beruht außer auf zahllosen Briefen, die ein entscheidendes Medium des wissenschaftlichen Diskurses jener Zeit waren, auf Zeitschriftenaufsätzen und Sammelbänden, die alles in allem einen Bruchteil des Gesamtwerkes ausmachen. Nur ein kleiner Teil der etwa 60.000 handschriftlichen Textzeugen ist bisher veröffentlicht, von den mathematisch-naturwissenschaftlichen Schriften vielleicht zehn Prozent. Die verwickelte Editionsgeschichte, die schließlich zu einer in sieben Abteilungen mit bisher 28 Bänden gegliederten Werkausgabe unter der Ägide der Preußischen Akademie der Wissenschaften und später der Leibniz-Kommission geführt hat, ist hier nicht darzustellen. Zu bemerken sind aber zwei Punkte, die diesen Aspekt der Diskrepanz wieder mit Leibniz selbst verbinden: Zum einen hat er seine Philosophie in immer neuen

Entwürfen, Erläuterungen, Ausschnitten und Briefen entwickelt, ohne sie in einer Gesamtdarstellung festzuhalten.
Zum anderen hat er offenbar wichtige Teile seiner Metaphysik vor der Öffentlichkeit zurückgehalten, weil er nicht
ohne Grund Unverständnis und Ablehnung fürchtete. Bertrand Russel, der die eigentümliche Konsequenz dieser ›eso-
terischen‹ Philsosophie deutlich gemacht hat, hält sie für die
eigentliche, von der populären Version nur überlagerte und
jedenfalls bei weitem tiefere Auffassung Leibniz'.

Als Versuch eines Zugangs zur Leibniz-Welt – der nicht
als deren Kurzformel mißdeutet werden darf – mag die
Maxime dienen, daß Metaphysik nach den Regeln formaler
Logik zu betreiben ist. Für diesen Grundsatz, dessen Anfänge bis zu Plato zurückreichen, hält das 17. Jahrhundert
neue Mittel bereit. Für Leibniz ist seine Jugendarbeit über
die Kunst der Kombinatorik ein erster Ansatz zu dieser Entwicklung, die ihn später ebenso zur intensiven Beschäftigung mit der Mathematik wie zu den von der chinesischen
Schrift inspirierten Bemühungen um eine ›Ars characteristica universalis‹, eine universelle Begriffsschrift, führt und
ihn zum Vorläufer der modernen mathematischen Logik
macht. Was damit andeutungsweise benannt ist, ist eigentlich nur das Handwerkszeug, dessen Bedeutung aber gar
nicht ernst genug genommen werden kann, denn in ihm
liegt ein großer Teil der Spannkraft, die das Faszinierende
und Rätselhafte der Leibniz'schen Gedankenführung ausmacht. Ihre Voraussetzung sind zwei miteinander verbundene Vorgänge: Zum einen war das 17. Jahrhundert eine
Epoche atemberaubender Entwicklungen in der Mathematik; die Formulierung mathematischer Probleme und
ihre Lösung veränderte den Horizont, in dem die führenden
Geister der Zeit sich bewegten. In den Briefen und Abhandlungen, mit denen sie einander in Atem hielten, wurde
die Klärung mathematischer Verfahren zur intellektuellen
Bewährungsprobe. (Der erwähnte Prioritätenstreit um die
Infinitesimalrechnung zeigt etwas von der Hochspannung,

die da herrschte.) Zum anderen entstanden zugleich und in direktem Zusammenhang mit diesem Instrumentarium die neuen, postscholastischen Erklärungen der natürlichen Welt, das heißt die Ansätze der modernen Wissenschaft. Daß diese Erklärungen mathematisch formuliert werden konnten, war so erstaunlich wie es heute selbstverständlich erscheint. Zwar waren die führenden Gelehrten der Epoche, wie Descartes, Pascal, Heughens, Newton – und natürlich Leibniz – allesamt bedeutende Mathematiker, eben weil sie Naturwissenschaft und Philosophie trieben. Dennoch ging das Gerüst der Grundlagen, durch die die logisch-mathematisch gefaßten Erklärungen überhaupt erst möglich wurden, notwendigerweise über die Logik hinaus, auch und gerade, wenn über diese Grundlagen nach den Regeln der Logik nachgedacht wurde. Damit ein mathematisch strukturiertes Bild der Welt gestaltet werden konnte, mußte zunächst die mächtige Tradition der Metaphysik der Scholastik aufgebrochen werden. Den radikalen Neuansatz stellt, wie man weiß, Descartes' ›Cogito ergo sum‹ dar. Nur von ihm aus, als Weiterführung und Kritik, ist auch das Gedankengebäude von Leibniz zu verstehen.

Der mit Descartes' Ansatz erprobte Denkstil hat die Raison der modernen Wissenschaftlichkeit und der mit ihr verbundenen Technik geschaffen. Ein entscheidender Punkt ist dabei die Tatsache, daß mit Descartes' Bestimmung der zwei Substanzen, der ›res extensa‹ und der ›res cogitans‹, also der körperlichen und der geistigen Welt, das Grundmuster der Unterscheidung, wenn auch noch nicht der Trennung, von Natur- und Geisteswissenschaft geschaffen war: einerseits erhielt mit der Mechanik von Druck und Stoß, die nach dieser Auffassung die träge Substanz der körperlichen Welt beherrschte, die mathematische Formulierung der Bewegungsgesetze die nötige Basis, und andererseits war mit der Willensfreiheit als dem entscheidenden Charakteristikum der geistigen Welt der grundsätzliche Unterschied der Sphäre des Bewußtseins gesichert. Dieser Dualismus,

der trotz aller intellektuellen Anstrengungen der Folgezeit –
unter anderem von Leibniz – im Grunde unser Weltbild bis
heute bestimmt, hat (mindestens) zwei tiefgreifende Schwierigkeiten. Die erste ist das Verbot des leeren Raumes: Die
res extensa muß die räumliche Welt lückenlos ausfüllen,
damit die Mechanik von Druck und Stoß funktionieren
kann. Die zweite ist die Notwendigkeit, daß die zwei
wesensverschiedenen Substanzen irgendwie zueinander
kommen müssen, wenn die Entscheidungen des freien Wil-
lens die Wirkungen haben sollen, die sie ja offenbar aus-
lösen können. Die erste Schwierigkeit ist Descartes nicht als
solche erschienen, mit ihr hat sich erst Newton herum-
geschlagen und zu ihrer Lösung in die klassische Mechanik
den leeren Raum eingeführt und die Gravitation als Kraft,
die durch diesen leeren Raum wirkt – ein Gedanke, der ihm
bis zuletzt unheimlich war und den Leibniz aus prinzipiel-
len Gründen abgelehnt hat. Die zweite Schwierigkeit aber
hat Descartes mit einem gewissen logischen Trotz beant-
wortet und für die Verbindung der zwei Substanzen die
Zirbeldrüse verantwortlich gemacht: sie ist das Organ,
durch das der Geist mechanische Wirkungen auslöst.

Wie kann man zu einer Metaphysik kommen, die diesen
logischen Skandal vermeidet und dennoch die Gesetze der
Mechanik und die Willensfreiheit erhält? Leibniz entwickelt für dieses Problem eine Lösung, die weitaus raffi-
nierter, auch eleganter ist als die von Descartes – aber
ebenso phantastisch. Grundlage ist das Konzept der elementaren, einfachen Substanzen, die Leibniz an die Stelle
der zwei getrennten Substanzbereiche, der res extensa und
der res cogitans setzt, Grundbausteine, aus denen alle Dinge
des Universums zusammengesetzt sind. Diese Monaden
sind nicht etwa Atome wie die kleinsten Teilchen des Demo-
krit, sondern die in sich abgeschlossenen Substanzarten der
Welt. In ihnen sind alle Eigenschaften vorgegeben, sie nehmen keine Wirkungen auf und üben auch keine Wirkung
aus – sie sind ›fensterlos‹, aber aus der Art ihrer Verbindung

bestimmen sich die scheinbar realen Erscheinungen: Die wirklichen Dinge sind jeweils spezielle Mischungen von Monaden, die in sich die anderen Monaden zwar spiegeln, aber nicht beeinflussen. In jedem Ding gibt es eine dominierende Monade, die gewissermaßen seinen Charakter bestimmt.

Wer von den Weltmodellen der modernen Physik gehört hat, dem wird diese eigenartige Konstruktion nicht mehr ganz so absonderlich erscheinen. Immerhin veranlaßt ihre Ausgestaltung Leibniz zu Folgerungen, die logisch zwingend sind, aber eigentlich nur als absurd gelten können: Damit die Konstruktion funktioniert, die Monaden wirklich den Urgrund der Welt bilden, aus dem die Erscheinungen verstanden werden können, dürfen sie nicht selbst Wechselwirkungen unterliegen, die aus wieder anderem erklärt werden müssen – darum die Fensterlosigkeit. Damit aber die Wechselwirkung, die die Physik seiner Zeit gerade in staunenswerter Prägnanz mathematisch zu fassen begann, damit die Mechanik von Druck und Stoß ihren Platz finden kann, muß sie als etwas verstanden werden, das als Kausalität nur erscheint.

In Wahrheit sind alle Monaden von Beginn an in ihrem Verhältnis zueinander bestimmt. Diese ebenso zwingende wie unglaubliche Annahme ist die berühmte These von der prästabilierten Harmonie: Alle Substanzen sind von vornherein so beschaffen und miteinander abgestimmt, daß sie den Lauf der Welt mit all seinen Kausalketten entstehen lassen. Freilich ist der Zusammenhang von Ursache und Wirkung, dem die Dinge scheinbar unterliegen, für Leibniz nichts als der glückliche Gleichklang ihrer je eigenen Wesenheit, so wie zwei richtig gestellte Uhren zur gleichen Zeit schlagen, ohne einander zu beeinflussen. Descartes hatte zwei disparate Substanzen miteinander zu verknüpfen – das mochte die Zirbeldrüse tun. Die Synchronisierung aller Monaden verlangte eine subtilere Regelung, letztlich einen Weltenplan, in dem alles seine Zeit und seinen Platz hat. Das scheinbar Unzumutbare dieser Auffassung ist für Leibniz kein Einwand, es wird vielmehr zu einem besonders starken Argument beim Thema der Gottesbeweise, das Leibniz philosophisch und theologisch sehr beschäftigt hat: Die extrem komplexe Bedingung des vorab in all seiner Dynamik stabilisierten Universums ist nämlich ohne einen Schöpfer nicht denkbar. In der Art dieser Stabilität kommt die vollkommene Freiheit des Geistes, das Wirken Gottes zu Geltung. Auf diese ebenso logische wie paradoxe Weise versöhnt Leibniz den Determinismus physikalischer Gesetze mit der Freiheit und Eigenständigkeit jeder Monade. Allerdings wird dabei der Determinismus eine Sache der Erscheinung, ja des Scheins, und in einer tieferen Schicht, die Leibniz eben darum vor der Öffentlichkeit verborgen gehalten hat und die Russel seine esoterische Philosophie nennt, kehrt sich das Ganze um: die Freiheit geht auf im Determinismus.

Bevor ich diese letzte Facette des Rätselhaften dieser grandiosen Figur anzudeuten versuche, ist noch das andere, bis zur Lächerlichkeit vernutzte Leitmotiv seiner nicht-esoterischen Philosophie in das Bild einzuordnen – die Rede von der besten aller möglichen Welten. Gewiß hat dieser Gedanke für Leibniz einen emphatischen Charakter, der den Beweis für die Existenz Gottes mit dem Lichtwesen des Göttlichen verbindet. Dennoch gibt es auch hier eine tiefere, streng logische Schicht, die von spröder Strenge ist. Das Konzept ruht auf einem eigentlich unerhörten Gedanken, nämlich die Welt zu nehmen als lediglich eine von vielen alternativen Möglichkeiten. (Die Denkfigur der möglichen Welten hat übrigens in der modernen Logik wie viele andere Ideen von Leibniz eine vehemente Fruchtbarkeit gewonnen.) Auf diese Voraussetzung bezogen verliert die beste der möglichen Welten viel von dem strahlenden Optimismus, das dem Konzept unterstellt worden ist. Die beste mögliche Welt muß ja keine gute Welt sein – alles hängt davon ab, was in den Möglichkeiten enthalten ist. Und ein Problem, das da eine nur scheinbar irritierende Rolle spielt, ist die Tatsache, daß die beste der möglichen Welten auch das Böse enthalten muß – nicht nur wie einen Schatten, der den Glanz des Guten heller strahlen läßt, sondern weil die Freiheit keine Freiheit wäre, Gott also auch nicht göttlich, wenn sie nicht auch die mögliche Entscheidung für das Negative einschlösse. Die wirklich strenge Idee der besten der möglichen Welten hat aber mit diesen eher ethischen Motiven nichts zu tun und gründet sich auf den Begriff der ›Compossibilität‹ – also des miteinander (logisch) Verträglichen. (Ledigsein und Verheiratetsein sind keine Compossibilitäten, Verheiratet- und Waise-sein aber sehr wohl.) Eine mögliche Welt kann offensichtlich immer nur Compossibilitäten enthalten, nicht aber miteinander unverträgliche Dinge oder Zustände. Von zwei gleichermaßen möglichen Welten hat nun für Leibniz die den höheren Wert, ist in diesem Sinn die bessere, in der mehr miteinander verträgliche Möglichkeiten verwirklicht sind. Die Welt entsteht gewissermaßen aus einem horror vacui heraus: Das Nichts darf nicht sein. Daß Leibniz das Existierende für besser hält als das Nichtbestehende, das Gefüllte für besser als das Leere, ist ein logischer act gratui – warum sollte nicht das Nirwana besser sein als der mit Materie, Schweiß und Blut vollgestopfte Raum? Aber nach dieser (sehr europäischen) Willkürentscheidung folgt alles andere streng logisch: Wenn die Realisierung von Möglichkeiten ein Grundzug des Seins ist, dann ist die vollständigste zugleich die beste der möglichen Welten. Gott und die Freiheit des Schöpfers sind in dieser Metaphysik entbehrlich.

Die esoterische Philosophie von Leibniz ist nun eigentlich insgesamt von dieser logischen Rigorosität, die zu einem strengen Determinismus führt. Die Monaden und die aus ihnen bestehenden Dinge und Erscheinungen unterliegen ja keinerlei Beeinflussung – es ist also alles, was ihnen geschieht, von allem Anfang an bestimmt. Hinter der prästabilierten Harmonie wird ein absoluter, logischer Determinismus sichtbar, welcher besagt, daß alle wahren Aussagen, die über einen Sachverhalt gemacht werden können, logisch notwendige Aussagen sind, weil alle Eigenschaften der Dinge ihnen wesentlich zu eigen sind, sie definieren ihre Identität. Auch daß ich dies jetzt schreibe, ist so gesehen eine logisch notwendige Tatsache. Die Reaktion der Zeitgenossen auf diese Philosophie hat Leibniz davon abgehalten, sie öffentlich zu vertreten, die befremdliche Rigorosität des Ansatzes blieb verdeckt. (Erst Kant hat das damit aufgeworfene Problem, nämlich den Unterschied von analytischen und synthetischen Aussagen im Bereich der Logik, zum genuinen Thema der Philosophie gemacht.)

All dies ist nicht gemeint als Skizze der Leibniz'schen Philosophie – es sind Ausschnitte, charakteristische Momente, die aber doch zweierlei sichtbar machen können. Zum einen, was es heißt, Metaphysik als logische Aufgabe zu entfalten – so daß am Ende die Frage entstehen mag, ob Gott die Logik schafft oder ob er ihr gehorcht. (Ist Gott als unlogisch denkbar und wenn nicht, ist dann seine Allmacht durch die Logik begrenzt? Sind das sinnvolle Fragen?) Zum anderen, daß die Rätselhaftigkeit der Größe selbst eine logische Struktur hat. Die Mißlichkeiten und Mißerfolge seines Wirkens sind, so gesehen, nur Begleiterscheinungen eines exemplarischen Rätsels der Geistesgeschichte.

Auf dessen Stellenwert muß ich noch einmal zurückkommen. Der Antrieb des Leibniz'schen Wirkens war die Überwindung der Scholastik durch die Anstrengung der Vernunft – und das hieß vorab der Logik und der Mathematik – aber auch durch die Einbeziehung aller empirischen Entdeckungen, die seine Zeit hervorbrachte. In dieser großen Bewegung, der Leibniz sich als einer ihrer Strategen zugehörig gefühlt haben muß, hat er dennoch in seiner schwierigen Auseinandersetzung mit Newton letztlich auf der falschen Seite gestanden. Das Problem betrifft nicht den Anspruch auf die Urheberschaft der Infinitesimalrechnung (da hat sich am Ende die auf Leibniz zurückgehende Form durchgesetzt), sondern den Charakter der Gravitation, auf der Newton die klassische Mechanik aufgebaut hat. Sie war eine Kraft, die Körper über den leeren Raum hinweg ausübten – eine Annahme, die für Leibniz (und die Cartesianer) zwei unzumutbare Momente enthielt: zum einen Wirkung ohne Druck und Stoß, gewissermaßen als Wesenskraft, die den Dingen innewohnte (eine Vorstellung, die einen verhängnisvollen Rückfall in die scholastische Philosophie der Wesenskräfte zu bedeuten schien), zum anderen den leeren Raum, das Unding, das dergleichen erst nötig machte. Leibniz hat die Planetenbewegung folgerichtig durch Wirbel in einer Art kosmischer Flüssigkeit erklärt – mit der gleichen mathematischen Rigorosität wie sein Kontrahent. Dieser Zug der Rätselhaftigkeit zeigt auf spannende Weise, wie wenig selbstverständlich die Einsichten sind, die das jeweilige Weltbild bestimmen. Zugespitzt gesagt, die Ablehnung der Gravitation folgte aus der Überwindung der Scholastik und bedeutete zugleich die Verkennung des Erkenntnisfortschritts in der Wissenschaft, die eben daraus hervorging.

Das Wirken von Leibniz hat keine Schulenbildung zur Folge gehabt, aber viele seiner Ideen und Anstöße haben auf durchdringendere Weise die Entwicklung geprägt als die großen Lehrgebäude. Statt Einzelheiten, die ich hier und da erwähnt habe, aufzusammeln, will ich zwei exemplarische Beispiele nennen, die direkt miteinander zusammenhängen. Zu den vielen Anstößen zur Ausgestaltung der Logik, die bei Leibniz angelegt sind, gehört sein Entwurf der Binärcodierung – eine der Fundamentalvoraussetzungen für die Arbeitsweise der digitalen Rechner. Und die Bemühung um die Ars Characteristica Universalis, die in die gleiche Richtung zielte wie der duale Code, schien Leibniz die Grundlage für ein schließlich streng logisches Verfahren der Argumentation. ›Calculemus‹ – rechnen wirs aus! Das sollte nach seiner Auffassung die Form sein, in der Streitfragen vernünftig zu entscheiden sind.

Auf unterschiedliche Weise sind diese beiden Motive wirkungsmächtiger geworden als alle Philosophie: Die Informationsgesellschaft, auf die wir uns zubewegen, wird möglicherweise mehr ausrechnen als ihr gut tut. Man wird dabei weniger an Leibniz denken, als es der Sache entspräche. Und das heißt, sein Erfolg, wo er denn auf ganz unphilosophische Weise eintritt und durchaus unheimlich wird, bleibt ambivalent und rätselhaft.

Christian Thomasius
»Disputire um Darthuung
der Irrthümer willen«

Von Walter Jens

Christian Thomasius war zu seiner Zeit ein weltberühm-
ter Mann, die Studenten strömten ihm zu, Werbung für
die Collegien, wie sie Gelehrte minderen Rangs im acht-
zehnten Jahrhundert trieben (und im siebzehnten erst
recht), erübrigte sich; die Hörsäle barsten, nicht nur Studenten, sondern auch Bürger wollten die Disputationen des
berühmten Mannes hören, zumindest abends am Biertisch.
(Nachzulesen in Thomasius' autobiographischen Skizzen.)

Vanitas vanitatum! Einige Jahrzehnte nach dem Tod des
Aufklärers und Rebellen war von dem aufsässigen Bürger
C. T., der allen Grund hatte, wegen provokanter Lehrmei-
nungen die kursächsische Heimat mit dem liberaler gesinn-
ten Kurbrandenburg zu vertauschen, kaum noch die Rede.
Der Leipziger Student Johann Wolfgang Goethe, der, nicht
anders als die vier Reisenden in Thomasius' erstem
›Monatsgespräch‹, sich »aus Franckfurth am Main« in die
»sowohl von den studien als der Handlung beruffene Stadt«
aufmachte, gedenkt des Lehrers nicht, der in seiner alma
mater die erste deutschsprachige Vorlesung hielt, und selbst
dem studiosus Lessing scheint sein ihm vielfach verwandter
Vorläufer fremd geblieben zu sein: Vierzig Jahre erst war
Thomasius tot, als der alumnus aus Kamenz sich inskri-
bierte – und Schweigen ringsum!

Schweigen über die Jahrhunderte hinweg, selbst im Kreis
der insgeheim Vertrauten (aber Unwissenden): Ob Heinrich
Heine, auch er ein Doktor der Jurisprudenz, je eine Zeile
Thomasius gelesen hat? Und der Philologe und Gedanken-
freund, der zu Zeiten der Deutschen Demokratischen
Republik der Leipziger Universität seinen Namen lieh (zu

Unrecht: er hatte in Berlin studiert und erhielt in Jena dank einer Studie über *Differenz der demokritischen und epikureischen Naturphilosophie* den Titel eines ›Doktors der Philosophie‹) – hat er, Karl Marx, genauere Kunde von Thomasius gehabt?

Gewiß, da gibt es immerhin Schiller, der am 29. Mai 1799 Goethe wissen ließ, er sei zufällig über »ein Leben des Christian Thomasius geraten«, das ihn sehr unterhalten habe: »Es zeigt das interessante Loswinden eines Mannes von Geist und Kraft aus der Pedanterey des Zeitalters – eines philosophischen, ja schönen Geistes«, der es gewagt habe, »academische Schriften zuerst auch in deutscher Sprache zu schreiben; eine davon über das Feine Betragen und das, was der Deutsche von den Franzosen nachahmen solle.« Fazit: »Wäre ich neugierig zu lesen und werde mich hier danach umthun.«

Nun, ob die Jenaer Universitätsbibliothek dem Petenten, Hofrat Schiller, geholfen hat, ist nicht zu ermitteln; Thomasius blieb ein Mann, den man auch in Weimar und Jena nur aus zweiter Hand kannte, dem gelehrten Kompendium des Leipziger Kirchenhistorikers Schroeckh zum Beispiel, das Schiller neugierig gemacht hatte.

Bliebe also nur der Eine – der Einzige, der von den Thomasianern immer wieder als illustrer Beifallsspender genannt wird: Friedrich II. von Preußen. Doch leider halten auch im Fall des Königs, der den Aufklärer als Widersacher orthodoxer Theologen in der *Geschichte meiner Zeit* an die Seite von Hobbes, Locke und Voltaire rückte, die Zeugnisse genauerer Prüfung nicht stand. Der gute Christ Thomasius (*gut* im jesuanischen Sinn, mitnichten in der Weise der Papisten und lutherischen Kronanwälte des rechten Glaubens) – ein Mann, der, nach Friedrich, »der Religion einen tödlichen Schlag versetzt« habe?

Hier, scheint es, hat der Monarch Religion und Kirche miteinander verwechselt: Er wußte von Thomasius offenbar herzlich wenig – *wie* wenig, das wird deutlich, wenn man im Traktat *de la Litterature Allemande,* 1780 publiziert, die Stelle aufschlägt, in der Friedrich den Geschichts(!)-Professoren ihren großen Leipziger Kollegen als Vorbild schmackhaft macht: »Ich wende mich itzt an den Professor der Geschichte, und stelle ihm zum Muster den berühmten und gelehrten Thomasius vor. Diesem großen Mann sich nur zu nähern wird unserm Professor einen guten Ruf, ihm gleich zu werden, hohen Ruhm erwerben«. (Verständlicher als in der zu gleicher Zeit publizierten deutschen Übersetzung klingt's im Original: »Notre professeur gagnera de la réputation s'il approche de ce grand homme; de la gloire s'il égale.«

Thomasius – ein Historiker? Kein Wunder, daß Friedrichs Berater, der Minister Ewald Friedrich Graf von Hertzberg, trotz aller Begeisterung über den königlichen Traktat bei der Klassifizierung des Leipziger Aufklärers beklommen zumut war und er eine Auswechselung vorschlug (Maskov statt Thomasius – das wäre besser), aber Friedrich II. blieb hart, und als Hertzberg sich unterstand, ein zweites Mal vorstellig zu werden, wurde Seine Majestät ärgerlich: »Je ne peu plus rien changer à ces bagatelles.«

Thomasius – ein Bagatellfall. Das war er – und das wäre er, trotz aller Festreden, gelehrten Elogen, peniblen Analysen der Fachliteratur (mehr und mehr erweitert und verfeinert im letzten halben Jahrhundert), vieler Nachdrucke und kundigen Einleitungen, nehmt alles in allem, bis heute geblieben, gäbe es da nicht den *einen* grandiosen Traktat eines Leipziger Professors, der, wie Thomasius, verfolgt von der Orthodoxie seine Universität verlassen und die Vorlesungen andernorts fortsetzen mußte, im Schwäbischen diesmal, nicht im Kurbrandenburgischen: Ernst Blochs 1953 publizierten Essay *Christian Thomasius, ein deutscher Gelehrter ohne Misere,* der mit den Sätzen beginnt: »Es gilt, eines aufrechten Mannes zu gedenken. [...] Dieser Erzieher war und handelte deutsch, im trefflichsten Sinne des Worts. Nichts Steifes ist an ihm, außer daß er vor

Christian Thomasius
(1655–1728)

keinem den Nacken bog. Solch ein wahrhaftiger Mann war
Christian Thomasius. Jurist mit Menschenliebe, Philosoph
und nicht zuletzt einer der frühesten deutschen Publizisten.
1655 wurde er in Leipzig geboren, 1728 ist er, bis ans Ende
voll gemeinnütziger Schlagkraft und Gedanken, in Halle
gestorben.«

Das sind Sätze am Beginn eines Traktats, der, hoffentlich
in nicht zu ferner Zeit, Glanzstück eines deutschen Lese-
buchs sein sollte, das Schüler in Mainz und Leipzig, in Halle
und Frankfurt am Main über ihre gemeinsame, aber, dank
unterschiedlicher Erziehungs-Prinzipien in zwei deutschen

Staaten, parteiisch zertrennte Geschichte belehren könnte –
eine Geschichte, die, mit Blochs Worten, dort einen ihrer
signifikantesten Höhepunkte erlebte, in Leipzig und Halle,
wo Thomasius den »besten irdischen Inhalt« der Moral als
summum principium jedes aufgeklärten Gemeinwesens mit
einem Wort bezeichnete, »das nie aufgehört hat, heute am
wenigsten aufhört, höchste Aktualität mit Humanität zugleich zu besitzen: er bezeichnet das Soll des gesellschaftlichen Ensembles als *Glück* und *Frieden.*«

   »Eine kräftige und nachdenkliche Gestalt des bürgerlich
aufsteigenden Reichtums«, so, noch einmal, Ernst Bloch, –
in der Tat, das ist er gewesen, Christian Thomasius – aber
auch ein Mensch in seinem Widerspruch. Der junge Akademiker, der sich bedeckt hält, solange sein Vater noch lebt –
der Vater, ein berühmter Leipziger Scholarch, Rektor zweier
Eliteschulen und Professor der Beredsamkeit, Gelehrter,
Pädagog und Wegführer des Studiosus Leibniz –, der junge
Akademiker ist ein anderer als der Sachwalter des Naturrechts in Pufendorfs Bahnen, der Meister der deutschen
Vorlesung und der ›Monatsgespräche‹. Der alte Thomasius
wiederum, der, weise geworden, an seine politisch-aufklä-
rerische Epoche anknüpft, unterscheidet sich radikal vom
Freund August Hermann Franckes und Hallenser Quasi-
Pietisten, der 1695, in seinen *Ostergedanken vom Zorn und
der bitteren Schreibart,* einem paulinisch bestimmten Wech-
selgespräch zwischen Geist und Fleisch, den rebellischen
Duktus seiner jugendlichen Schreibweise, die zornige und
satirische Manier verwirft; eitel und ehrgeizig, anstößig und
ärgerlich erscheine sie aus der Perspektive eines aufrechten
Bibel-Lesers: »So bezeuge ich dann hiermit für GOTT und
der heiligen Christlichen Kirche, ja für aller Welt, daß ich
über meine bisherige spitzige oder sonsten bittere Schreib-
Art hertzliche Reu und Leyd trage, auch dieselbe hiermit
öffentlich verdamme und alle diejenigen, so ich damit
heimlich oder öffentlich beleidiget, zu Zorne gereitzet oder
geärgert habe, es seyen nun Hohe oder Niedere, Freunde

oder Feinde, Fromme oder Böse, demüthig und ernstlich um Verzeihung bitte.«

Kurzum, wer Thomasius gerecht werden will – dies hat vor allem Gunter Grimm in seinem Buch *Literatur und Gelehrtentum in Deutschland* gezeigt – muß sich davor hüten, den Mann in seinem Widerspruch zu einem bereinigten Idealbild zu verklären, einem langweiligen dazu, das mit den Brüchen im Werk jenes Aufklärers wenig zu tun hat, der anfangs den galanten Hofmann, später den belesenen und welterfahrenen Kaufherrn und am Ende den von Vernunft und Liebe inspirierten Weisen als Leitfigur in einer gesitteten res publica et litteraria benannte.

»Indem ich mich wandelte, blieb ich mir treu« hätte der Wahlspruch jenes Mannes sein können, der immer der erste war, wo es galt, eigene Irrtümer und – sein General-Thema! – Vorurteile, besser lateinisch: praejudicia, ins Blickfeld zu rücken. War er – ausgerechnet er: der Anwalt der als Hexen gebrandmarkten und der Buhlschaft mit dem Teufel bezichtigten Frauen – nicht auch einmal, gegen alle Vernunft, der Ansicht gewesen, es gebe den Diabolos wirklich, in Fleisch und Blut, er zeuge Elben mit seinen Hexen und führe sie durch die Luft auf den Blocksberg? »Warumb? Ich hatt es so gehöret und gelesen und der Sache nicht ferner nachgedacht; auch keine große Gelegenheit gehabt, um der Sache weiter nachzudenken.«

Wenn etwas zumal den späten Thomasius auszeichnet, dann ist es die Einsicht in eigene Irrtümer: ein abwägendes Bedenken, das seinen Vorhaltungen anderen, zumal lässlichen Studenten gegenüber, Glaubwürdigkeit gibt. Hier spricht ein besonnener Mann, dem zeitlebens nichts so sehr verhaßt war wie zum ersten Feigheit und zum zweiten Rechthaberei. Thomasius hatte Zivilcourage; Furcht vor den Anwälten der Macht weltlicher und geistlicher Art war ihm fremd; wenn er sich irrte, korrigierte er sich, im Sinne des solonischen Satzes: »Ich werde älter und lerne unermüdlich dazu.«

Thomasius war freimütig und hat dafür bezahlen müssen – wie hoch der Preis war, hat er selber, Freund der lehrreich-vernünftigen Rückblicke, am Beispiel seiner ersten Vorlesung in deutscher Sprache beschrieben: »Als ich für ohngefähr dreißig Jahren ein teutsch Programma in Leipzig an das schwarze Bret schlug, in welchem ich andeutete, daß ich über des Gracians Homme de cour lesen wolte, was ware da nicht für ein entsezliches lamentiren! Denckt doch, ein teutsch Programma an das lateinische schwarze Bret der löbl. Universität. Ein solcher Greuel ist nicht erhöret worden, weil die Universität gestanden. Ich mußte damals in Gefahr stehen, daß man gar nicht solenni processione das löbliche schwarze Bret mit Weihwasser besprengte. [...] Gleichwohl ist in meinem lieben Vaterlande die Aergerniß und der Eckel so groß nicht mehr, als vordem, und gedencke ich mir des Alters halber noch wohl gar zu erleben, daß man selbst Collegia in deutscher Sprache zu Leipzig halten wird.«

Ja, ein couragierter Mann ist er gewesen, Christian Thomasius, aber auch ein Mann der Brechtschen List: Die Vorlesung in Luthers geliebtem Deutsch gipfelt in einer Verherrlichung – der Franzosen. Warum? Weil die Welschen ihre Muttersprache in Ehren hielten und deshalb nachgeahmt werden müßten, wobei es freilich durchaus opportun sein könne, in dem einen oder anderen Punkt die Überlegenheit ihrer sprachlichen Benennungskraft anzuerkennen: Vom guten Französisch sei der Weg zum guten Deutsch leichter als vom Lateinischen, und eben darauf käme es an: auf die Fähigkeit, Probleme des wissenschaftlichen Zentralbereichs – also Theologie und Philosophie – mit Hilfe der Muttersprache zu benennen. Darum der Zorn der Rechtgläubigen, die Lehrern der Realien, Männern wie Paracelsus, zugestanden, deutsch zu lehren; wenn's aber an den geheiligten Kern ging, da hörte der Spaß auf: Das hat Thomasius, das hat noch Lessing erfahren, beim Kampf gegen Hammoniens Papst Johann Melchior Goeze, »da die

Geistlichkeit noch alles in allem war, – für uns dachte und
für uns aß! Wie gern brächte euch der Herr Hauptpastor im
Triumphe wieder zurück! Wie gern möchte er, daß sich
Deutschlands Regenten zu dieser heilsamen Absicht mit
ihm vereinigten! Er predigt ihnen süß und sauer, er stellt
ihnen Himmel und Hölle vor. Nun, wenn sie nicht hören
mögen, so mögen sie fühlen. Witz und Landessprache sind
die Mistbeete, in welchen der Same der Rebellion so gern
und so geschwinde reift. Heute ein Dichter: morgen ein
Königsmörder.«

Man sieht, die Zeiten hatten sich, was die allgemeine
Aufklärung (auch der Frauen!), Freiheit der Wissenschaft
und Volkssouveränität angeht, nur wenig geändert zwi-
schen Thomasius' und Lessings Tagen. Die großen Einzel-
nen standen allein, die Mächtigen wollten unter sich blei-
ben. *Witz und Landessprache* galten als gefährliches
Geschwisterpaar, das sich anschickte, die Kluft zwischen
Theorie und Praxis, der Hochschule und dem Hof, den
Gebildeten und den Ungebildeten, den Männern und den
Frauen wenn nicht zu beseitigen, so doch zu überbrücken.

Weltläufigkeit im Bund mit Freimut und vernünftiger
Sprachkunst: Thomasius und Lessing, zwei witzige Sachsen, hätten einander im Zeichen dieser Devise vortrefflich
verstanden. Wie kräftig hätte man in Wolfenbüttel ge-
klatscht, wäre dort unter den Büchern Thomasius' Absage
an die pietistische Pädagogik zu Tage getreten: Schüler im
Waisenhaus sollten über der Bibel-Lektüre das Zeitungs-
lesen und über dem ›ora et labora‹ das ›sapere aude‹ nicht
vergessen: Wage, deinen Verstand zu benutzen.

Unter diesen Aspekten wäre es nützlich, über Leipzig hin-
ausblickend nach Halle und Wolfenbüttel, Thomasius einmal mit Lessings Augen zu betrachten und ein
Totengespräch zwischen den beiden einander nah Verwandten zu inszenieren – nach der Art eines 1729 erschienenen Dialogs, der sich *Besonders curieuses Gespräch im
Reich der Todten* nennt, geführt »zwischen zweyen im

Reich der Lebendigen hochberühmten Männern, Christian Thomasio, Königl. Preuß. Geheimden Rath [...] und August Hermann Francken, der Heil. Schrift Prof. Publ. Ord. zu Halle«.

Thomasius und Francke: gut und schön; man stand einander nah, für nicht einmal sehr kurze Zeit, und trennte sich in kaum beherrschtem Streit: Herr und Frau Thomasius waren dem Pietisten schon wegen ihrer gefälligen Kleidung ein Greuel. Aber Lessing und Thomasius: welch ein Totengespräch könnte das erst werden: über Vernunft und Offenbarung und den »garstigen Graben dazwischen« würde geredet, über die Leipziger Büchermesse (beide Disputanten sind Bibliomane gewesen), über Herrn Christoph, den Protagonisten des Reise-Quartetts im ersten ›Monatsgespräch‹ (»welcher ein Handels-Herr und darneben von lustigen humeur ware«) und über sein Nachbild, Nathan den Weisen, über den Teufel, den Thomasius zu einer Figur gemacht hatte, die in ein Faust-Drama paßte, wie Lessing es versuchte, aber nicht mehr in die Wirklichkeit, und über die Praktiken eines Dialogs, der zugleich vernünftig und witzig, lehrreich und curieus sein müsse.

Ein aparter Einfall, dieses sächsisch-aufklärerische Totengespräch, aber schon deshalb nicht mehr als – bestenfalls! – apart, weil man über Thomasius, im Gegensatz zu Lessing, nicht genug wisse?

Ein Irrtum! Dem hoffentlich eine umfangreiche Biographie ein Ende machen wird: fragt sich nur wann.

Jawohl ein Irrtum: Wer sich Thomasius' Schriften, die vom Geist der erasmischen ›colloquia familiaria‹ bestimmten Dialoge (zugegeben: etwas umständlicher formuliert, auf lateinisch wär's eleganter gegangen), die wohlgegliederten Vorlesungs-Ankündigungen, die *Kleinen teutschen Schriften*, die Selbstbeschreibungen eines Mannes, der einen lebenslangen Zweifrontenkampf gegen ›Pedanterey‹, was soviel wie Scheingelehrsamkeit und weltfremd-spitzige Scholastik heißt, *und* gegen hohle (also nicht weltmännisch-

gelassene) Galanterie führte ..., wer all das, mit wachsendem Vergnügen, studiert, der kennt am Ende den Vorgänger, C. T., genauer als jenen ihn fragenden Dialogpartner
G. E. L., der, wenngleich er's nicht wußte, in Thomasius'
Spuren ging – die Bahn eines Mannes verfolgend, der sich
seinen Zuhörern, den Studenten, so genau und so plastisch
vorgestellt hat, daß wir wissen, wie er sprach (»mehren-
theils in teutscher Sprache, und gebrauche mich selten eines
lateinischen Discurses, nur daß ich noch zu weilen ein halb
viertel Stündgen lateinisch parlire, daß ich es nicht gar ver-
gesse«); wie er die Hörer in seinen Gedankengang einbezog:
immer dialogbereit, sofern Reiche und Vornehme nicht
»kälberten oder plauderten« in den Lectionibus; wie er
Gäste empfing (freundlich und urban: es sei denn, die Besucher blieben zu lange: Sobald »sie befinden, daß ich eine
Weile stilleschwige, oder im Herumgehen stehen bleibe,
zumal wenn es bei der Stuben-Thüre ist, wollen sie solches
für ein stillschweigendes Zeichen halten, daß ich sonst was
zu thun habe«).

Der Pädagoge Christian Thomasius, Reformator der
Universitäts-Unterweisung, Beförderer des freien Denkens
und Sachwalter vernünftigen, liberalen, unfanatischen und
von wechselseitiger Hochachtung erfüllten Disputierens in
den Hochschulen ist ein Mann gewesen, der, Lessing (und
natürlich Erasmus) verwandt, das offene Gespräch als Inbegriff gewaltlosen Sich-Verständigens, für das höchste Gut
ansah – ein Gut, das, über die ›res publica litteraria‹ hinaus,
im praktisch-politischen Leben Frucht bringen sollte: fern
von Krieg und autoritärem Oktroi der eigenen, für allein
gültig erachteten Meinung: »Disputire auff eine friedliche,
freundliche und aufrichtige Weise«, heißt, auf's Wohl der
Allgemeinheit und das innere Glück des Einzelnen ausgerichtet, Thomasius' Zentral-Maxime.

Weltklugheit im Bund mit gelebter Humanität: Der weise
Nathan grüßt von weither hinüber nach Halle. Und auch
nach Leipzig, wo, im thomasianischen Kampf gegen jede

Form von Fremdbestimmung durch Dogma und angemaßte Autorität, Ernst Bloch sein alter ego ausmachte.

Der Kreis schließt sich; Überlegungen wurden genannt, die es der Hohen Schule zu Leipzig nahelegen könnten, sich, im Gedenken an einen Mann, dem sie, dem Spruch des Konsistoriums folgend, einst »Verführung der Jugend« vorwarf (so wie es, von anderer Seite, auch Ernst Bloch als Haupt-Vergehen angelastet wurde), *Christian-Thomasius-Universität* zu nennen – womit sie dem Diktum des Gelehrten, des weisen und aufmüpfigen Juristen, Lehrers und Schriftstellers folgte, das da lautet: »Disputire um Darthuung der Irrthümer willen.«

Johann Sebastian Bach in Leipzig
Aus der Perspektive des Thomaskantors

Von Georg Christoph Biller

Wenn ich in einigen Wochen in eine Wohnung im Thomaskirchhof 18 einziehe, begebe ich mich auch in meinem Privatleben in den Bannkreis meines großen Vorgängers. Leider ist es nicht das gleiche Gebäude, in dem Bach von 1723 bis 1750 wirkte, denn die Stadt Leipzig ließ im Jahre 1902 das baufällige Gebäude der alten Thomasschule abreißen, um an seine Stelle die noch heute dort stehende Superintendentur zu errichten. Man hatte am Beginn unseres Jahrhunderts offensichtlich noch keinen großen Respekt vor einem historischen Gebäude als Zeugnis des Geistes einer vergangenen Epoche. Das Bewußtsein, inzwischen besser, ja stabiler bauen zu können, war entscheidender. Die beiden Welt- kriege haben wohl durch die zahlreich hinterlassenen Wunden ein neues Bewußtsein davon mitbefördert, wie wesentlich das Bewahren der historischen Bausubstanz für die Identifizierung mit eigener Kultur und Geschichte ist.

Am 5. November 1877 war in der Schreberstraße bereits die neue Thomasschule eingeweiht worden, am 10. Oktober 1881 hatten die Thomaner das neu errichtete Alumnat in der danebenliegenden Hillerstraße bezogen, wo sie heute noch leben und arbeiten. Dabei wurde auch die Wohnung des Kantors aus dem Lebensbereich von Schule und Chor herausgelöst. Nun kann ich bei dem Versuch, mich wenigstens räumlich dem Genius Bach zu nähern, immerhin darauf verweisen, an gleicher Stelle zu leben, den gleichen Blick auf den Thomaskirchhof zu haben wie er, mich mitten im Leben dieser Stadt zu befinden.

Es gibt im Leben eines Thomaskantors natürlich auch Momente, in denen er sich dem Einfluß dieses Namens am

liebsten entziehen möchte, denn schließlich wird sein Tun
und Lassen irgendwie immer an dem Bachs gemessen. So
wenig ich mir vorstellen kann, Vater von zwanzig Kindern
zu sein, so fassungslos stehe ich vor dem Phänomen, daß
dieser Mann, ohne sich den Unzulänglichkeiten des Alltäglichen zu unterwerfen, für jeden Sonn- und Feiertag immer
wieder ein an den höchsten Idealen orientiertes Gipfelwerk
schuf.

Der Thomaskantor war für die musikalische Ausgestaltung der Gottesdienste und Andachten in den beiden Leipziger Hauptkirchen, St. Thomas und St. Nikolai verantwortlich, daneben für die Neue Kirche und für die
Peterskirche.

Dabei war ihm die Chorbesetzung der Thomaner mit
fünfundfünfzig Schülern zu klein, da diese ja gleichzeitig in
mehreren Kantoreien auftreten mußten. Im instrumentalen
Bereich konnte er nur in bestimmten Partien auf Berufs-
musiker zurückgreifen, so daß er auch dort vor Schwierigkeiten stand. Die Schule wurde ihm zur Bedrohung, sollte
er hier doch neben Gesangsstunden auch Lateinunterricht
geben. Der Rektor wie auch der Conrektor waren ihm
gegenüber weisungsbefugt. Der Rat der Stadt maßregelte
ihn, wenn er zugunsten seines Schaffens etwas Unwesent-
liches vernachlässigte, unternahm aber nichts, wenn er um
Unterstützung bei notwendigen Verbesserungen für die
Kirchenmusik nachsuchte.

Schließlich kann ich mir vorstellen, daß das Leben in der
Thomasschule kein reines Vergnügen war, umgeben von
lärmenden Thomanern, von den zahlreichen eigenen Kindern aus zwei Ehen, von neugierigen Studenten ... Neben
den Vorbereitungen für die sonntägliche Kantate jagte eine
Andacht die andere, Trauermusiken waren vorzubereiten,
Geburtstage prominenter Leipziger Bürger, auch Hochzei-
ten mußten mit Musik versehen werden. Kaum vorstellbar,
unter welchem Zeitdruck diese in sich ruhende Musik entstand, mit welcher Eile die Kopisten, allesamt Thomaner

und Familienangehörige, die neuen Kompositionen für die einzelnen Stimmen aus der Partitur herausschreiben mußten. Was war für Bach eigentlich der Antrieb, sich immer herauszufordern, nie den bequemen populären, allein an der Praxis orientierten Weg zu gehen? Woher nahm er die Kraft, allem Unverständnis oder aller Gleichgültigkeit zum Trotz, sich schöpferisch immer wieder neu auf den Weg ins Unbekannte zu machen?

Als ich im November 1992 das Amt des Thomaskantors antrat, war mir wohl bewußt, in welchen Brennpunkt ich trat. Mir war bewußt, daß der Name des großen Vorgängers einerseits in schweren Zeiten wie ein Schutzpatron über dem Thomanerchor stehen würde, andererseits heute noch höchste Maßstäbe setzt. Gleich kam mir der Gedanke, wenigstens mit einer Gesamtaufführung seiner Kantaten zu beginnen, wenn ich mich schon zu seiner überdimensionalen Leistung nicht fähig sehe, für jeden Sonntag jeweils ein neues Werk selbst zu schaffen. Dabei stelle ich fest, daß allein die interpretatorische Arbeit mich so fordert, daß sie mich bis an die Grenzen meines Leistungsvermögens treibt.

Bei der chronologischen Aufeinanderfolge der Kantaten in unserem Zyklus wird mir das Phänomenale seines Schaffensprozesses erst wirklich bewußt: Mit unglaublichem Eifer ging Bach am Beginn seiner Amtszeit daran, die gesamte Vielfalt seines Schöpfertums einzusetzen. Es war für ihn offenbar eine große Herausforderung, daß die Leipziger von ihm wöchentlich eine neue Kantate erwarteten. Die Äußerung in dem Brief an seinen Jugendfreund C. Georg Erdmann vom 28. Oktober 1730, die oft zitiert wird, wenn man Bachs weltliche Gesinnung beschwören möchte, bezieht sich meiner Meinung nach auf die soziale Stellung des Kantors im 18. Jahrhundert, nicht aber auf die eigene Berufung: »Ob es nun zwar anfänglich gar nicht anständig seyn wolte, aus einem Capellmeister ein Cantor zu werden ...« Doch sein lebenslanges Bemühen um eine »wohlbestallte Kirchen Music« war offensichtlich eine Herzensangelegenheit, was sich an der Vielfalt des Vokalschaffens der ersten Leipziger Kantoratsjahre ablesen läßt. Immerhin ist hier der überwiegende Teil seines Kantatenschaffens in vermutlich fünf Jahrgängen entstanden, von denen zwei vollständig erhalten sind, ein dritter unvollständig ist.

Schon 1724 entstand die *Johannes-Passion,* 1727 die *Matthäus-Passion.* Beide spiegeln in ihrer Verschiedenartigkeit in eindrucksvoller Aussagekraft die unterschied- lichen Wesensmerkmale der Evangelien wider. Daß nach den üblichen sieben ersten Jahren eine Krise eintrat, hat wieder etwas mit den Umständen, nicht mit seiner Gesinnung zu tun. Er schreibt weiter an C. G. Erdmann: »Da nun aber (1) finde, daß dieser Dienst bey weitem nicht so erklecklich als mann mir Ihn beschrieben, (2) viele accidentia dieser station entgangen, (3) ein sehr theürer Orth und (4) eine wunderliche und der Music wenig ergebene Obrigkeit ist, mithin fast in stetem Verdruß, Neid und Verfolgung leben muß, als werde genöthiget werden mit des Höchsten Beystand meine Fortun anderweitig zu suchen«. In einem Ratsprotokoll lesen wir, daß man vorhatte, Bach wegen des Nichtstuns »die Besoldung zu verkümmern«. Mit der im selben Jahr verfaßten Eingabe an den Rat der Stadt Leipzig »Kurtzer, jedoch höchstnöthiger Entwurff einer wohlbestallten Kirchen Music, nebst einigem unvorgreiflichen Bedencken von dem Verfall derselben« hatte er seiner Frustration Ausdruck verliehen, bekam aber nie eine Antwort darauf. Der Rat maß ihn einfach am Gehorsam und an der Zuverlässigkeit in nichtigen Angelegenheiten. So ist es mehr als verständlich, daß der Künstler Bach sich wieder mehr nach weltlichen Ehren umsieht: Er übernimmt ab 1729 das Collegium musicum, das unter seiner Leitung wöchentlich im Zimmermannischen Kaffeegarten spielt.

Bachs Bemühen um Ehrentitel zeigt, daß er seine Position gegenüber der »wunderlichen und der Music wenig ergebenen Obrigkeit« ständig durch die höfische Anerkennung

Johann Sebastian Bach
(1685–1750)

stärken mußte: Die Huldigungsmusiken nehmen zu, die Friedrich August II. gewidmete Missa in h soll die Ernennung zum ›Compositeur bey Dero Hof Capelle‹ bewirken, er widmet sich verstärkt der für die Veröffentlichung bestimmten ›Klavierübung‹, die gleichzeitig seinen Geschäftssinn als Verleger zeigt, wie auch die erstaunliche Verlagerung des Schwerpunktes seines Schaffens auf das Gebiet der Tasteninstrumente. Letzteres ist um so ungewöhnlicher, als er ja per Amt nicht als Organist, sondern als Kantor angestellt war, was damals, wie heute, getrennte Positionen waren und auf Grund der Fülle der Aufgabenstellungen sich nur in gewissen Notsituationen, wie sie beispielsweise für Günther Ramin während des Zweiten Weltkrieges auftraten, bewältigen läßt. Ist es für Bach also ein Rückzug ins Private gewesen, eine Resignation gegenüber der Obrigkeit und der Leipziger Gottesdienstgemeinde? Kam nach der Pflicht des fulminanten Kantatenschaffens der ersten Leipziger Jahre nun die Kür?

Wer daraus einen Gesinnungswandel oder gar die wahre Gesinnung Bachs ableitet, ist, meine ich, auf dem Holzweg. Man müßte sich alle Sinne verschließen, um nicht zu bemerken, welch tiefe Frömmigkeit, welch fundierte theologische Einsicht sein geistliches Schaffen prägen. Das Schaffensmotto ›Soli Deo gloria‹ ist sicherlich eine in dieser Zeit gebräuchliche Floskel gewesen – sie steht übrigens auch noch über der Partitur des *Freischütz* von Carl Maria von Weber – doch es ist mehr die ganzheitliche Herangehensweise Bachs, die mir seine Geisteshaltung verrät. In der Demut vor dem, der »höher ist, als alle Vernunft«, sehe ich das Wesen seiner Kunst. Diese Demut ist der Grund, nach dem ich anfangs fragte, weshalb er sich nicht den Niederungen der Praxis gebeugt hat. Diese Demut ist auch der Grund, warum die selbstauferlegte Problemstellung eines Werkes nicht kompliziert genug sein konnte. Diese Demut ist schließlich auch der Grund, weshalb seine Musik trotz dieses hohen geistigen Anspruchs von einer mitreißenden christlichen Glauben fernstehen, fesselt.

Bachs Ganzheitlichkeit läßt ihn Dinge zur Sprache
bringen »die bis dahin mit Tönen zu sagen niemand gewagt,
niemand vermocht oder auch nur versucht hatte« (Hans
Werner Henze, 1983). Sie läßt für ihn die Unterscheidung
zwischen geistlich und weltlich, ›Pflicht und Kür‹ gar nicht
zu. Daran ändert auch sein gespanntes Verhältnis zu der
»wunderlichen, der Music wenig ergebenen Obrigkeit«
nichts, zu der gar ab 1734 noch der ihm feindlich gesonnene
Thomasschulrektor Johann August Ernesti gekommen ist.
Er hat das Bewußtsein, in seinem Fach ein König zu sein,
muß sich aber unter Beachtung aller Konventionen der
weltlichen und geistlichen Obrigkeit gegenüber devot zeigen. Er resigniert gegenüber der Engstirnigkeit der Leipziger Bürger, nicht gegenüber seinem inneren Auftrag. So sehe
ich in der Verschiebung der Schwerpunkte ab 1730 einen
Prozeß des Sich-unabhängig-Machens von dem Einfluß der
engstirnigen Mitmenschen. Er ist sich bewußt, daß die Abhängigkeit von Zeitgeschmack und Zeitgeist seinem Genius
gegenüber einengend ist. Die intensive Auseinandersetzung
mit dem Kontrapunkt als der alten Kunst, ist für ihn am
geeignetsten, in kompliziertesten Strukturen Dinge sehr
lebendig auszudrücken, die »höher sind, als alle Vernunft«.

Wie kann ich wirklich ›Nachfolger‹ dieses universellen Geistes sein? Die Kühnheit, mich in diesen Brennpunkt zu stellen, schöpfe ich aus der Tradition des Thomanerchores, die
durch eine einzigartige Kontinuität bestimmt ist. Es ist die
Tatsache, daß seit bald 800 Jahren unter den verschieden-
sten Gegebenheiten Knaben und junge Männer Woche für
Woche zur Ehre Gottes und zur Freude ungezählter Menschen singen, obwohl sich in diesem Zeitabschnitt die Welt
total verändert hat, die Geschichte die Grundmauern der
Menschheit erschütternde Umwälzungen erfahren hat. Die
Aufgabenstellung ist bis heute dieselbe, daran hat die Ein-

führung der Reformation in Leipzig – 1539 – nichts geändert. Sie brachte ja immerhin eine geistliche und organisatorische Neuorientierung mit sich, indem sich nicht nur die Lehre änderte und die bis dahin bestehende Klosterschule aufgelöst wurde, sondern sowohl Chor als auch Schule in die Trägerschaft des Leipziger Rates der Stadt übergingen. Selbst der Dreißigjährige Krieg, der auch in Leipzig zu Hungersnöten und Pest führte, konnte das Wirken der Thomaner nicht lahmlegen.

Immerhin bescheinigt der Dresdner Hofkapellmeister Heinrich Schütz 1648 in der Vorrede der dem Thomanerchor und dem Rat der Stadt Leipzig gewidmeten *Geistlichen Chormusik,* daß dieser einer der vorzüglichsten Chöre im Kurfürstentum Sachsen sei.

Am Beginn des 19. Jahrhunderts mußten Schule und Chor die Belagerung der Stadt durch die Franzosen überstehen, die in der Völkerschlacht im Oktober 1813 ihr blutiges Ende fand. Die Herrschaft der Nazis mit ihren Gleichschaltungsversuchen wie auch die Ideologie des Marxismus-Leninismus vermochten es nicht, den Chor aus der geistigen und geistlichen Heimat herauszulösen. Auch die Gegenwart ist eine harte Prüfung: neue Dimensionen des künstlerischen Konkurrenzkampfes, marktorientiert oberflächliches Wirken der Medien, Verflachung der kulturellen Ansprüche, fehlende musische Anregung in Schule und Familie, das Sich-Abwenden vieler Menschen von der Kirche … Doch auch hier habe ich die Gewißheit, daß der Chor in dieser Situation seine eigene Prägung bewahrt und seinem Auftrag treu bleibt. Die Tradition ist dabei Hilfe, immer wieder den richtigen Weg zu finden; sie soll andererseits nie Grund sein, einen ausgetretenen Pfad zu verlassen, um das Ziel der Bemühungen zu erreichen. Das Besondere dieser Tradition sehe ich in dem Psalmvers *Singet dem Herrn ein neues Lied,* das ja im doppelten Sinne durch das Prinzip erreicht wurde, daß ein Thomaskantor immer zugleich Komponist sein mußte. Zum anderen bleibt diese alte Sache durch die sich ständig erneuernde Gemeinschaft jung, durch das Geben und Nehmen, das damit verbunden ist. Auch die Chance, als städtische Einrichtung mit geistlichem Auftrag eine Brücke zwischen den Welten zu sein, prägt die Besonderheit dieser Tradition. Über alldem wirkt auch heute noch der Name Johann Sebastian Bach als Schutzpatron. Unvorstellbar, was geschehen wäre, wenn dieser in aller Welt bekannte Name nicht mit dem des Thomanerchores verbunden gewesen wäre, die Nazis wie auch die sozialistischen Kulturfunktionäre es leicht gehabt hätten, den Chor aus seiner kirchlichen Bindung herauszulösen. Seine Universalität, das Anknüpfen an Altes, das weite Vorausschauen, wie auch die Fähigkeit, von lutherischem Geist geprägt, gar die lateinische Messe zum Gipfelpunkt zu führen, bestimmt den geistigen Horizont und das Profil des Chores.

Das heißt für mich, neben den Werken Bachs, die gesamte Breite der Kirchenmusik in den Programmen erscheinen zu lassen, von der Gregorianik bis zum 20. Jahrhundert gar, mit zahlreichen Uraufführungen. Auch die großen Werke der katholischen Kirchenmusik sind einbezogen.

Johann Christoph Gottsched
»... daß eine gute Schreibart rein, regelmäßig, üblich und deutlich seyn müsse.«

Von Hans-Ulrich Treichel

Daß der am 2. Februar 1700 in Judittenkirchen in Ostpreußen geborene Gottsched in seinem vierundzwanzigsten Lebensjahr zum Leipziger wurde, haben wir in gewisser Weise den rauhen Sitten in Preußen zu verdanken. Gemeint ist die zur Zeit des Soldatenkönigs Friedrich Wilhelm I. geübte Praxis der Zwangsrekrutierung, der sich Gottsched, der den Werbern wegen seiner »aufragenden Goliathstatur« (Michael Bernays) besonders geeignet schien, nur durch die Flucht ins sächsische Leipzig entziehen konnte. Was aus dem begabten Pfarrerssohn, der sich bereits mit vierzehn Jahren an der Königsberger Universität, der Albertina, eingeschrieben hatte und mit neunzehn Jahren seine erste (von insgesamt vier) Dissertation verteidigte, als Soldat im Dienste des preußischen Königs geworden wäre, wissen wir nicht. Vielleicht aber wären ihm, dem unerbittlichen Verächter und Bekämpfer des ›Regellosen‹, gewisse Seiten des Soldatenlebens gar nicht so unlieb gewesen. Und er, der »große, breite, riesenhafte Mann« (Goethe), wäre wohl, hätte er mögliche Schlachtfelder überlebt, kein ganz anderer geworden, als der, der er dann wurde: ein disziplinierter, enorm fleißiger Gelehrter und ehrgeiziger Schriftsteller, der nicht nur seinem Werk dienen wollte, sondern dem es immer auch um öffentliche Wirkung, um Amt und Würden und gewiß auch um Ruhm gegangen ist.

Ämter warteten auf Gottsched in Leipzig einige, denn, wie er kurz nach seiner Flucht notierte, »wer aus Preussen zieht, der zieht nicht aus der Welt«. Nachdem sich Gottsched 1724 mit einer Abhandlung *Über den Ursprung des*

Bösen (1724) habilitiert hatte, wurde er 1929 außerordentlicher Professor für Poesie und Beredsamkeit und 1734 ordentlicher Professor für Logik und Metaphysik an der Universität Leipzig. Er war mehrmals Dekan der Philosophischen Fakultät und insgesamt fünfmal Rektor der Universität. Nicht nur das Leipziger kulturelle Leben beeinflußte er als Senior der ›Deutschübenden poetischen Gesellschaft‹, die aus dem ›Vertrauten Görlitzer Collegium Poeticum‹, einer Vereinigung Görlitzer Gymnasiasten an der Universität Leipzig, hervorgegangen war und sich 1717 in ›Deutsche Gesellschaft‹ umtaufte. Die ›Deutsche Gesellschaft‹, deren Publikationsorgan, die ›Beyträge zur Critischen Historie der Deutschen Sprache, Poesie und Beredsamkeit‹ (12 Bde. Leipzig 1732-44), Gottsched ebenfalls betreute, war gewiß noch keine Académie Française, aber mehr als ein literarischer Provinzclub, wirkte sie unter Gottscheds Seniorat doch weit über die Grenzen Leipzigs hinaus. Wichtigstes Ziel der ›Deutschen Gesellschaft‹ war die Durchsetzung einer einheitlichen deutschen Hochsprache, und naturgemäß mußte sie damit bei ihren Mitgliedern zuallererst beginnen. Ein Paragraph ihrer Vereinsordnung lautete denn auch: »Man soll sich allezeit der Reinigkeit und Richtigkeit der Sprache befleissigen, das ist, nicht nur alle ausländische Wörter, sondern auch alle Deutsche unrichtige Ausdrückungen und Provinzial-Redensarten vermeiden, so daß man weder Schlesisch noch Meißnisch, weder Fränkisch noch Niedersächsisch, sondern rein Hochdeutsch schreibe, so wie man es in ganz Deutschland verstehen kann.«

Gottscheds wissenschaftliches, publizistisches, literarisches und übersetzerisches Werk ist von beeindruckendem Umfang. Neben den verschiedenen ›Grundrissen‹ und ›Grundlegungen‹ zur deutschen Sprach- und Redekunst publizierte er 1733/34 ein philosophisch-systematisches Werk *Erste Gründe der gesamten Weltweisheit, Darinn alle Philoso-*

phische Wissenschaften in ihrer natürlichen Verknüpfung abgehandelt werden (2 Bände), dem er noch eine Fassung für den Schulgebrauch folgen ließ. Drei Jahre zuvor erschien die Schrift, die wir heute als sein Hauptwerk betrachten und die eine seiner poetologischen Grundüberzeugungen, daß nämlich die Poesie die Natur nachahmen solle, bereits im Titel mitformuliert: Der *Versuch einer Critischen Dichtkunst vor die Deutschen; Darinnen ersichtlich die allgemeinen Regeln der Poesie, hernach alle besonderen Gattungen der Gedichte, abgehandelt und mit Exempeln erläutert werden: Überall aber gezeiget wird Daß das innere Wesen der Poesie in einer Nachahmung der Natur bestehe.* Die Tätigkeit des akademischen Gelehrten wurde von der Tätigkeit des Zeitschriftenherausgebers flankiert und popularisiert. Gottsched gründete und betreute mehrere Zeitschriften, darunter den ›Neuen Büchersaal der schönen Wissenschaften und freyen Künste‹ (1745-50) und ›Das Neueste aus der Anmuthigen Gelehrsamkeit‹ (1751-62) sowie nach englischem Vorbild die moralischen Wochenschriften ›Die Vernünfftigen Tadlerinnen‹ (1725/26) und den ›Biedermann‹ (1728/29). Letzterer war, anders als der Name heute naheliegt, alles andere als bloß einfältig und kleinkariert. Mit dem ›Biedermann‹ schuf Gottsched ein streitbares Organ der Leipziger Frühaufklärung, das sich die Maximen ›Vernunft, Tugend und Vergnügen‹ auf die Fahnen schrieb und in dem sich Gottsched seinen Lesern als ein gewisser ›Ernst Wahrlieb Biedermann‹ vorstellt, der seinen Namen mit Stolz trägt, bedeutet Biederkeit ihm doch »so viel als ehrlich, redlich, gerecht und billig seyn«.

Alles andere – die Tätigkeiten des Anthologisten, Herausgebers, des Literaten, Übersetzers und Enzyklopädisten können hier nicht im einzelnen gewürdigt werden. Das Gesagte reicht gewiß aus, um sich ein Bild von dem rastlos tätigen Gottsched zu machen. Daß Gottsched seine Anstrengungen nicht vergebens unternommen hatte, darauf

Johann Christoph Gottsched
(1700–1766)

weisen die Ehrerbietungen hin, derer er sich im Laufe seines Lebens erfreuen konnte. Die Privataudienz bei Maria Theresia im Jahr 1749 gehört sicherlich zu den Höhepunkten seines öffentlichen Lebens. Mit dem Preussenkönig Friedrich II., dessen Vater er einst als Soldat nicht dienen wollte, ist Gottsched – in den Jahren 1756 und 1757 – sogar mehrmals zusammengetroffen. Neben offiziellen Anlässen, wo Gottsched als Rektor der Universität vom Preußenkönig empfangen wird, so auch in persönlichen Begegnungen, die unter anderen damit enden, daß Friedrich dem deutschen Aufklärer ein – freilich französisch geschriebenes – Sinngedicht mit dem Titel *Au Sieur Gottsched* zukommen läßt, worin er diesen zum »Cygne Saxon«, zum Sächsischen Schwan adelt. Gottsched bedankt sich mit einem Huldigungsgedicht, das mit dem vielzitierten und oft verspotteten Vers endet: »Und Dein Bewundrer bleibt der Deine. G.« Doch ging es in den Gesprächen zwischen Gottsched und dem König auch um ernstere Dinge, nicht zuletzt um die Leistungen der deutschen Sprache als einer zu Differenzen fähigen Literatursprache. Friedrich macht dem Deutschen den Vorwurf, daß es nicht geeignet sei, »in zärtlichen Sachen den Werken der Ausländer gleich zu kommen«. Gottsched dagegen, ganz patriotischer Verteidiger des Deutschen und der deutschen Poesie, sucht dem König zu beweisen »wie sanft und reizend auch in dieser Art die deutschen Musen singen könnten« und bietet ihm als Beweis die Übersetzung einer Rousseauschen Ode an. Friedrich erwartet dankbar die Übersetzungsprobe – »uns wird es lieb seyn, wenn nur die Ehre des Deutschen gerettet wird« –, doch ist zu bezweifeln, daß ihm Gottscheds Übersetzung seine Vorstellung vom Deutschen als einer dem Poetischen eher abträglichen Sprache wirklich hätte nehmen können. Zumal Friedrich, das sei als Kuriosum angemerkt, der Name Gottscheds selbst ein Beispiel war für die Neigung des Deutschen zur unschönen Konsonantenhäufung.

Gottscheds Bemühen um eine Reform und Vereinheit-
lichung der deutschen Schriftsprache sowie um die deutsche
Literatur, der er in Deutschland einen Rang sichern wollte,
wie ihn die französische Literatur in Frankreich genossen
hat, gehört zu seinen unumstrittenen Verdiensten. In einer
Zeit, in der der preußische König französisch sprach und in
der die deutsche Literatur ebenso wie die Sprache vielstim-
mig bis zur Unkenntlichkeit, oder, mit Goethe zu reden, »in
einem unglücklichen, tumultuarischen Zustande verwildert« war, hatte ein Gottsched mit seiner klassizistischen
und zugleich nationalsprachlichen Orientierung und seinem
Sinn für Regeln und Regelmaß sehr wohl eine historische
Aufgabe zu erfüllen. Gottsched war ein Modernisierer, der
sich dafür einsetzte, »daß eine gute Schreibart rein, regelmäßig, üblich und deutlich seyn müsse: und daß hergegen
eine unreine, unrichtige, altväterische und unverständliche
Art des Ausdruckes vor verwerflich zu halten sey«. Das mag
dem heutigen Leser nun selbst ziemlich altväterisch klingen,
doch wenn man bedenkt, wogegen Gottsched sich richtete,
scheinen auch seine Absichten deutlicher auf. Da war zum
einen »der sogenannte Hof- und Canzelley-Stilus«, den
Gottsched im ›Biedermann‹ wie auch in seiner *Ausführ-
lichen Redekunst* als ›allzuweitläufige‹ Schreibart polemisch
attackiert: »Wer kann doch ohne Verdruß und Ekel in
gewissen Zeitungen die regenspurgischen Reichsangele-
genheiten, und die deswegen verfertigten öffentlichen
Schriften, durchlesen. Gleichwohl bilden sich insgemein die
deutschen Hofleute wer weiß wie viel darauf ein, und ver-
achten alles, was nicht so weitschweifig, athemberaubend,
und verwirrt aussieht und wirklich ist.« Und da war der Stil,
den man im romanischen Sprachraum manieristisch nennt
und der bei uns gewöhnlich ›Schwulst‹ heißt. Zum Schwulst
rechnet Gottsched beispielsweise den überladenen Stil der
Barockdichter Hofmannswaldau und Lohenstein, die nicht
nur mit allzuviel »Zierd und Pracht« ihre Rede schmücken,
sondern auch den Affekten zuviel Raum geben. Sind sie

doch, so Gottsched, »in die Fußstapfen der geilen Italiener getreten, die ihrer Feder so wenig als ihren Begierden ein Maß zu setzen wissen«. Und vielleicht dachte er hier an Zeilen wie an Lohensteins *Zinnober krönet Milch auf ihren Liebes-Ballen,* ein Gesang auf die weibliche Brust und nicht treu der Natur nachgeahmt. Ganz offensichtlich fürchtet Gottsched nicht nur schlechten geschwollenen Stil, sondern auch den libidinösen Aplomb dieses Stils. Wie überhaupt der Kampf für Regelmaß und Vernunft allzu oft auch ein Abwehrkampf ist gegen die Verlockungen der Sinne.

Einen Ort besonderer sinnlicher Gefährdungen entdeckte Gottsched in der Oper, gegen die er nicht gerade einen Vernichtungsfeldzug führte, wie ihm gelegentlich nachgesagt wird, die er aber entschieden bekämpfte. Wobei man in seinen abwehrenden Äußerungen über die Oper unschwer die Faszination mithört, die diese zugleich auf ihn ausübt: »Die Reitzungen der Wollust sind ihr so eigenthümlich, daß sie ohne dieselben ihre gantze Annehmlichkeit verlieren und also keine Zuschauer haben würde. Ihr Inhalt ist allezeit, eine seltsame Liebes-Geschicht, darinn allerhand fantastische Roman-Streiche, bloß zu dem Ende erdichtet werden, damit das zarte Gift desto begieriger eingesogen werde. Eine unverschämte Poesie, entzückende Music, blendende Pracht der Schaubühne, freche Kleidung und unzüchtige Stellung der spielenden Personen vereinigen Kräffte mit einander, um einem schwachen Zuhörer die schädlichste Gemüthsneigung, ich meyne die Wollust rege zu machen.« Was kann man mehr von einem Theaterabend erwarten, könnte hier der sinnige Opernfreund einwenden, doch für Gottsched ist es entschieden zuviel, was die Oper ihm an Verführerischem zu bieten hat. Allerdings geht es Gottsched nicht nur um erotische Drastik und allzu unverstellte Sinnlichkeit, die er der Oper vorwirft. Seine Kritik der Oper zielt auf ihr eigentliches Wesen, die Verbindung von dramatischer Handlung und Gesang. Getreu seinem Dogma, daß alle Kunst die Natur nachahmen und dieser ähnlich, das heißt »wohlgegründet«, »natürlich und wahrscheinlich« sein soll, kann er eine dramatische Handlung, die sich singend vollzieht, nur als unnatürlich empfinden. Mit seinen Worten: »Es wäre unnatürlich, die Musik mit allen Worten der Redenden zu verbinden; oder ein ganzes Schauspiel singend aufzuführen.«

Überraschenderweise hatte sich der Operngegner Gottsched selbst als Opernlibrettist betätigt – ein Auftrag des Weißenfelser Hofes – und 1735 sein Textbuch *Die verliebte Diana* publiziert. Doch bleibt auch der Librettist Gottsched streng gegen sich selbst und die ungeliebte Kunstgattung und wiederholt noch einmal im Vorwort zu diesem Textbuch seine alten Vorbehalte. Wohl behauptet er, seine Sache so gut wie möglich gemacht und die üblichen Fehler vermieden zu haben. Aber: »Auch die allerbeste, und von allen außerwesentlichen Fehlern gesäuberte Oper, wird dennoch eine Oper bleiben. Das ist genug gesagt, um zu zeigen, daß das innere Wesen und der ganze Grund solcher Vorstellungen aus lauter widersinnischen Dingen besteht.« Mit anderen Worten: Solange in der Oper noch gesungen wird, ist Gottsched dafür nicht zu haben. Glücklicherweise war der Leipziger Professor nicht so mächtig, die gesangsfreie Oper durchzusetzen, und natürlich, er hat es mehrmals bekräftigt, war er kein Feind des Gesangs als solchem. Nur will er diesen »auf vernünftige Art« angewendet und eingesetzt sehen. Vernünftig eingesetzt ist das Singen für ihn in Situationen der Gemütsbewegung, denn: »Seufzen, Ächzen, Dräun, Klagen, Bitten, Schelten, Bewundern, Loben usw. alles fällt anders ins Ohr; weil es mit einer besonderen Veränderung der Stimme zu geschehen pflegt.« Die durchkomponierte Oper aber ist *dauernde* Gemütsbewegung, und insofern, da hat Gottsched auf seine Art recht, eine gar nicht maßvolle und zuweilen auch exzessive Artikulation von Affekten. Darüber hinaus läuft die Ästhetik der Oper Gottscheds didaktischen Intentionen zuwider, schließlich soll die Kunst nicht nur vergnügen, sondern auch belehren und bessern. Wie aber soll man belehrt und gebessert werden, wenn man, wie so oft in der Oper, den Text nicht versteht?

So wenig Gottsched für die Oper tun konnte, so sehr werden seine Bemühungen um das Theater zu seinen wichtigen Leistungen gezählt. Hierbei kooperierte er mit dem Dresdner Theaterprincipal Johann Neuber und dessen Frau, die das Privileg der Dresdner Hofkomödianten besaßen und sich Gottscheds Reformvorhaben aufgeschlossen zeigten. Die Situation des Theaters war zu Zeiten Gottscheds ähnlich ›tumultuarisch verwildert‹ wie die der deutschen Sprache. Lessing schrieb hierzu: »Man kannte keine Regeln; man bekümmerte sich um keine Muster. Unsere Staats- und Heldenaktionen waren voller Unsinn, Bombast, Schmutz und Pöbelwitz. Unsere Lustspiele bestanden in Verkleidungen und Zaubereien; und Prügel waren die witzigsten Einfälle derselben.« Hier wollte Gottsched aufräumen, und er erwarb sich bei seiner Aufräumarbeit den zweifelhaften Ruhm, den Harlekin von der deutschen Bühne vertrieben zu haben. Ein Unterfangen, so kommentierte Lessing bissig, »welches selbst die größte Harlequinade war, die jemals gespielt worden«. Doch auch Lessing hat den Harlekin nicht wiederauferstehen lassen, auch wenn er später dafür plädierte, ihm nun, nach Gottscheds und der Neuberin Tod, ›das Jäckchen‹ wieder anzuziehen. Und in der Tat kann man sich Gottscheds Argument ja auch nicht ganz verschließen, daß eine gute Komödie »auch ohne die Beihilfe eines unflätigen Possenreißers« in der Lage sein sollte, etwas Lustiges auf die Bühne zu bringen. Daß Gottsched selbst sich als Theaterautor versucht hatte, ist heute so gut wie vergessen. Und wer beispielsweise seinen *Sterbenden Cato* von 1731 noch einmal liest, der wird denn auch nicht so sehr Schrecken und Mitleid empfinden, wie Gottsched es, hier Aristoteles folgend, von der Tragödie forderte, sondern vielmehr Überdruß und Langeweile. Doch zeugt der *Sterbende Cato* nicht nur von Gottscheds Beherrschung des Alexandriners, sondern auch, was die Darstellung des tragischen

Helden angeht, von einem gewissen psychologischen Realismus. Wohl ist Cato, mit Gottscheds Worten, »ein ganz besonderes Muster der stoischen Standhaftigkeit und der patriotischen Liebe zur Freyheit«. Doch ist er auch ein Mann, der ›gewisse Fehler‹ macht, zuvorderst den, sich lieber umzubringen, als Caesars Gnade anzunehmen. Ein eigensinniger Mann also, der sein tragisches Schicksal zu einem guten Teil sich selbst verdankt. Kein großer, sondern nur ein mittlerer Charakter, und darum auch, in ersten Andeutungen zumindest, ein Vorläufer der vielen ›mittleren‹ und unvollkommenen Helden, die das Theater des 18. Jahrhunderts noch hervorbringen wird. Auch wenn man also Gottscheds Cato ein gewisses literarhistorisches Verdienst nicht absprechen mag, so leidet der Leser doch beträchtlich unter der hölzernen Sprache und der starren Konstruktion dieser ersten deutschen ›Originaltragödie‹, von der die meisten Verse (ca. neun Zehntel) zudem noch aus dem klassizistischen Musterdrama *Cato* (1713) des Engländers Joseph Adisson und aus dem *Caton d'Utique* des Franzosen und Corneille-Schülers François Michel Chrétien Deschamps (1715) stammen. Gleichwohl war der *Sterbende Cato* zu Lebzeiten des Autors kein erfolgloses Sück, auch wenn sich bereits damals mancherlei Spott über Gottscheds Drama ergoß, man denke nur an Johann Wilhelm Ludwig Gleims Vierzeiler: »Wie dieser Sachse Cato spricht,/ So sprach der Römer Cato nicht./ Hört' er die Reden des Poeten,/ Er würde sich noch einmal töten«.

Daß Gottscheds Dramenkunst literarisch nicht überleben konnte, hat zum einen historische Gründe, für die man den Verfasser nicht verantwortlich machen kann, hängt zum anderen aber auch damit zusammen, daß es Gottsched vor allem darauf ankam, ein ›regelrechtes‹ Drama zu schreiben und der eigenen, ein Jahr zuvor publizierten *Critischen Dichtkunst* das den dort formulierten poetischen Regeln entsprechende Kunstwerk nachzureichen. Doch sind es nicht die Regeln, die die Kunst machen, sondern eine Kunst,

Die Gottschedin
(1713–1762)

die sich mit Recht so nennen darf, schafft sich ihre Regeln selbst. An dieser Tatsache, daß, mit einem Wort Goethes, »jedes ächte Kunstwerk seine eigene Theorie mit sich bringt«, zeigen sich die Grenzen des Poetologen und Schriftstellers Gottsched.

Will man seine Leistungen insgesamt beurteilen, dann muß man wohl sagen, daß er, der kein Originalgenie war, vor allem als Katalysator für die Durchsetzung der gerade erst entstehenden bürgerlichen Literatur des 18. Jahrhunderts gewirkt hat. Letzteres aber ist nicht gering zu schätzen. Und wer dem Leipziger Professor vollends gerecht werden will, der darf auch nicht vergessen, daß der so oft als Pedant und Schulmeister geschmähte Mann es sich leisten konnte, eine schöpferisch begabte und zugleich intellektuell produktive und »doctormäßige« Frau an seiner Seite zu haben: Luise Adelgunde Viktorie Kulmus (1713 bis 1762), genannt ›Die Gottschedin‹. Sie war, obwohl ihr der Hörsaal als Frau verwehrt war, eine Zeitlang seine Schülerin, aber sie war niemals seine ›Kreatur‹. »Sie übertraf ihn an Feinheit des Geistes«, lesen wir in der ›Allgemeinen Deutschen Biographie‹ von 1879, und sie übertraf ihn auch – was freilich keine allzu große Kunst war – als satirisches Talent. An der Begründung der sogenannten Sächsischen Typenkomödie der Frühaufklärung hat sie mit ihren Lustspielen einen wesentlichen Anteil gehabt. Daß sie darüber hinaus die große Geschichte der Pariser Akademie, Pope und Adisson, Molière, Destouches und Voltaire übersetzte, eine *Geschichte der lyrischen Dichtkunst von Otfrieds Zeiten an* schrieb (und in einem Anfall von Schwermut wieder vernichtete), und gemeinsam mit ihrem Mann Bayles *Dictionnaire historique et critique* übersetzte, sind einzig ihre Verdienste. Und es gereicht doch auch ihrem Mann zur Ehre: einem Mann, dem Lessing Kälte und »blinde Eitelkeit« vorwarf und der doch die – wenn auch nicht immer souverän beherrschte – Größe hatte, Tisch und Bett mit einer Frau wie der ›Gottschedin‹ zu teilen.

Christian Fürchtegott Gellert
»Wer gut schreiben will, der muß gut von einer Sache denken können«

Von Gottfried Honnefelder

I.

Als er am 13. Dezember 1769 in Leipzig stirbt, sieht sich der Rat der Stadt noch nach Wochen gezwungen, den Johannisfriedhof vor dem Strom der Menge zu schließen. Der Grabhügel wird zu Andenkenzwecken abgetragen und die umliegenden Gräber verwüstet. »Vous avez vu par les gazettes publiques, quel diable de Gesinge, Geplerre, Geseufze und Geheule a été fait dans ces contrées à l'occasion de la mort de Gellert«, schreibt Wieland am 6. Mai 1770 an Sophie La Roche. Dabei ist es kein begnadeter Charismatiker, zu dessen Grab die Menge pilgert, kein von der Aureole des Außergewöhnlichen umgebener Heros. Nichts von einer innovierenden Stifterfigur haftet ihm an. Was die ungewöhnliche Verehrung auf sich zieht, ist der ›moralische Charakter‹, der zur Gestalt gewordene Lebensentwurf, in dem eine ganze Zeit sich wiedererkennt und in dem sie ihre Identität endlich gefunden zu haben glaubt. In der *Neuen Bibliothek* spricht Christian Garve von der »Übereinstimmung von Gellerts Wesen mit der Volksseele« und nennt besonders die Gewaltlosigkeit als deren Geheimnis.

»Besonders aber war es ein Unglück, daß Gellert sich nicht der Gewalt bedienen wollte, die er über uns hätte ausüben können.« Was Goethe im Rückblick auf die Leipziger Zeit und die literarische Situation in Deutschland um 1765 über seinen ehemaligen Lehrer für Moral und Beredsamkeit in *Dichtung und Wahrheit* schreibt, will sich in die später gängigen Einordnungen Gellerts nicht recht einfügen. War es tatsächlich die in Gellerts Ideal des Mittelmaßes verborgene ›*Mittelmäßigkeit*‹, die ihn, wie die späteren Kritiker meinten, ebenso beliebt wie letztlich wirkungslos sein ließ, oder zeigt sich nicht gerade hinter dem auf alle Extreme und alle ›Gewalt‹ verzichtenden Ideal Gellerts die ungelöste innere Widersprüchlichkeit einer Zeit, die – wie Goethes Worte vermuten lassen – ihre Möglichkeiten besaß, sie aber zur rechten Zeit nicht auszuspielen vermochte, und deren latentes ›Unglück‹ in Gellerts Werk ihren Ausdruck fand? Hält man sich die Wirkung dieses Werks und die Geschichte seiner Rezeption mit ihrer auffallenden Mischung von beispielloser Wertschätzung und bald danach einsetzendem kritischen Verdikt, von offiziellem Vergessenwerden und bleibender Gegenwärtigkeit vor Augen, so scheint die von Goethe indizierte Widersprüchlichkeit weit eher der Schlüssel zum Verständnis dieses Lebenswerks und der eigenartigen Identität mit seiner Zeit zu sein als die zu den üblichen Rubrizierungen führenden Beurteilungskategorien.

Vom Ansehen bei seinen Zeitgenossen, von der ihm entgegengebrachten Verehrung her hätte Gellert in der Tat wie kein anderer ›Gewalt‹ über seine Zeit ausüben können. Zwischen 1750 und 1770 als Nationaldichter ganz Deutschlands gepriesen und im Europa des 18. Jahrhunderts – vor allem in Frankreich – hoch angesehen, verdankt sich Gellerts Ruhm zunächst der Wirkung seiner Person als Leipziger Hochschullehrer und erst in zweiter Linie seinem literarischen Schaffen. Der einzigartige buchhändlerische Erfolg seiner *Fabeln und Erzählungen* – sie waren in Deutschland nach der Bibel das meistverbreitete Buch des 18. Jahrhunderts – ist mehr Folge seines Ansehens als dessen Ursache. Offensichtlich sind es Züge frühzeitiger Legendenbildung, die den Ruhm begründen. Nach Gellerts Tod geht es seinen Kritikern daher weniger um eine rezensierende Bewältigung des literarischen Werks, als darum, die tiefreichende Wirkung seiner Person zu verarbeiten. Und das heißt für eine Generation, deren literarische Entwicklung um 1770 über Gellert bereits hinausgegangen war, den

›Abgott der Nation‹, das ›auf den Thron gesetzte Götzen-
bild‹ zu stürzen. Auf die Huldigungen bei seinem Tod mit
ihrem aufdringlich pastoral-pädagogischen Ton, auf die
grenzenlosen Rührsprüche und die religiösen Überhöhun-
gen (›Bürger des himmlischen Jerusalem‹) folgen heftige,
nicht minder unkritische Verdikte.

»Ein großer Dichter war er; vielleicht der größte in
Fabeln und Erzählungen, vielleicht der schönste, süßeste in
Schäferspielen. Aber war er ein Klopstock? War er ein
tragischer Weiße? Ein himmelandringender Cramer? Ein
hinreißender Ramler?«, so schreiben 1770 die anonymen
Verfasser einer *Moralischen, Satyrischen und Kritischen
Anatomie der Schriften auf Herrn Professor Gellerts Tod.*
Und aus dem Kreis der literarisch ambitionierten Avant-
garde kommt es noch deutlicher: Johann Heinrich Voß
spricht von Gellerts »ewig unausstehlichem Wasserge-
schwätz« – und fügt, um das literarische Todesurteil endgültig zu machen, hinzu: »mein Urteil ist das Urteil des Bundes und Klopstocks«. Nur Wieland und Lessing, an Gellert
gewachsen, verteidigen ihn gegen seine Kritiker, zugleich
auch gegenüber den apologetischen Stilisierungen seiner
Anhängerschaft.

Daß auf die intensive Identifikation, die Gellerts Gestalt
auratisch-übermächtige Züge annehmen läßt und einen
Publikumserfolg sondergleichen nach sich zieht, ein nicht
minder vehementer Ablösungsprozeß folgt, kann nicht verwundern. Die distanzlose Heftigkeit, in der dies geschieht,
zeigt aber, daß es zugleich um mehr geht. Im Streit um die
Person und in der Opposition gegen ihre Übermacht meldet
sich die erste Wachstumskrise jener Kunst, die sich als
bürgerliche Institution mit und in Gellert in Leipzig gerade
erst gebildet hat. Begreift Gellert Literatur noch ganz als
aktiven Teil der gesellschaftlichen Praxis, um ihr damit
einen institutionellen Platz in der neuen bürgerlichen Gesellschaft zu sichern, so drängt die eben etablierte Größe
nun zur Selbständigkeit. Schroff wird sie als ein zweckfreier

Bereich innerhalb der frühbürgerlichen Lebenspraxis von
Gellerts Einbindung und Indienstnahme abgesetzt, und
nicht von ungefähr kommt die intellektuelle Antwort auf
Gellerts didaktisches Pathos aus vorromantischen Kreisen.

Nicht mehr unter dem Druck der Aufbruchssituation wie
Gellerts unmittelbare Nachfahren und ohne ihre aus dieser
Situation verständlichen Ablehnungsgründe will die negative Einschätzung Gellerts, wie sie im 19. Jahrhundert bis
hin zur Gegenwart herrscht, nicht mehr recht überzeugen.
Hinter dem Vorwurf des ›Volksschriftstellers‹ steht zu
offensichtlich der Verdacht, daß ein Schriftsteller, der »im
Palast sowohl als in der Hütte gelesen wird«, eo ipso harm-
los, intellektuell dürftig und künstlerisch mittelmäßig sein
müsse – ein Verdacht, dem man Lichtenbergs Wertschätzung von Gellerts ungewöhnlichem common sense ent-
gegensetzen könnte. Umfaßt dieses Werk dazu noch eine
solche Vielfalt von literarischen Formen und Gattungen, so
scheint jede Virtuosität oder gar Genialität von vornherein
ausgeschlossen. Die originäre Physiognomie von Person
und Werk kommt nicht mehr in den Blick, ihre Einheit löst
sich auf. Was bleibt, ist der Fabeldichter für Pastoren-
töchter, der moralische Lehrer empfindsamer Jünglinge, der
Romantiker für die Bürgermoral der Aufklärungszeit, der
Dramatiker fürs Volk und der Verfasser von Briefstellern als
Geschmacks-Praeceptor der Nation.

Stellt man dagegen das Vorurteil, Gellerts ›Mittelmaß‹
vorschnell mit Mittelmäßigkeit, standpunktloser Kompro-
mißbereitschaft und harmonisierender Einfalt gleichzuset-
zen, unter Vorbehalt, wird ganz anderes sichtbar: die Antwort auf die ›Krise der Aufklärung‹, das Bemühen, das
labile und auf sich selbst zurückgeworfene Gleichgewicht
der beginnenden bürgerlichen Gesellschaft auszutragen, die
Etablierung der Literatur, um der bürgerlichen Identität den
ihr politisch verweigerten Ausdruck zu verschaffen, der
Versuch, im Medium der literarischen Kultur das ›Morali-

sche‹ und ›Ästhetische‹ als die eigene Substanz des ›Bürgerlichen‹ zu begründen. Entstanden aus dem ›Unglück‹ des
Bürgertums, eine ihm angemessene öffentlich-politische
Präsenz nicht finden und nicht erkämpfen zu können, ist das
›Moralische‹ und ›Ästhetische‹, wie es von Gellert im Medium der Literatur als Substanz des *deutschen* Bürgertums
nicht zufällig im bürgerlichen Leipzig erstmals formuliert
und begründet worden ist, zutiefst ambivalent: Als Fluchtpunkt einer – anderer Möglichkeiten beraubten – Selbstbehauptung wird es zum Kristallisationspunkt der eigenen
Identität und gewinnt als Kultur der inneren, individuell-
persönlichen Lebenspraxis seine ihm wie allen Sublima-
tionen eigene Größe. Andererseits ist es eben als dieser
Fluchtpunkt zugleich Indiz der geheimen Niederlage, Resultat einer unter dem Titel der Bescheidung mehr verborgenen
als aufgearbeiteten Resignation.
Daß Gellerts Person zunächst stärker wirkte als sein Werk,
ist Spiegelung der gleichen Ambivalenz, die später dazu
führte, daß man nicht aufhörte, seine Werke zu lesen und in
die Schulbücher aufzunehmen, sich aber gleichzeitig veranlaßt sah, ihren Autor, genauer gesagt, dessen Bedeutung, zu
unterschlagen. Wie bei keinem anderen Autor pries und verleugnete das bürgerliche Publikum in Gellerts Person und
Werk zugleich sich selbst. Die Legendenbildung um ihn mit
ihrem Überschwang wie mit ihrer geheimen Melancholie ist
dessen deutlichster Ausdruck. Selbst das Postulat außergewöhnlicher Genialität und der aus ihm später abgeleitete
Vorwurf, was so breite Anerkennung wie Gellert finde,
könne nur mittelmäßig sein, läßt sich seinerseits als der ohn-
mächtige Reflex dieser gleichen Ambivalenz lesen. So betrachtet ist der Leipziger außerordentliche Professor für
Philosophie in den fünfziger und sechziger Jahren nicht nur
maßgeblicher Urheber der literarisch vermittelten bürgerlichen Kultur in Deutschland und ihrer Zentrierung in einer
auf das individuell-persönliche Leben hin akzentuierten
Moralität und Ästhetik, zugleich ist er selbst der charakte-

ristische Ausdruck der Ambivalenz dieser Kultur, ihrer Größe wie ihres Elends; unter den Autoren des 18. Jahrhunderts erscheint er als der ›deutscheste‹.

II.

In Christian Fürchtegott Gellerts äußerer Biographie fehlen herausragende Ereignisse. Geboren am 4. Juli 1715 in Hainichen bei Freiberg als neuntes von dreizehn Kindern des lutherischen Pastors Christian Gellert (1671-1747) und seiner Frau Johanna Salome Gellert, geborene Schütz (1681-1759), wächst er in bescheidenen Verhältnissen auf. 1729 wird er auf die Fürstenschule St. Afra in Meißen geschickt. Von 1734 an studiert er in Leipzig Philosophie, Theologie, Geschichte und Literatur, wird Hauslehrer, kehrt 1740/41 nach Leipzig zurück, um 1743 das Baccalauréat zu erwerben. Er wird Magister der ›Weltweisheit‹, habilitiert sich 1745 mit der Abhandlung *De poesia apologorum eorumque scriptoribus* und bringt es 1751 schließlich, im Alter von 36 Jahren, zum außerordentlichen Professor an der Fakultät für Schöne Künste, Moral und Redekunst. Zu diesem Zeitpunkt sind die *Fabeln und Erzählungen* (1746), die seinen Ruhm begründeten, die Lustspiele *Die Betschwester* (1745), *Das Loos in der Lotterie* (1746), *Die zärtlichen Schwestern* (1747) und der Roman *Das Leben der schwedischen Gräfin von G*** (1747/48) bereits erschienen.

Die Biographie wirkt in ihren Daten geradlinig und in manchen Zügen geradezu exemplarisch. In der Verbindung von Dichter und Universitätslehrer in einer Person scheint das Streben einer Zeit, die das ungeformte und rohe Kräftespiel der eigenen Natur mit Hilfe der Vernunft zu ordnen versucht, ihre ideale Erfüllung gefunden zu haben. Die ›Gelassenheit‹, die Gellert als Ziel solchen Strebens in seinen Vorlesungen pries, war ihm selbst freilich alles andere als selbstverständlicher Besitz. Von großer psychischer und künstlerischer Sensibilität, sah er sich einem Zustand ständiger Spannung ausgesetzt, der auf Ausgleich ihrer Pole drängte und ihn nach dem Schlüssel einer versöhnenden Harmonie suchen ließ. Gellerts vielzitierte Hypochondrie, die anhaltenden Kränklichkeiten, sein gewollt zurückgezogenes Leben und nicht zuletzt der Abbruch so manch freundschaftlicher Beziehung sprechen als Symptome dieser anhaltenden Spannung eine deutliche Sprache. In quälerischer Weise beschäftigt sich die Sentimentalität des 18. Jahrhunderts mit dem eigenen Körper, mit der Psyche und ihren Funktionen. Man reist in Bäder, trinkt Sprudel, ißt Dörrobst und ungewürzten Spinat und verschafft sich durch Spaziergänge oder Reiten künstlich ›Motion‹. Gellerts Hypochondrie in diesen Jahren entspricht ganz der sich innerhalb der mittelständischen Intelligenzschicht ausbreitenden Krankheit des Jahrhunderts.

Von ungefähr kommt dies nicht. Mit der Auflösung der ehedem beherrschenden gesellschaftlich-politischen wie theologisch-metaphysischen Rahmenordnung etabliert sich im Europa des 17. und 18. Jahrhunderts allmählich eine emanzipative Gesellschaft, die ohne einen Ort innerhalb der vergangenen Ordnungsstrukturen die ihr eigene Lebensform erst finden muß. Die Frage nach einer neuen, angemessenen Moralität rückt in den Mittelpunkt. Da die alten Kriterien durch den Verlust ihrer selbstverständlichen Geltung keine Überzeugungskraft mehr besitzen, wird – wie stets in Krisen der Moral – die ›Natur‹ zur Instanz des Neuanfangs. Es kommt zu einer Wiederaufnahme aristotelischer Motive, doch wird die Natur in bezeichnender Weise nicht mehr metaphysisch, noch im Rückgriff auf das Ethos der Polis, sondern psychologisch interpretiert. Es sind die ›innere‹ Natur und ihre subjektiv erfahrenen und psychologisch gedeuteten Affekte, an die man anknüpft und aus deren vernünftiger, vom ›moralischen Gefühl‹ geleiteter Ordnung man den neuen Menschen und mit ihm die neue Menschheit erwartet.

Christian Fürchtegott Gellert
(1715–1769)

Die Gefahr, der gesuchten Moralität mit der Anknüpfung an die eigene psychische Erfahrung eine Wendung in die private, subjektive Innerlichkeit zu geben, muß sich im vorkantischen Deutschland unvermeidlich verstärken. Ohne die Chance, auf ein gesellschaftlich bereits anerkanntes neues Ethos rekurrieren oder den Entwurf eines solchen zu gesellschaftlich-politischer Geltung bringen zu können, sieht sich die moralische Selbstfindung stärker als anderswo auf die Kultur der eigenen Psyche zurückgeworfen. Aus der Not wird eine Tugend: Die private Kultivierung der als latent chaotisch empfundenen Affekte wird zum Kristallisationspunkt der Moral, das zurückgezogene, meist kleinbürgerliche Leben zum Ideal.

Gellerts Denk- und Lebensweise ist zugleich Spiegelung dieses Prozesses wie der Versuch, die resignative Kehrseite seiner Ambivalenz aufzunehmen und exemplarisch zu verarbeiten. Die Ambivalenz kommt dabei selbst noch einmal zum Ausdruck. Entgegnet er auf die Frage Friedrichs II.: »Hat er den La Fontaine gelesen?« mit der völlig undevoten Antwort: »Ich bin ein Original!«, so zeigt sich darin, wie stark er den eigenen Versuch (wie den der Zeit) als Neuanfang versteht, der ganz und gar bei sich selbst ansetzt. Vernunft ist nicht Ableseorgan der Vernünftigkeit vorgegebener Ordnungen, sondern selbstdenkende und Ordnung erst schaffende Vernunft. Zugleich ist eben diese Vernunft durch die mangelnde Verankerung in Vorgegebenem gegenüber sich selbst unsicher. Sie sucht den Nachweis ihrer Allgemeinheit und Allgemeingültigkeit in der Übereinstimmung mit der Allgemeinheit der Subjekte und ist so angewiesen auf die allseitige Anerkennung, auf die Übereinstimmung mit der Öffentlichkeit, dem Publikum. Streben nach Originalität und Suche nach Konformität sind bei Gellert nur zwei Seiten der gleichen Münze.

III.

Die Morallehre, die Gellert in den *Moralischen Charakteren* und den *Moralischen Vorlesungen* vorträgt, ist keineswegs eigenständig. Beginnend mit seinem Studium bei
Adolph Friedrich Hofmann hat Gellert das vorliegende
philosophische ›Material‹ nur aufgenommen, um es dann
eklektizistisch zu verarbeiten. Als Schüler Andreas Rüdigers
hatte Hofmann im Zuge der reichlich vereinfachenden
deutschen Shaftesbury-Rezeption den Begriff des ›moral
sense‹ aufgenommen und ihn mit dem Gedanken verbunden, daß der sich daraus ergebende Antrieb zum moralischen Handeln erst in der Liebe zu Gott seine wahre Gestalt
erlange. Während Shaftesbury noch von einer Hetero-
genität der Antriebe von ›self love‹ und ›social love‹ ausgeht
und nach dem Ausgleich ihres Antagonismus sucht, sieht
Gellert im ›moralischen Gefühl‹ ihre Einheit bereits gegeben. In dieser vom Pietismus, letztlich von Fenelons ›amour
pur‹ beeinflußten Interpretation des moralischen Gefühls
als einer geordneten Liebe verbindet sich die auch den
Atheisten bestimmende und ihn zur Tugend führende Vernunft mit der Instanz der christlichen Offenbarung, unter
deren Leitung diese Tugend erst ihre Vollendung zu gewinnen vermag. Die Tugend, so heißt es in den *Moralischen
Vorlesungen,* ist »die Übereinstimmung aller unserer Absichten, Neigungen und Unternehmungen mit der göttlichen Anordnung, die sich stets auf unser Glück und das
Beste unserer Nebenmenschen bezieht«. Die Offenbarung
weist auf »das natürliche Verderben des Menschen hin«,
lehrt ihn »Zufriedenheit mit seinem Zustande«, »Demut«
und stetes »Vertrauen auf Gottes Vorsehung«, wie die Über-
schriften einiger der *Geistlichen Oden und Lieder* (1757)
lauten.
Durch die Deutung von gesellschaftlichen Verhältnissen
als solchen der Freundschaft und Liebe wird die Beschrän-
kung der naturrechtlichen Ethik auf äußere Handlungen

durchbrochen: Moral umfaßt gleichermaßen Gebote der Höflichkeit, sittliche Wohlanständigkeit wie religiöse pietas und bindet so auch die Alltagshandlungen in den Bereich des Ethischen ein. Freundschaft als Forderung, daß die Menschen einander helfen sollen, erscheint als erstes Prinzip des Naturrechts. Gerade dadurch, daß Moral im privaten Bereich beginnt, soll sie zugleich zur politischen Gestaltungskraft werden.

In Wirklichkeit aber läuft Gellerts Betonung der Liebe als erstem Prinzip des Naturrechts auf eine Preisgabe der gesellschaftlichen Dimension des Moralischen und dessen Rückzug in die privat-individuelle Lebenspraxis hinaus. Der Bezug auf diese individuelle Lebenspraxis sicherte seiner Morallehre die ausgeprägt praktische Note; die Idee der Mäßigung der Affekte durch die ordnende Vernunft mit Hilfe des moralischen Gefühls und dessen christlicher Interpretation als Liebe zu Gott und dem Nächsten verlieh ihr den religiös-existentiellen Impetus. Doch die darin gelegene Wirkungskraft kann Züge einer resignativen Lösung nicht verdecken.

Gellert selbst hat seine Vorlesungen nur als praktische Sittenlehre verstanden, zum philosophischen System wurden sie erst von seinen Anhängern erhoben. Seine Morallehre ist selbst als Synthese nicht sonderlich originell; kritischer Reflexion können seine Gedankengänge kaum standhalten, und sie wollten dies auch nicht. Als er in Leipzig 1751 ›Moral‹ zu lehren begann, war er mit seinen *Fabeln* längst ›klassisch‹ geworden, seine popularphilosophischen Entwürfe standen von da an seinem literarischen Ruhm nur im Weg. Erst in den dichterischen Werken begegnet man seiner Originalität, die Morallehre gibt nur den aufschlußreichen Hintergrund ab. Es ist vor allem die Einsicht, daß losgelassene Affekte zu einem extremen Übermaß einzelner Strebungen führen und damit die Bestimmung des ganzen Menschen und der ganzen menschlichen Gesellschaft in Frage stellen. Sie führt nach Gellert zu der Notwendigkeit,

Auseinanderstrebendes durch Mäßigung zu binden, Gegensätze auszugleichen und zu versöhnen, wobei im Rückgriff auf Gefühl und Religion sich die wahre Vermittlung zeigt. Gelassenheit ist so immer Gottergebenheit, Gemütsruhe immer Demut.

Dieses Modell der Moralität als Vermittlung und Versöhnung beherrscht nicht nur inhaltlich das literarische Werk, es bestimmt zugleich die erzählerische Form und die Wahl der Gattung. In den satirischen Fabeln bleiben die Extreme unversöhnt, die Vermittlung erweist ihre moralische Qualität gerade im Erweis des Scheiterns an den unaufgehobenen Gegensätzen. In den Erzählgedichten und Lustspielen gelingt die Vermittlung, doch geschieht sie auf pragmatische Weise: man findet sich damit ab, daß die Verabsolutierung einzelner Strebungen nicht zum Ziel führt, und fügt sich in eine Mäßigung auf die Mitte. Gerade damit aber wird der latent resignative Zug der moralischen Mittellage deutlich sichtbar. Die ›Mitte‹ ist eher ein im Konsens verklärter Kompromiß als das einer Adelsethik sich verdankende Maximum der aristotelischen Mesotes. Aus der durch ihre tragische Vermittlung heroische Züge annehmenden Katharsis der Antike wird die didaktisch vermittelte Einsicht mit pädagogischem Appell an jedermann.

IV.

Zu seiner Zeit erfolgreich und in gewisser Hinsicht bis heute unvergessen sind Gellerts *Fabeln und Erzählungen*. Der Erfolg darf nicht darüber hinwegtäuschen, daß die Gattung zu Beginn der vierziger Jahre, als Gellert zu schreiben begann, alles andere als eine Modedichtung war, mit der neue Autoren am einfachsten zu Erfolg kommen konnten. Die Fabel stand in einer anspruchsvollen Gattungstradition, die über das neuentdeckte Vorbild La Fontaine bis in die Antike zurückreicht. Für Gottscheds maßgebende Einstellung, daß Dichtung schön und nützlich zu sein habe, wie für Bodmers und Breitingers Forderung, sie müsse wunderbar sein, kam sie gleichermaßen recht. Während Opitz und Boileau sie in ihren Poetiken nicht erwähnen, gerät sie mit der Aufklärung in den Mittelpunkt des Interesses und der Auseinandersetzung.

Was Gellert darstellt, ist die Lebenswelt des bürgerlichen Leipzig. Nicht gesellschaftliche Extreme wie Gewalt und List, Habgier und Not, Macht und Ohnmacht stehen im Vordergrund – die sind im Sachsen des Fürsten Brühl gelassen hinzunehmen. Worum es Gellert geht, ist das alltägliche Leben mit seinen Problemen (sparsame Haushaltführung, Erziehung, Ernährung, Mode und Familienleben), mit seinen Charakteren und Typen (*Der Jüngling, Der Greis, Der Kandidat, Der sterbende Vater, Der Kranke, Der Maler, Der Dichter, Der Bettler, Der Freigeist* usf.) sowie seinen menschlichen Beziehungen (*Der zärtliche Mann, Die zärtliche Frau, Der erhörte Liebhaber, Der Bauer und sein Sohn, Der Freundschaftsdienst, Die glückliche Ehe* usf.). Das alles wird freundlich, oft komisch und rührend, öfter noch satirisch und in der Anwendung der moralischen Lehre stets undogmatisch dargestellt. Der aufs Affirmative und im Alltag Anwendbare bedachte moralisch-erzieherische Impetus ist unverkennbar. Doch nicht selten – und hier zeigt sich das Originäre des Dichters – kommt an Stelle der Moral die Pointe. Die beabsichtigte Lehre verliert sich im komödiantischen Spiel, das Leben siegt über die Abstraktheit der Moral.

Es ist Gellerts schlichter, treffsicherer und zugleich analytischer Sinn für Leipziger Wirklichkeit und nicht für ›Spectator‹-Weisheiten, der sich hier seinen Stoff sucht. Allerdings geht auch an den Stellen, wo er das Prokrustesbett der Gattung verläßt und seiner dichterischen Potenz freien Lauf läßt, die Darstellung über den Erwartungshorizont seiner Leser nicht hinaus. Die Möglichkeit der Identifikation durch den Leser ist ihm selbst da noch Gesetz, wo die strengen Regeln der Gattung ihre Autorität verlieren. Nicht zuletzt hat dies Gellerts Fabeln bis heute ihre Beliebtheit eingetragen. Doch nicht der Erfolg war für ihn der Beweggrund, sondern das Bestreben, das alltägliche Leben seiner Leser so genau auszudrücken, daß an diesem Leben selbst dessen verleugnete moralische Substanz zutage tritt. Man konnte sich selbst – mit seinem Elend und mit seiner Größe – wiederfinden, und daß man dies konnte, um es dann in allseitiger Anerkennung zum Ausdruck zu bringen, war für Gellert offensichtlich weniger eine persönliche Bestätigung, als ein Prüfstein seiner schriftstellerischen Intention.

Das gilt nicht minder von Gellerts *Lustspielen.* Ihrem Urheber trugen die drei Stücke, die er (neben weiteren, aber unbedeutenderen Versuchen, sowie Schäfer- und Singspielen) schrieb, den Ruf eines Begründers und zugleich Vollenders der deutschen Rührkomödie ein. Was als Material vorlag, als Gellert mit dem ersten seiner Stücke begann, war das Modell der satirischen Typenkomödie, wie Gottsched sie in den dreißiger Jahren in der ›Deutschen Schaubühne‹ verbindlich gemacht hatte. Doch im Zuge der allgemeinen Entwicklung zur Empfindsamkeit komte dieser Rahmen nicht genügen. Es lag nahe, Elemente und Motive der ›sentimental comedy‹ – wie sie durch die Moralischen Wochenschriften in Deutschland bekannt geworden war – und vor allem im Gefolge von Marivaux und Nivelle de La Chaussee solche der ›comédie larmoyante‹ aufzunehmen und mit ihrer Hilfe den starren Rahmen zu verändern. Verstand und Vernunft des Zuschauers waren als ausschließliche Adressaten des Stückes zu wenig. Mehr sollte bewegt werden: die Empfindung des Zuschauers, sein Herz, sein Gemüt, sein Gefühl.

Dient im ersten von Gellerts Stücken, der *Betschwester,* die lasterhafte Titelfigur noch dem Verlachtwerden, um den Sieg des aufgeklärten Gegenspielers um so deutlicher hervortreten zu lassen, und werden in *Das Loos in der Lotte-*

rie Tugend und Laster noch deutlich der Belehrung wegen getrennt, so dominieren in den *Zärtlichen Schwestern* die differenzierten Charaktere. Der Schritt über die effekthascherische Belustigung einerseits und die lebensfern langweilige Belehrung andererseits hin zum bürgerlichen Trauerspiel ist getan.

Fabeln und Lustspiele wurden von Gellert als Gattungsformen zweifellos des angestrebten Ideals wegen gewählt. Doch dienten sie ihm nicht nur, ihre literarische und historische Eigenart legten seiner Verwirklichung ebenso Grenzen auf. Erst in seinem Roman *Das Leben der schwedischen Gräfin von G*** findet er ein Medium, das seiner originären Begabung wie seiner Intention auf den Leser hin größeren Spielraum gewährt.

Innerhalb der Entwicklungsgeschichte des deutschen Romans ist es eine Phase ›poetischer Anarchie‹, in der Gellert sein zweibändiges Werk verfaßt. Die planlosen Modifikationen, Umdeutungen und Funktionsverschiebungen der tradierten Elemente der Gattung haben bis zur Mitte des 18. Jahrhunderts als Resultat nur zu einem ›Synkretismus der überlieferten Gattungen‹ geführt. Als Gellerts Roman 1747 und 1748 erscheint, mißt man ihn an diesen Maßstäben. Man wirft dem Autor vor, er habe nicht zu einer neuen, geschlossenen Konzeption gefunden, der Roman stelle einen Rückschritt hinter Richardson dar, knüpfe an »Kompositionsformen der Vergangenheit« an, bleibe im Adelsmilieu stecken, bringe das bisherige Vorbild durch gattungsfremde Tendenzen um den Sinn, ja er sei »als Ganzes mißlungen«. Man sah nur die Mischung aus epischer und brieflicher Erzählform, aus höfisch-abenteuerlichem und intim-familiärem Sujet. Daß Gellert hier den Versuch unternommen hatte, im Rahmen der etablierten Regeln und sie variierend ein Buch für ein neues Publikum zu schreiben, fiel zunächst gar nicht auf.

Betrachtet man die Handlung näher, so zeigt sich jenseits der üblichen, opulent barocken und abenteuerlichen Stoffelemente (Verführung, Ehebruch, Bigamie, Inzest, Mord, Selbstmord, Verschleppung, Krieg, Beraubung einer Nonne, Todesurteile und immer wieder Liebesbegegnungen) eine alle Verwicklungen des Schicksals hinter sich lassende relativ einfache Geschichte, die sich in einem klaren, wenn auch mit verschiedenen Kompositionselementen verfahrenden Aufbau zeigt: es ist die durchaus ins bürgerliche Alltagsleben übertragbare Konstellation von der Frau zwischen zwei Männern, die freilich hier keine Wendung ins Tragische, sondern in die Idylle einer vernunftbestimmten, tugendhaften Gelassenheit nimmt. Die Übertragbarkeit des Sujets entspricht der moralischen Intention, die ganz und gar den Bürger im Blick hat. Die Art, in der das stofflich im einzelnen noch vorgegebene Material formal aufgelöst und neu arrangiert wird, weist erzähltechnisch in eine Richtung, die sich erst viel später bei Wieland, Hippel und im Briefroman endgültig Bahn bricht und allgemeine Anerkennung findet. Gemeint ist vor allem die Ablösung des Erzählers vom bloß personalen Autor, wie sie sich vor allem in einer Analyse der Briefe zeigt. Mit der dadurch erreichten Wende zu multiperspektivischem Erzählen gelingt Gellert das, was er im Auge hat: nicht einfach nur anderes, Fremdes, ja Exotisches an den Leser heranzutragen, sondern ihn selbst als Leser einzubeziehen und zum aktiven Teil des Erzählgeschehens (von dem das Buch selbst nur der eine Teil ist) zu machen.

Gellerts *Leben der schwedischen Gräfin von G*** ergibt so ein widersprüchliches, aber für den Autor wie für seine Zeit typisches Bild: einerseits der traditionsgebundene Stoff mit seinem Mangel an Individualisierung und seiner Dominanz einer vergangenen Gesellschaft, andererseits die deutliche Einsicht in den Charakter des Romans als Kunstprodukt, die geplante Fiktionalität, die es erlaubt, den Primat des Erzählten umzuwandeln in den des Erzählens, um so mit und hinter dem erzählten Sujet ein neues, eigenes Spiel zu spielen, das des Erzählens, in das der Leser nicht als Konsument, sondern als Teilnehmer hineingezogen wird.

V.

Bereits 1742 hatte Gellert in den ›Belustigungen des Verstandes und Witzes‹ einige *Gedanken von einem guten deutschen Briefe* veröffentlicht. 1751 folgt das eigentliche Werk: *Briefe, nebst einer praktischen Abhandlung von dem guten Geschmack in Briefen*: bald nach ihrem Erscheinen wird sie zu einer Art Lehrbuch des neuen Bürgertums. Bis zum Ende des Jahrhunderts erscheint sie in mindestens neun weiteren Auflagen. Ihre Breitenwirkung ist kaum abzuschätzen. Mit Recht hat man Gellerts Abhandlung als einen entscheidenden Schritt in der Geschichte der Briefkunst, ja in der Geschichte der Rhetorik überhaupt hervorgehoben. Was bis zu ihrer Veröffentlichung die Gattung des Briefes bestimmt, ist der tradierte Kanon: der Kurialstil des amtlich-offiziellen Schriftverkehrs, die Regel-Epistolographien eines Weise, Talander, Menantes oder Neukirch, und nicht zuletzt die Flut der Briefanweisungsbücher mit ihrer Vielzahl detaillierter Regeln und ihren kasuistisch geordneten Schreibhilfen nach Art formularhaft auszufüllender Musterbriefe.

Obwohl sie sich in ihrem Aufbau noch ganz konventionell gibt, ist Gellerts ›Abhandlung‹ nichts weniger als ein Bruch mit der gesamten Überlieferung. Das Neue, das sie fordert, beginnt bereits bei Ordnung und Aufbau eines Briefes. An die Stelle der künstlichen Ordnung (connexio verbalis), wie sie von den alten Briefstellern verlangt wird, soll eine neue natürliche, das heißt der intendierten Sache selbst folgende Ordnung (connexio realis) treten. Sowohl die klassische Gliederung eines Briefes in fünf Teile (salutatio, captatio benevolentiae, narratio, petitio, conclusio) als auch die später herrschende Aufteilung in drei Abschnitte (antecedens, connexio, consequens) werden verworfen. Dem latenten Ausdruckswillen des wachsenden Bildungsbürgertums kann die in diesen Ordnungen sich zeigende alte Rhetorik der höfischen Kultur mit ihren festen Formen nur

mehr als Zwang erscheinen. Das neue Prinzip der Gedan-
kenfreiheit fordert ganz anderes. Gedanke und Wort sollen
nicht festgefügten Bahnen folgen, sie ergeben sich aus der
gemeinten Sache selbst: »Man bediene sich also keiner
künstlichen Ordnung, keiner mühsamen Einrichtungen,
sondern man überlasse sich der freywilligen Folge seiner
Gedanken und setze sie nacheinander hin, wie sie in uns
entstehen: so wird der Bau, die Einrichtung, oder die Form
eines Briefes natürlich seyn ... Wer gut schreiben will, der
muß gut von einer Sache denken können.« Die Befreiung
von der alten Ordnung entspricht der Befreiung in Sprache
und Stil. Sie verlieren die Autonomie des Artifiziellen und
werden zum Ausdruck des eigenen Denkens.

Der private Brief, wie ihn jedermann zu schreiben vermag – und keine Zeit hat mehr private Briefe geschrieben
als die des aufkommenden Bürgertums –, steht exemplarisch für den neuen Stellenwert von Literatur überhaupt.
Literatur ist *nicht mehr* die aus höchster Gelehrsamkeit ent-
springende Kunst einiger weniger, und sie ist auch *noch
nicht* der Ausdruck des Außergewöhnlichen, Extremen
oder gar Genialischen. Sie ist das Medium des eigenen Denkens, die Ausdruckssphäre des im eigenen Urteil sich aus-
sprechenden Ichs. »Wer seine Gedanken gut ausdrücken
will, muß die Sprache in der Gewalt haben.« Ebenso wie
das Vermögen zu denken, ist die Gewalt über die Sprache
nicht das Privileg weniger. Jedermann verfügt in sich selbst
über das Vermögen zu denken, zu urteilen und sich selbst
auszudrücken. Gewalt über die Sprache ist wie die über das
Denken jedem eigen, denn jeder besitzt von Natur aus den
›guten Geschmack‹. Und dieser Geschmack ist keineswegs
Sache außergewöhnlicher Begabung und wird auch nicht
erst mühselig durch eine kanonisierte Gelehrsamkeit erlernt. Sicher bedarf der Geschmack wie der Verstand der
Bildung. Bildung, wie Gellert sie meint, entsteht nicht in den
Gelehrtenstuben, sondern durch »Umgang mit geschickten
und vernünftigen Leuten«, in denen das »Natürliche« un-

verbildet zum Ausdruck kommt. Ähnlich wie in Gellerts Ethik zeigt sich auch hier das Gute des ›Natürlichen‹ im consensus omnium. Im gesellschaftlichen Umgang, in der ›bonne compagnie‹ erfährt das einzelne Subjekt die Herausbildung des ihm von Natur aus eigenen Vermögens, seine Befreiung zur Gewalt über das eigene Denken und Sprechen. An die Stelle des tradierten künstlichen Kanons tritt damit die im gesellschaftlichen Konsensus der Qualifizierten hervortretende Authentizität des Natürlichen. So verstanden ist der ›gute Geschmack‹ nicht nur das, was den einzelnen zum Ausdruck des eigenen Ichs befähigt, er ist zugleich das, was die Einheit des Verstehens aller stiftet.

In seiner Brieflehre wird Gellerts werkbestimmende Intention vollends sichtbar: was er in seinem Publikum auf den Weg bringen möchte, ist die Befreiung des natürlichen bürgerlichen Subjekts zu einer neuen Lebenspraxis, zu einem neuen gesellschaftlichen Umgang, zu einer neuen Moral. Weil die bis dahin mehr gesuchte als gefundene Identität des einzelnen wie der Gesellschaft sich nicht im Sonderbereich der Kunst, sondern im Leben selbst ereignet, steht für Gellert das gelebte Leben und seine authentische moralische Substanz im Vordergrund. Deshalb wehrt er sich gegen ein Zuviel an Veröffentlichungen, versteht sein Leben als das eigentliche Paradigma und wird so selbst gewollt-ungewollt zur Legende. Gellert wird mit dem, was er schreibt, nicht nur selbst zum Literaten, er bricht zugleich in breitem Maß einer neuen Auffassung von Literatur Bahn. Literatur befreit sich aus dem Zwang hochartifizieller Vollkommenheitsideale und gewinnt das Ausdrucksfeld der natürlichen ›Sprache‹. Sie verliert die Selbstzweckhaftigkeit einer übersteigerten Künstlichkeit und wird zum Medium des gelebten Lebens. Sie ist nicht mehr Sache einer nur wenigen zugänglichen Gelehrsamkeit, sondern Ausdrucksfeld des natürlichen Ingeniums, wie es jedermann eigen ist.

Daß eine solche Virtualisierung das Literarische freisetzt für den außergewöhnlichen Ausdruckswillen des Genies, ist

Gellert noch ganz fremd. Ihm geht es im Sinne der Aufklärung um die Befreiung zur mittleren Sprache und Literatur. Nicht der geniale Autor steht im Vordergrund, sondern das in jedermann gegenwärtige und in der Literatur seinen Ausdruck findende natürliche Subjekt. So kann es nicht verwundern, wenn Gellert als Autor selbst hinter sein allgemeines Ziel zurücktritt. Wie sehr aber das, was er in Leipzig bewirkt hat, in der Geschichte der Literatur zum Selbstverständlichen geworden ist, zeigt sich gerade daran, daß er als sein Urheber dem Vergessen anheimfallen konnte.

Christian Gottlob Frege
Kaufmann und Bankier

Von Uwe Spaniol

Unter den großen deutschen Städten gibt es nicht viele, die über Jahrhunderte hinweg so sehr von Handel und Kaufmannschaft geprägt, so ganz eine Leistung ihrer Bürger sind, wie Leipzig. Zu keiner Zeit fürstliche Residenz oder auch nur Regierungssitz war diese Stadt seit dem Mittelalter als Platz großer Messen sowohl die Wirtschaftsmetropole Sachsens als auch durch seine alte Universität und seinen Büchermarkt ein Mittelpunkt kulturellen Lebens, dessen Dimension schon früh über die Grenzen des Territorialstaates hinaus ins Internationale wuchs. Ob Manufakturen gegründet, Handelshöfe errichtet, Musik gepflegt oder Werke bildender Kunst gesammelt wurden – das alles hatte seinen Ursprung nicht beim Staat und schon gar nicht in einer Hofhaltung, sondern in der wirtschaftlichen Stärke und dem Selbstbewußtsein eines anspruchsvollen Bürgertums. Das über Jahrhunderte gewachsene Bedürfnis nach Kultur gehört für mich auch heute zu den Vorzügen Leipzigs, gehört zu dem, was die Stadt reizvoll für seine Bewohner und anziehend für Besucher und für Investoren macht. Wenn Kultur losgelöst ist vom urbanen Leben, an dem alle beteiligt sind, wenn sie ›inszeniert‹ wird, dann wird sie irgendwann wie eine Vorstellung auf der Bühne zu Ende gehen. Wenn Kultur gelebt wird, wie hier in Leipzig, dann kann sie dauern. Dies sehe ich als Chance Leipzigs, auch als Chance für die Handelsstadt.

Ich habe, als ich mich für Leipzig entschlossen hatte, natürlich nach den Wurzeln der Stadt gefragt. Es war unumgänglich, daß ich dabei auf Christian Gottlob Frege stieß, den einstmals größten Kaufmann und Bankier Leipzigs, sozusagen ihren ›Fugger‹ des 18. Jahrhunderts.

Freges Verbindungen als Bankier reichten weit über Leipzig und Sachsen hinaus, bis nach Warschau im Osten und Amsterdam im Westen. Er war Kreditgeber und Geldwechsler. Und er ist an einem ganz entscheidenden Punkt der Stadtgeschichte an einer Bürgerbewegung beteiligt gewesen, die die Stadt aus einem Tiefpunkt herausgeführt hat. Von daher wird er für mich auch zu einer herausfordernden Gestalt.

Was heute noch an das Bankhaus Frege erinnert, ist das ›Frege-Haus‹ in der Katharinenstraße, dicht am Markt gelegen. Erworben wurde der in seinen Konturen schon im 16. Jahrhundert entstandene, dann im Stil des Barock umgebaute Handelshof nicht mehr vom Gründer der Kaufmannsdynastie, sondern schon von seinem Sohn. Fortan befand sich hier der Sitz der Bank – deren Tresorraum übrigens erhalten geblieben ist –, wurde von der ›bel-étage‹ dieses Hauses aus das Imperium des Handels geleitet.

Geboren wurde Christian Gottlob Frege 1715 in dem einige Wegstunden ostwärts von Leipzig gelegenen Dorf Lampertswalde. Der Vater schickte ihn sehr früh nach Dresden in die Handelslehre. Noch im selben Jahr gab der junge Frege einem Gewürzkrämer in Leipzig den Vorzug und nahm schließlich 1735 die Arbeit bei einem Kaufmann auf. »Im Jahre 1739 bekam er Lust, sich zu etablieren«, heißt es 1794 über ihn. In Stube und Kammer eines Hinterhauses in der Grimmaischen Straße begann er einen Handel mit getrockneten Früchten. Auch fing er an, »allerhand Geldsorten einzuwechseln«. Dieser Anfang wurde möglich durch einen Kredit, den ihm ein Freund gewährte. Um diesen Kredit zu bekommen, muß Frege das ausgestrahlt haben, was auch heute bei Kreditgeschäften von äußerster Wichtigkeit ist: Vertrauenswürdigkeit und Kompetenz. Den ersten Kreditgeber Freges muß dessen Konzept überzeugt haben. Von nichts anderem lassen wir uns heute bei der Kreditgewährung an junge Existenzgründer leiten: Wir leihen Geld im Vertrauen auf die berufliche Fähigkeit, auf die Konzeption.

Christian Gottlob Frege
(1715–1781)

Der erst 24 Jahre alte Kaufmann Frege war weder Bau-
ern- noch Handwerkersohn, sondern stammte aus der
Familie eines Dorfpfarrers. Der Großvater jedoch war ein
Tuchmachermeister in Neuruppin. In seinen autobiographischen Aufzeichnungen berichtet Frege, er habe alsbald
auch »viel Hilfe in Amsterdam bei Jacob Schnee gefunden«,
auch bei einer Nürnberger Firma.

Sein Konzept stimmte also: An einem Platz wie Leipzig
gab es einen großen Bedarf an Geldwechsel, denn während

der Messen wurde mit Münzen aller Herren Länder be-
zahlt. Eine Bank des Territorialstaates existierte nicht, ein
früherer Versuch war fehlgeschlagen. Freges solide Münz-
kenntnis und seine Zuverlässigkeit trafen also auf eine
Lücke des kommerziellen Geschehens am Ort, und beides
wurde ihm zum Schlüssel des Erfolgs.

Daß er schon im Alter von 31 Jahren, nämlich 1746, mit
seinem ersten Ehrenamt im Rathaus, in der städtischen
Finanzverwaltung, betraut wurde, läßt auf sein hohes Ansehen schließen. Das geschah übrigens vor dem Hintergrund einer komplizierten Situation: Sachsen war nach
1740 in die Konfrontation mit Preußen geraten, das durch
die Okkupation Schlesiens das östliche Transitgebiet des
Leipziger Handels beherrschte, die Messen von Breslau errichtete und die von Frankfurt a. d. Oder als Konkurrenten
zu Leipzig förderte. Auch die Nordroute war Restriktionen
des mächtigen Nachbarn ausgesetzt. Im Jahre 1745 fielen
preußische Truppen in Sachsen ein und besetzten auch Leipzig. Sie belegten die Stadt mit einer Kontribution in Höhe
von 1,5 Millionen Reichstalern. Das Amt, welches Frege
übernahm, kam der Stellung eines Ratsherren nahe. Er
stand der Kontributionskasse vor, monatlich hatte er die
Abrechnungen dem Rat zu übergeben, wobei Kasse wie Abrechnung ausdrücklich vom Bankgeschäft getrennt waren.
Die umfangreichen Skripturen dieser Tätigkeit sind auf der
städtischen Seite erhalten geblieben, und man fragt sich,
wenn man sie liest, wie es den Leipziger Bürgern möglich
war, mit solchen Belastungen fertig zu werden.

Die Verbindung zum Rathaus ist nicht nur für Frege, sie
ist für alle großen Kaufleute der Stadt charakteristisch gewesen. Frege hat darüber hinaus – und das blieb dann auch
bei seinen Söhnen und Nachfolgern so – den Kontakt zum
Hof in Dresden gepflegt. Er kam 1752 dort ins Gespräch,
als für den Abbau eines gerade erst entdeckten Alaun-
schiefervorkommens in Thüringen »ein starker Verlag«
nötig schien. Die Koburger Kanzlei ließ damals durch-

blicken, hierfür könne Frege geeignet sein, denn er sei »ein baulustiger Kaufmann …, ein großer Banquier, welcher selbst in Kursachsen bei Commerzienangelegenheiten gebraucht wird.« Weit folgenreicher aber wurde für ihn die Pacht der neuen Leipziger Staatsmünze, für die er ein Angebot oder vielmehr den Auftrag seines Landesherrn, des sächsischen Kurfürsten und polnischen Königs, durch den Mund des Premierministers bekam.

Hier dürfte Frege die Entscheidung weitaus schwerer gefallen sein als vorher die für ein städtisches Amt. In einem Aidemémoire klagt er über ein Gerücht, das in Amsterdam die Runde mache. Der Homo novus unter seinesgleichen klagt über Neider: »Weil mich die Leute doch immer in Mäulern haben … Da weiß man nicht, was vor mir maletieuse Feder nach Holland geschrieben, ich sei nach Dresden geholt, arretiert und nach Königstein gesetzt worden. Aber an der Börse in Amsterdam bin ich nun sehr bekannt, folglich wird darüber ein greulicher Lärm« entstehen. Der große Kaufmann fürchtete das Schlimmste: den Mißkredit. Er wollte sich nicht zu tief mit dem Hof verstricken. »So hat man allemal ein wachsames Auge auf diejenigen, die es mit den Höfen zu tun haben«, und viele seien durch die Bindung an die Fürstenhöfe ruiniert worden.

Die im 18. Jahrhundert vieldiskutierte Ambivalenz zwischen Kaufmann und Staat, wie sie Montesquieu in seiner Schrift *Vom Geist der Gesetze* (De l'Esprit des lois, 1748) so deutlich gesehen hatte – er unterschied zwischen einem »commerce de lux« und dem »commerce d'économie« –, schlug hier unversehens durch. Frege vermochte sich dem Interesse des Staates nicht zu entziehen. Seine Tätigkeit als Münzmeister diente nicht mehr nur gut funktionierenden, internationalen Handelsbeziehungen. Schon wegen des extremen Kapitalbedarfs für die Münze dürfte in Leipzig niemand außer ihm für das Münzamt in Frage gekommen sein. Aber Frege erschien nicht nur das finanzielle Risiko gefährlich groß, sondern er sah sich auch unter dem Druck gewisser politischer Ziele der Sächsisch-polnischen Union.

Die Leipziger Münze mit ihrem Sitz in der Pleißenburg, dem Vorgängerbau des Neuen Rathauses, existierte schon ein Jahr, als er Anfang 1753, in seinem 38. Lebensjahr, als »Entrepreneur der innerlichen Münzwirtschaft« ihre Regie übernahm. Abgesehen vom Prägestempel unterstand ihm alles, mit Ausnahme des Münzfußes. Zu seiner Unterstützung hatte er als Münzinspektor und Mitgesellschafter Johann Ludwig Ploß gewinnen können. Frege selbst sah sich nicht als Münzmeister, »weil ich sein Werk nicht genugsam verstehe«, sondern als »Kaufmann, der nur nach der Verbindung des Münzwesens mit dem Commercio urteilen kann«. Ihm oblag der Silbereinkauf, denn in Sachsens Bergwerken wurde damals weniger Silber gewonnen als die Münze brauchte. Das unterschied jene Jahre von den Glanzzeiten des 13. oder des 15./16. Jahrhunderts, in denen Barrensilber zum Exportgut des Territorialstaates zählte. Die Kaufleute bedurften guter Münze, um ihre Ausfuhrgeschäfte abwickeln zu können. Gerade das hatte Frege, bevor das Münzprojekt auf ihn zukam, gemeinsam mit anderen Leipziger Kaufleuten der Regierung gegenüber in einer Denkschrift betont. Nicht so der Staat. Gute Münzen, solche mit hohem Edelmetallgehalt, hatten die Eigenschaft, von schlechten, nämlich eingeschmolzenen und mit Kupfer versetzten, verdrängt zu werden, brachte man diese nur in Mengen in Umlauf. Es war Kipper- und Wipperzeit. In Sachsen war das nicht anders als in den preußischen Landen Friedrichs II.

Nur kurze Zeit ließ man Frege alle Sorten, auch die sächsischen prägen. Dann verlagerte sich das Prägen auf »gewisse polnische Gold- und Silbersorten«, und so war er gezwungen, gute Dukaten zu empfangen, in geringerwertige umzumünzen und wiederum nach Polen zurückzuliefern. Den eigentlichen Nutzen von diesen Fälschungen hatten die Finanzpolitik des Grafen Brühl in Dresden und die Hofhaltung des Sohnes Augusts des Starken in Warschau samt der dortigen Magnaten. Als den Freges ein halbes Jahrhundert später – das Bank- und Handelshaus stand zu dieser Zeit in seinem Zenit – aus Dresden die Pacht des gleichsam besten Stückes von ganz Sachsen, der Meißner Porzellanmanufaktur, angeboten wurde, gehörten möglicherweise diese zwiespältigen Erfahrungen zu den Gründen, diesmal abzuwinken. Im Unterschied zu 1752/53 konnten sich das die Freges dann leisten, auch wenn es zur Folge hatte, daß die Manufaktur unverpachtet blieb.

Bei den jetzigen Münzaktionen mußte Rücksicht auf Preußen genommen werden: Die Transitstraßen zwischen Sachsen und Polen liefen durch das preußisch gewordene Schlesien; und Preußen konnte, wenn bemerkt wurde, was da geschah, die Transporte unterbinden. In Briefen an Vertraute in Dresden schreibt Frege vom Zwiespältigen seiner Position, von seiner ständigen Besorgnis: »Helfen Sie mir, daß in Polen alles in Ordnung bleibt«, und: »Es ist gewiß was Unerhörtes, was man mir bei dem großen Werk zumutet.« Und das Ganze sei ihm »verdrießlich«, klagt er immer wieder.

Wer sich heute fragt, wie Frege als Bankier eine so risikoreiche Aufgabe übernehmen konnte, die – wenn sie bekannt geworden wäre – seine Vertrauenswürdigkeit auf Dauer zerstört hätte, muß bedenken, daß auch der Bankier Frege Untertan des Feudalherrschers war. Wenn dieser den »unabweisbaren Wunsch« hatte, daß der Herr Bankier »die Gnade« erfährt, ihm, wie auch immer zu dienen, so hatte er einen Befehl auszuführen. Heute kommt niemand mehr in diese alten Befehlskonflikte. Seit Gründung der Bundesrepublik hat die Regierung keinerlei Einfluß auf den Druck von Banknoten. Deutschland ist international gesehen einer der wenigen Staaten, in denen die Bundesbank, also die für die Geldausgabe verantwortliche Zentralbank, weisungsunabhängig, in ihren Entscheidungen selbständig ist, wie es das Bundesbankgesetz bestimmt. Diese Regelung gibt es seit Gründung der Bundesbank.

Frege wurde von seiner zwiespältigen Aufgabe befreit, als

bei Ausbruch des Siebenjährigen Krieges Leipzig von
preußischen Truppen besetzt wurde. Es gelang ihm noch,
Silber und Ausprägungen in Sicherheit zu bringen, er selbst
verließ für Jahre die Stadt. Die Münze fiel in preußische
Hände und arbeitete unter dem Berliner Münz-›Entrepreneur‹ Ephraim weiter. Nun war es Sachsen, das von schlechten Münzen überschwemmt wurde, wie auch die Bürger der
Stadt sich wieder riesigen Kontributionen ausgesetzt sahen,
die in barem Geld oder guten Wechseln geleistet werden
mußten und bisweilen mit Gewalt eingetrieben wurden.

Das Bankgeschäft dominierte bei Christian Gottlob
Frege, soweit es sich erkennen läßt, von Anfang an. Es bildete gleichsam das Dach des Hauses, unter dem sich aber
eine ganze Kombination von Unternehmungen entwickelte:
Warenhandel, insbesondere ein weitgespannter Textil-
handel, Spedition, Bergbau und Hüttenbetrieb, die Waren-
erzeugung in Manufakturen als dem neuen Zwischenglied
zwischen Handwerk und Industrie, Immobiliengeschäfte
bis hin zum Güterhandel und sogar eigener Grundherrschaftsbesitz. Letzterer verlieh dem »Herrn Prinzipal
Frege«, wie ihn 1753 sein Hüttenschreiber im thüringischen
Unterschmiedefeld bei der Abrechnung »über Einnahmen
und Ausgaben beim Vitriolwerk« anredete, geradezu seig-
neuriale Züge. Für die kursächsische Administration war er
einfach der Herr ›Banquier‹. Dieses Handels- und Manu-
fakturbürgertum des 18. Jahrhunderts sah sich – zumindest
in Gestalt seiner Elite – nicht auf eine Stadt, und sei es eine
solche wie Leipzig, auch nicht auf den Territorialstaat, und
sei es ein so ausgedehnter und ökonomisch starker wie der
sächsische, begrenzt, sondern im Dienste des Handels zwischen den Völkern stehend. Und gerade das verflocht die
Tätigkeit solcher Kaufherren mit der Herausbildung des
Weltmarktes.

Zu Freges Aufstieg hatte beigetragen, daß er bei seiner
Heirat mit Maria Regina Bachmann 1743 die Bachmann-
sche Handlung, das Geschäft eines angesehenen Leipziger

Kramers übernahm. Weitere Stationen lassen sich in dem Buch ablesen, das der damals 30 Jahre zählende Kaufmann 1745 mit eigener Hand über seine »bösen Schuldner« zu führen begann. Anfangs stehen darin Geschäftspartner in Leipzig und solche aus der näheren Umgebung, aus Chemnitz und Dessau, aus Freiberg und Annaberg, aber auch schon aus Würzburg und Elberfeld. Im Jahre 1751 muß er u. a. Kaufleute aus Frankfurt a. M., Braunschweig und Aachen notieren, 1757 kommt neben Erfurt, Magdeburg und Breslau auch Amsterdam vor. Und als einer der größten Kaufleute Warschaus unter Freges Schuldner geraten ist, weiß man um die internationale Position dieses Leipziger Handelshauses. Es wurde führend im Leinwandhandel bis nach Spanien und Portugal, zeitweilig mit einer Filiale in Marseille, die der weitgereiste, aber noch vor dem Vater verstorbene älteste Sohn Freges leitete. 1763 gelangte er durch seine dritte Heirat in den Besitz von Schloß und Rittergut Trossin bei Torgau, 1775 kaufte er die Großenhainer Kattunmanufaktur, eine der größten Sachsens. Nach seinem Einstieg in den thüringischen folgte der in den erzgebirgischen Bergbau und – gemeinsam mit einem Konsortium – der in die Kupfer- und Silbergewinnung im Mansfelder Land. Schon wenige Jahre nach dem Tod des Firmengründers stieg das Bankhaus Frege in den Amerikahandel ein und erwarb ausgedehnte Ländereien in Pennsylvania.

Für den neuen europäischen und bis nach Übersee ausgreifenden Horizont stieß der Friedensschluß, der 1763 in dem auf halbem Weg zwischen Leipzig und Dresden gelegenen Schloß Hubertusburg den Siebenjährigen Krieg beendete, das Tor auf. Zwar befand sich Sachsen in einem erbärmlichen Zustand, vergleichbar dem am Ende des Dreißigjährigen Krieges. Aber Intellektuelle und Kaufleute der Messestadt schlossen sich zu einer Bewegung zusammen, die – »pro restauratione patriae« – die rasche Wiederherstellung des Landes beförderte. An die Spitze der Reformer trat mit Thomas Fritsch ein Leipziger Buchhändlersohn. Nach seinem Jurastudium hatte er in der Staatsverwaltung Sachsens gearbeitet, sein Land in diplomatischer Mission in Paris vertreten und war seiner Verdienste wegen geadelt worden. Eine Kontroverse mit der Regierung und Hofintrigen führten zu seiner Entlassung. Er trat vorübergehend wieder in den väterlichen Verlag ein. Zur selben Zeit, da Fritsch sein Programm entwickelte, das dann 1763 unter dem Titel *Zufällige Betrachtungen in der Einsamkeit* gedruckt wurde, publizierte Rousseau in Frankreich sein Werk über den Gesellschaftsvertrag. In Dresden sah man sich gezwungen, gerade Fritsch, den schärfsten Kritiker, mit den Friedensverhandlungen und danach mit dem Amt des Regierungschefs zu betrauen. An Fritsch's Seite standen als Minister Christian Gotthelf von Gutschmidt, Syndikus der Leipziger Kramerinnung und Professor für Staatswissenschaften, sowie Peter von Hohenthal, der – gleichfalls einer Leipziger Kaufmannsfamilie entstammend – mit der Neuordnung des Schulwesens befaßt war und ab 1763 mit dem ›Leipziger Intelligenz-Blatt‹ die Zeitung der Reformer herausgab.

Christian Gottlob Frege, inzwischen Ratsherr und Kammerrat, gründete mit gleichgesinnten Bürgern und Adligen 1764 die ›Leipziger Ökonomische Sozietät‹. Das war ein Kreis, der während der Messen tagte, um auf dem Wege des Vortrags und der Diskussion, der Publikation, des Experiments und des Preisausschreibens im Sinne der Staatsreform in die ganze Breite des Landes zu wirken. Was da angestrebt wurde und geschah, bezeichnete sich selbst als »Retablissement«. Dieses Konzept zur »Wiederherstellung« des Landes ist es, was mich an Frege so besonders fasziniert und was mir zeigt, daß der Bankier des 18. Jahrhunderts in einer Stadt wie Leipzig – das gilt ebenso für Wien, München oder Berlin – Interesse daran haben mußte, daß der wirtschaftliche Wohlstand blüht, weil er vom Wohlstand der anderen lebt. Das haben die Bankiers heute oft vergessen. Sie sehen sich als Hoheitliche Institutionen. Aber der Bankier lebt tatsächlich nur vom Wohlstand, den er ausbreitet. Das war Frege ganz besonders klar. Er mußte sehen, daß die Menschen zu Wohlstand kommen. So ist die Ökonomische Sozietät als eine Art Solidargemeinschaft für den Wiederaufschwung des Landes zu sehen.

Es gibt da durchaus Parallelen zu heute, obwohl wir es in unseren Bemühungen noch nicht so weit gebracht haben: Die Bundesregierung hat einen Fonds, den Beteiligungsfonds Ost für Eigenkapital-Ergänzungsdarlehen gegründet, in den sich die Bürger steuergünstig mit gutem Zins einbringen können. Dieser Fonds leistet Darlehen für den Aufschwung Ost. Das hätte man schon fünf Jahre früher machen sollen, vielleicht wären wir dann schon so erfolgreich, wie es Frege seinerzeit gewesen ist.

Mit dem Ziel der ›Wiederherstellung‹ verbunden war der Versuch, Ideen der Aufklärung in die Praxis zu überführen, was zumindest im Ansatz einer Öffnung hin zur bürgerlichen Gesellschaft gleichkam. Das geschah hier lange vor der Französischen Revolution! Frege übernahm, wenn auch nur für kürzere Zeit, nach Auflösung der Sächsisch-polnischen Union noch einmal die Münzpacht. Die alten Divergenzen zwischen Kaufmann und Staat mögen ihm in der Euphorie dieser Jahre leicht überbrückbar oder im Grunde aufgehoben erschienen sein.

Im Zuge der sächsischen Reformen kam es neben der Gründung der Bergakademie Freiberg und der Kunsthochschule Dresden im Jahre 1764 auch zur Errichtung der ›Zeichnungs-, Malerei- und Architektur-Akademie‹ in Leipzig mit Adam Friedrich Oeser an der Spitze. Daß Bankleute seit je der Kultur eine besondere Bedeutung beigemessen haben, ist kein Zufall. Als Händler begegneten sie Menschen aus verschiedenen Ländern. Sie waren weltgewandt und merkten, welche Rolle die Kultur in der Verständigung zwischen Menschen spielt. Dazu kamen sie zumeist aus dem Tuchhandel. Und Tuch hat immer etwas mit Schönheit, mit

Dekoration und Lebensqualität zu tun. Wer mit Tuch umgeht, ist in seinem Schönheitsempfinden und in seinem
Schönheitsbedürfnis sensibilisiert.

Das Leipziger Bildungsbürgertum nahm mit diesen
kunstsinnigen Kaufleuten des Tuches, aber auch mit denen
des Buches, mit den Gelehrten der Universität, mit Architekten, Künstlern und Juristen in jenen Jahren einen Aufschwung, der nachhaltig in das folgende Jahrhundert
hineingewirkt hat.

Es bedarf keiner allzu großen Phantasie um sich vorzu-
stellen, wie oft sie einander im Rathaus, in Freges Kontor
oder auf der Straße begegnet sind: der Ratsherr und Prinzipal Frege, Oeser, Philipp Erasmus Reich, das Haupt der
Weidmannschen Buchhandlung – und nun müßten viele
Namen von Kaufleuten, einheimischen und fremden, von
Ratsherren der Stadt und anderen folgen, die Zeitgenossen
Freges waren. Goethe hat in *Dichtung und Wahrheit* ein
lebendiges Bild der Stadt Leipzig zwischen 1765 und 1768
vermittelt. Wir wissen nicht, ob Frege selbst Kunstsammler
war, wie die weit über Leipzig hinaus bekannten Kauf-
mannsfamilien Richter und Winckler, und wie es für die
Zeit seiner Söhne aus dem Briefwechsel mit Goethe hervor-
geht, der zu den Freunden und Bankkunden des Hauses
zählte. Aber er ließ sich von Anton Graff malen.

Es ist nicht übertrieben, wenn man sagt, daß Frege etwa
15 Jahre lang, bis zu seinem Tode, die Seele der Ökonomischen Sozietät gewesen ist und daß gerade darin sein kultu-
relles Engagement lag. Die Reformer setzten in den 60er
Jahren Wissenschaft und Kunst in einem Maße für Wirt-
schaftsförderung ein, wie es das vorher nie gegeben hatte.
So bildete die Leipziger Kunstakademie in der Folge auch
Fachkräfte aus, die Anregungen zur Veredlung vieler Er-
zeugnisse der Manufakturen und des Handwerks vermittelten, etwa für das Design der für den Export bestimmten
Textilien.

Die Landwirtschaft bildete in Kursachsen noch immer

den größten Wirtschaftszweig. Über 60 Prozent der arbeitenden Bevölkerung fanden hier Beschäftigung. Sie zu intensivieren war eine vordringliche Aufgabe. Der Sozietät ging es dabei um einen intensiveren Ackerbau, der langfristig Futtermittel sichern und damit die Viehwirtschaft beleben konnte. Man begann mit dem Anbau von Kartoffeln, Klee und Luzerne. Kulturen wie Flachs und Tabak kamen dem Gewerbe zugute und halfen Importe einzusparen. Große Obstbaumkulturen wurden angelegt und das leistungsfähige Merinoschaf heimisch gemacht. Die Sozietät gründete Hirten- und Schäferschulen, richtete Samenkabinette ein und führte das jeweils beste Saatgut – und sei es aus Litauen – ein, auch für Versuche im botanischen Garten. Sie veranlaßte ökonomisch orientierte Berichte über einzelne Landstriche mit Angaben zu deren Bodenqualität, zum Klima und zur Menge der Niederschläge. Die Schlußfolgerungen für den regional jeweils günstigsten Pflanzenbau wurden veröffentlicht. Lehrer und Dorfpfarrer übernahmen die Vermittlung an die Bauern, über Gespräche, Vortrag und Predigten.

Frege ließ auf seinem Rittergut Trossin nicht das Schloß erneuern, sondern die Wirtschaftsgebäude. (Sie sind, unter Denkmalschutz stehend, übrigens noch erhalten.) Aus dem ab 1765 überlieferten, vor wenigen Jahren entdeckten Briefwechsel mit seinem Verwalter geht hervor, welchen Einfluß er auf den landwirtschaftlichen Betrieb und das Dorf nahm. Er schickte die regelmäßigen Berichte des Verwalters mit genauen, knapp formulierten, eigenhändig an die Seite geschriebenen Anweisungen zu Saatgut, zu Aufforstungen usw. zurück. Er drang darauf, die bei einem Brand zwei Jahrzehnte zuvor zerstörten Höfe wieder aufzubauen und veranlaßte den Neubau der Kirche auf seine Kosten, um die Dorfgemeinde (der das übrigens gar nicht recht war) zu entlasten. Aber ebenso drang er darauf, die Außenstände der Bauern »mit Schärfe beizutreiben«.

Schloß- und Grundherrschaftsbesitz waren unter Leip-

ziger Großkaufleuten keine Seltenheit. Frege nutzte das
Trossiner Anwesen kaum zur Repräsentation. Der Besitz
hat aber dazu beigetragen, daß Kaiser Joseph II. in Wien der
Familie 1770 ein Wappen verlieh, was ihre quasi-aristokra-
tische Stellung unterstrich. Im Wappenbrief heißt es, Frege
habe es »durch seinen unermüdeten Fleiß und Eyfer dahin-
gebracht,« daß er seit geraumer Zeit »zu Leipzig eine beträchtliche Handlung fortführe«, Grundstücke in der Stadt
besitze und auf »einem Rittergut, Troßin genannt, ansässig seye«. Hervorgehoben werden seine während des
Krieges erworbenen Verdienste um die Stadt, die Wahl in
den Rat und die Enennung zum Kammerrat durch den Kurfürsten, der zu diesem Zeitpunkt gerade noch die polnische
Krone trug. Für Frege war Trossin ein Wirtschaftsfaktor
gleich seinen anderen Unternehmungen. Und er leitete es
wie eine der Manufakturen, deren Entwicklung er in
Sachsen besonders gefördert hat. Ihre Zahl und Produktivität erreichte Ende des 18. Jahrhunderts einen Höhepunkt.

Aus Fregeschem Besitz sind außer Trossin und dem
Fregehaus einige Bände seiner Bibliothek erhalten geblie-
ben. Mehrere Bände über den Silber- und Goldgehalt von
Münzen sind darunter ebenso wie Nachschlagewerke zu
Münzwesen und Wechselrecht. Es sind Publikationen aus
den Jahren 1705, 1717, 1748 usw. 1976 kam zu diesen Bän-
den ein Fund, der bis dahin hinter einer Tapetenwand des
Fregehauses verborgen war, die Fregeschen Bücher der
Münzabdrücke, angelegt in der Zeit, in der Frege das
Geschäft seinem Sohn übergab, weitergeführt in der Zeit
danach. Es ist bankinternes, Kaufmannsbüchern ähnliches
Schriftgut, das für das Tagesgeschäft bestimmt war.

Einer der Bände hat den Titel *460 Abdrücke alter und
neuer, goldener und silberner Currant-Münzen nebst ihrem
Gehalt.* Er wurde angelegt von ›CHP‹, von Christoph Heinrich Ploß, dem wohl engsten Mitarbeiter der Freges und
Neffen des einstigen Münzinspektors. Mit ihrer Fülle
hauchdünner Folienabdrücke von Münzen, die gold-, sil-

ber- oder kupferfarben erscheinen, dazu mit handschriftlichen Notierungen zum Feingehalt, ermöglichten diese
Musterbücher beim Geldwechsel eine schnelle und zuver-
lässige Identifizierung der Münzen. Es sind Münzen aller
europäischen Länder erfaßt, auch aller deutschen Territo-
rien, der Türkei, Rußlands und überseeischer Staaten. Die
unerbittliche Genauigkeit, die aus diesen Büchern spricht,
das wahrheitsgetreue Erfassen von Werten, findet seine
Parallele in einer Episode, die, den Bankherrn charakterisierend, 1794 in der *Biographie des Herrn Cammerraths ...*
festgehalten wurde: »Er wars, der einst einem Minister, als
er ihn um Geld anging, die Wahrheit rundheraus sagen
konnte. Jener beklagte sich und sagte: Ich weiß nicht, wie
es zugeht, daß die Kaufleute immer, wenn man 50.000 Thlr.
Vorschuß haben will, thun, als ob das Geld an Ketten
hienge. Aber unser Frege antwortete geschwind: Ihro
Ecxzellenz halten zu Gnaden, Geld ist wohl zu haben, aber
nur auf kaufmännischen Fuß; das heißt, in der gesetzten
Zeit muß der Termin unverbrüchlich gehalten werden. Der
Kaufmann muß seine Zahltage aufs pünktlichste halten;
thut er das nicht, so ist er verloren; er muß also ein gleiches
fordern.«

Adam Friedrich Oeser
»Nimm edle Seele des Lebens
rechten Zeitpunkt wahr ...«

Von Albrecht v. Bodecker

In letzter Minute‹ eilt der siebzehnjährige Jüngling Adam Friedrich Oeser, geboren in der ungarischen Königsstadt Preßburg, in die kaiserliche Wiener Kunstakademie. Dort gilt ihm, für ihn völlig unerwartet, eine mit Paukenschlag und Trompetenschall einsetzende Zeremonie: Er hat den Ersten Preis des Akademiewettbewerbes zum Thema »Abraham will Isaak schlachten« gewonnen. In seiner einfachsten Kleidung und ungepudert erhält er aus den Händen Kaiser Karls VI. die goldene Medaille für sein eingereichtes Bild ›Abrahams Opfer‹. Wenige Stunden später schon wird er selbst ›Opfer‹ eines Anschlags. Neid und Haß haben die sieben anderen Akademie-Mitbewerber erfaßt. Die Medaille bleibt nicht lange in seinen Händen, sie verschwindet spurlos während des Gelages nach der festlichen Überreichung. Plötzlich verletzt ein vergifteter Degen den jungen Preisträger lebensgefährlich. Wiederum ›in letzter Minute‹ gelingt es einem mit ihm verwandten Wundarzt, sein Leben zu retten.

Dieses Wiener Ereignis und die zurückbleibenden Narben begleiten Oeser sein Leben lang. ›Abrahams Opfer‹ variiert er noch viele Male. Vielleicht sind die Gründe dafür auch anderswo zu suchen: Oeser wurde außerehelich geboren, sein Vater verließ die junge Mutter und den Sohn gleich nach dessen Geburt 1717 in Preßburg. Nach nur zweieinhalbjähriger Schulzeit (von März 1722 bis September 1724) erlernt der Knabe Adam Friedrich von 1724 bis 1728, wohl auf Wunsch der Mutter, das Handwerk eines Zuckerbäckers. Er entdeckt zu dieser Zeit, daß Kandis, farbige Creme und Sahne nicht ausreichen, seinen Gestaltungswillen zu befriedigen, und er wechselt zu dem Maler Kamauf über, einer künstlerischen Lokalgröße. Die Enge und Pedanterie dieses ›Meisters‹ veranlassen ihn schon bald, nach Wien zu gehen, in die barocke Kaiserstadt. Mit dreizehn Jahren steht der mittellose Knabe in der prachtvollen Stadt, in welcher er dann die Lehrer und Freunde gefunden hat – besonders Georg Raphael Donner (1692-1741) –, die ihm in neun Jahren jene künstlerische Universalbildung vermittelten, die ihn als Maler, Radierer, Bildhauer, Architekt und Gartengestalter ausgezeichnet hat.

1739 verläßt Oeser Wien, um nach Dresden zu gehen. Sachsen wird sein zweites Heimatland. Zu dieser Zeit war Dresden die tonangebende künstlerische Stadt Deutschlands. Der Glanz des Hofes von August dem Starken lockte viele fremde Künstler hierher. Georg Baehrs Frauenkirche erhält ihre Kuppel, Raphaels *Sixtinische Madonna* kommt in die Fürstliche Galerie, und Winckelmann schreibt: »Die reinsten Quellen der Kunst sind geöffnet: glücklich ist, wer sie findet und schmecket. Diese Quellen suchen, heißt nach Athen reisen; und Dresden wird nunmehro Athen für Künstler.« Der gleichaltrige Johann Joachim Winckelmann wurde Oesers Freund. Oeser nahm ihn in seine Wohnung auf. Das Nehmen und Geben war getragen von dem gemeinsamen Willen zu größerer Schlichtheit und Einfachheit, wie sie nur das klassische Altertum gekannt hatte. »Ich suchte mich in der mir vergönnten Muße angenehm zu beschäftigen, und die Unterredungen mit meinem Freunde, Herrn Friedrich Oeser, einem wahren Nachfolger des Aristides, der die Seele schilderte und für den Verstand malte, gaben zum Theil hierzu Gelegenheit.« So noch einmal Winckelmann über seinen Freund Oeser, dessen Einfluß auf Winckelmanns erstes Werk, *Gedanken über die Nachahmung der griechischen Werke in der Malerei und Bildhauerkunst,* besonders deutlich ist. In die Dresdner Zeit fiel Oesers Familiengründung. Er heiratete 1745 Rosine Elisabeth Hohburg und hatte mit ihr vier Kinder. Ihre vortrefflichen Eigenschaften hat Oeser bis zu seinem Tode in Ehren gehalten, wenngleich die leichteren Schönheiten des Lebens an ihm nicht spurlos vorüber gingen.

Der einsetzende preußische Kanonendonner vertrieb 1756 die Familie Oeser aus Dresden. Sie fand Zuflucht auf dem Schloß in Dahlen, zwischen Dresden und Leipzig. Der Gönner Johann Joachim Winckelmanns, Graf Heinrich von Bünau, ließ sein gerade fertiggestelltes Schloß von Oeser ausmalen. Adam Friedrich Oeser, mit einer solchen Aufgabe inzwischen bestens vertraut, führte diesen Auftrag so aus, daß er dabei zu einer Vereinfachung seines Stils gelangte und die Wiener barocke Schulung überwand. 1758 malte er, abermals im Auftrag von Bünaus, das Schloß in Oßmannstedt aus und kam so erstmals auch in die kleine Residenzstadt Weimar, in der er später ein gern und häufig gesehener Gast wurde.

Friederike, Oesers älteste Tochter, schreibt: »In Dahlen also lebten wir wie im Paradiese, die Herrschaft war abwesend ... Wie schön war es nicht! Wir durften nicht in die Schule gehen, weil kein rechter Schulmeister da war. Wir brauchten keine schönen Kleider, die uns durch hineingebrachten Schmutz Gescholtenes zugezogen hätten, wir lernten keine städtischen Complimente, keine gezwungenen Manieren. O weit entfernt! Wir hüpften täglich mit den jungen Lämmern auf weichem Grase, durch blumichte Täler, wir pflückten Blümchen, wir halfen das Korn in die Scheune sammeln und den Kirmskuchen backen ...; der Abendtau befeuchtete oft unsere Kleidung und im Frühling und Herbst kamen wir oft erstarrt in die Kinderstube zurück ... Wurde es endlich Winter, ja nun, da spielten wir Mehlhäufchen oder Blindekuh.« Diese Idylle bricht mit dem Umzug nach Leipzig ab. Der siebenjährige Krieg hatte Dresden stark zugesetzt, die dominierende Stellung der Stadt im Kunstleben war gebrochen.

Leipzig war – anders als Dresden, das im wesentlichen durch höfischen Luxus und ausländische Kulturelemente

emporgeblüht war – auf solider Basis aus sich selbst heraus
»zu einer Hauptpflanzstätte der gesamten modernen deutschen Bildung« emporgewachsen. Oeser konnte hier relativ
schnell Fuß fassen, seiner intelligenten und schmiegsamen
Art kam die sächsische Wesensart sehr entgegen.

Die universelle Bildung Oesers in fast allen künstlerischen Disziplinen war dem geistvollen und urteilskräftigen
Legationsrat Christian Ludwig von Hagedorn schon in
Dresden aufgefallen. Er war beauftragt, für drei neu zu
gründende sächsische Akademien – in Dresden, Meißen
und Leipzig – Rektoren zu gewinnen. Die von Hagedorn in
Aussicht gestellte akademische Anstellung begeisterte Oeser
so sehr, daß er in seinem Glück umgehend schreibt: »Ew.
edle Denkungsart in Rücksicht meiner wegen eines fixen
Gehaltes, der mich von den ängstlichen Sorgen eines Vaters
befreien wird, und in den Stand setzen wird, mich nur einer
Sache allein zu widmen, erfüllt mit Wonne meine Seele. Alle
meine Wünsche sind erfüllt, wenn ich ferner unter einer so
weysen Regierung zu leben das Glück habe.« 1764 war es
soweit. Leipzig erhielt eine ›Academie‹, die direkt dem
Kurfürsten unterstellt war. Mit einem Jahresgehalt von
600 Thalern, dazu 80 Thaler Quartiergeld, zieht Oeser mit
der neu begründeten ›Zeichnungs- Mahlerey und Archi-
tectur-Academie‹ als ›Director‹ in das kurfürstliche Amtshaus an der Ecke Klostergasse/Thomaskirchhof, ein von
Hieronymus Lotter errichtetes Gebäude. Die Ära des großen Thomaskantors Johann Sebastian Bach war schon neun
Jahre zuvor zu Ende gegangen. Mozart schrieb gerade seine
erste Sinfonie, im Alter von acht Jahren, in London.

Die räumlichen Verhältnisse der ›Academie‹ und deren
Ausstattung waren als kläglich zu bezeichnen. Auch nach
einem Umzug 1765 in den Westflügel der alten Pleißenburg
waren die Mittel für Holz und Öl so knapp bemessen, daß
die Klagen nach Dresden nicht enden wollten, während die
Burgräume weiterhin kalt blieben. Statt nach lebenden
Modellen wurde nach weniger kälteempfindlichem Gips

Adam Friedrich Oeser
(1717–1799)

gezeichnet. Trotz dieser widrigen äußeren Umstände hatte es Oeser verstanden, eine große Zahl von Studierenden und Handwerkern an die ›Academie‹ zu binden. Er war bestrebt, der Verbindung zwischen Kunst und Handwerk wieder die Bedeutung zu geben, die sie einst hatte.

Oesers Art, mit seiner Schülerschaft umzugehen, hat er selbst beschrieben: »So muß man es mit den jungen Genies machen, allzu frühes Lob verdirbt sie, macht sie nachlässig, sie haben ohnehin Eigenliebe genug, ihre Arbeiten für unverbesserlich zu halten. Man muß sie nur auf ihre Fehler aufmerksam machen, was sie gut gemacht haben, wissen sie am besten, über jene aber sehen sie gern hinweg.« Und Johann Wolfgang von Goethe, sein wohl berühmtester Schüler, dankt dem langjährigen Lehrer: «Ich bin Ihnen mehr schuldig, als daß ich Ihnen danken könnte, den Geschmack, den ich am Schönen habe, meine Kenntnisse, meine Einsichten, habe ich die nicht alle durch Sie? Wie gewiß, wie leuchtend wahr ist mir der seltsame, fast unbegreifliche Satz geworden, daß die Werkstatt des großen Künstlers mehr den keimenden Philosophen, den keimenden Dichter entwickelt, als der Hörsaal des Weltweisen und des Kritikers. Lehre tut viel, aber Aufmunterung tut alles. Wer unter allen meinen Lehrern hat mich jemals würdig geachtet mich aufzumuntern als Sie. Entweder ganz getadelt oder ganz gelobt, und nichts kann Fähigkeiten so sehr niederreißen. Aufmunterung nach dem Tadel ist Sonne nach dem Regen, fruchtbares Gedeihen.«

Goethe kam als junger Student aus Frankfurt an die Leipziger Universität. Er hatte früh schon Zeichenunterricht erhalten und nahm nun ab Herbst 1766 Privatunterricht bei Oeser in dessen »wundersamer, ahnungsvoller« Wohnung in der Pleißenburg; Mitschüler waren u. a. Hardenberg und Gervinus, vielleicht auch Corona Schröter. Oesers geistreiche, liebenswürdige und zugleich anregende Persönlichkeit fesselten den jungen Schüler ungemein, ebenso Oesers Unterrichtsart, die gänzlich frei von Pedanterie war und

Goethes Neigungen in jeder Weise entgegenkam. Goethe in *Dichtung und Wahrheit:* »Die Mängel, an denen jeder litt, sah er recht gut ein; er verschmähte jedoch, sie direct zu rügen, und deutete vielmehr Lob und Tadel indirect sehr lakonisch an, nun mußte man über die Sache denken und kam in der Einsicht schnell um vieles weiter. So hatte ich z. B. auf blaues Papier einen Blumenstrauß nach einer vorhandenen Vorschrift mit schwarzer und weißer Kreide sehr sorgfältig ausgeführt und theils mit Wischen, theils mit Schraffiren das kleine Bild hervorzuheben gesucht. Nachdem ich mich lange dergestalt bemüht, trat er einstens hinter mich und sagte: ›Mehr Papier!‹, worauf er sich sogleich entfernte.

Mein Nachbar und ich zerbrachen uns den Kopf, was das heißen könne, denn mein Bouquet hatte auf einem großen halben Bogen Raum genug um sich her. Nachdem wir lange nachgedacht, glaubten wir endlich seinen Sinn zu treffen, wenn wir bemerkten, daß ich durch das Ineinanderreiben des Schwarzen und Weißen den blauen Grund ganz zugedeckt, die Mitteltinten zerstört und wirklich eine unangenehme Zeichnung mit großem Fleiß hervorgebracht hatte.«

Oesers vergnügte, gebildete und zauberhaft plaudernde Tochter Friederike wurde Goethes Freundin und Vertraute. Ihre Anmut kann man heute noch erahnen und nachempfinden auf dem Medaillon des Goethedenkmals vor der alten Börse, auf dem Naschmarkt in Leipzig. Am südlichen Rande der Stadt, in Dölitz, wo die Familie Oeser ein bescheidenes Landhaus hatte, war der junge Goethe ein gern gesehener Gast.

Adam Friedrich Oesers Lehren waren nicht streng systematisch, sondern von »edler Einfalt und stiller Größe« geprägt. »Die Einfalt (womit ›Natürlichkeit‹ gemeint ist) in allem, was Kunst und Handwerk vereint hervorzubringen berufen sind«, das war sein Schlüsselsatz. Dieses Gedankengut, gewachsen an dem klassizistischen Geist Winckel-

manns, nahm Goethe in sich auf. Am 9. November 1768
schrieb er an Philipp Erasmus Reich, rückschauend auf die
Leipziger Zeit: »... er drang in unsere Seelen, und man
mußte keine haben, um ihn nicht zu nützen. Sein Unterricht
wird auf mein ganzes Leben Folgen haben. Er lehrte mich,
das Ideal der Schönheit sei Einfalt und Stille, und daraus
folgt, daß kein Jüngling Meister werden könne. Es ist ein
Glück, wenn man sich von dieser Wahrheit nicht erst durch
eine traurige Erfahrung zu überzeugen braucht. Empfehlen
Sie mich meinem lieben Oeser. Nach ihm und Shakespearen
ist Wieland noch der einzige, den ich für meinen echten
Lehrer erkennen kann, andere haben mir angezeigt, daß ich
fehlte, diese zeigten mir, wie ich's besser machen sollte.«
    Goethe blieb dem verehrten Lehrer treu. Er verabschie-
dete sich 1768 von der Familie Oeser, um wieder nach
Frankfurt am Main zu gehen. Aus der Ferne schreibt er am
24. November 1768: »Ich beneide alle Welt, die nach
Sachsen geht, und meine Briefe dazu.«

Obwohl Adam Friedrich Oeser fünfunddreißig Jahre lang
die Aufgabe zu erfüllen hatte, eine Kunstakademie zu leiten,
mit nur wenigen Hilfskräften, gelang ihm neben seiner
Lehrtätigkeit ein großes und vielseitiges Werk auf den verschiedenen Gebieten der Künste. In der Pleißenburg, im
Theater, im Gohliser Schlößchen und in den verschiedenen
Bürgerhäusern Leipzigs entstanden umfangreiche Ausstat-
tungen als Wand- und Deckengemälde. Kein wichtiger Bau
in der Stadt, den er nicht durch künstlerischen Rat oder
durch eigene Ausstattung verfeinern half. Er malte sehr
selten direkt auf die Wandfläche, bediente sich also nicht
der Fresko- oder Sekkomalerei, sondern machte von der in
Mode gekommenen bequemeren Technik der Plafondmale-
rei Gebrauch. Hierbei ist Bildträger die Leinwand, und
diese erst wird mit Wand oder Decke der auszugestaltenden
Räume verbunden. Eine Fülle allegorischer Werke entstanden auf Papier, auf Leinwand und in Stein. Oeser bevor-

zugte für letztere einheimischen Crottendorfer Marmor. Für seinen Freund Winckelmann entstand ein erstes Denkmal. Er, auf den die Freunde in Deutschland warteten, kam von seinem Italienaufenthalt nicht mehr zurück – er wurde in Triest ermordet. Auch für den 1769 verstorbenen Professor für ›Poesie, Beredsamkeit und Moral‹ in Leipzig, Christian Fürchtegott Gellert, schuf Oeser ein Denkmal mit drei Grazien, die noch Kinder sind. Bei Haubold Ludewig Wergens Denkmal wie auch bei dem zweiten Entwurf eines Winckelmann-Denkmals spielte Oeser schon mit dem Reiz der Verhüllung.

Es ist Adam Friedrich Oesers Verdienst, daß in der Verlags- und Buchstadt Leipzig schon damals die Verbindung zwischen Akademie und Buch hergestellt wurde. Eine gute Symbiose, die wir heute noch pflegen wollen. Es entstanden, von Oeser selbst und von seiner Schule, eine Vielzahl von Vignetten und Illustrationen für Ausgaben von Wieland, Gellert und Weiße. Auch für Winckelmanns Schriften und für die erste Gesamtausgabe von Goethes Werken schuf Oeser Kupferstiche, die später von den Lehrern J. F. Bause und Chr. G. Geyser ausgeführt wurden.

Auch aus Weimar kamen die Rufe nach Arbeit und Geselligkeit. Herzogin Anna Amalia schreibt ihm am 18. April 1784: »Mir ist als hätte ich einmahl geträumt, daß Sie, lieber Alter, mit vielen schönen Farben und mit mancherley herrlichen und feinen Ideen zu mir gekommen wären um alles dieses in mein Zimmer in Weimar anzudeuten.

Aus diesem närrischen Traume könnten Sie mir, lieber Oeser, am besten helfen, wenn Sie mir sagten, ob es Wahrheit oder Täuschung sey, denn wie Sie wohl wissen, lieber Oeser, daß man im Traume schöne Erscheinungen hat und oft beym Erwachen wünscht sie realisiren zu können, aber hier muß man sich in Acht nehmen, daß man nicht irre wird.

Wenn es nun würklich Ihre Meynung gewesen ist, könnten Sie wohl, lieber Oeser, zu Ende des Monats Juni kommen um den Sommer bey mir zuzubringen, aber nicht wieder wegzugehen wie ein Dieb in der Nacht, wie man schon der Exempel hat. Sie wissen, lieber Alter, bey allen Gelegenheiten sind Sie mir lieb. Kommen Sie, mit der aufrichtigsten Freundschaft werden Sie erwartet von Ihrer Freundin Amalie.« Wer konnte da dem Weg nach Weimar widerstehen?!

Nach dem Umbau der Leipziger Nikolai-Kirche 1785 durch Dauthe erhält der fast siebzigjährige Oeser den Auftrag, diese auszumalen. Seine Schüler, wie Hans Veit Schnorr von Carolsfeld, der spätere Rektor der Akademie, halfen ihm. Der Berliner Daniel Chodowiecki, der extra angereist kam, um die neugestaltete Kirche anzusehen, äußerte sich zu Oesers Bildern: »Einige sind gut, andere schlecht gezeichnet, die Luft, die Wolken wie auch die Fleischfarben haben beinahe einerlei Ton, und die Schatten sind alle grünbraun; und so ist der ganze Ton des Bildes für eine Lufterscheinung zu braun, dazu kommen noch viele schwarz- und braunhaariche Köpfe, die mit den dunkelbraun schattierten Gesichtern ziemlich mohrenkopfähnlich sind.« »... zu leicht und zu nebelhaft ausgeführt«, sagte Goethe dazu.

Adam Friedrich Oeser ging nie wieder in seine ungarische Heimat zurück. Von dort aber kam 1776 die Bitte, ein Altarbild für die neu erbaute evangelische Kirche in Preßburg zu malen. Diesen Wunsch erfüllte er noch im gleichen Jahr und schenkte das Bild *Christus mit den Jüngern zu Emmaus* der Gemeinde. Der Pfarrer, überglücklich, dankte in einem Brief und bot dem Künstler als Geschenk einige Flaschen ungarischen Tokaj-Wein an, die Oeser mit großer Freude annahm. Béla Hamvas, ebenfalls ein Preßburger, schreibt in seiner *Philosophie des Weins,* was dem lebensfrohen Oeser gewiß nicht fremd war: »Der Rausch ist ein grenzenlos höherer Zustand als die alltägliche Vernunft und der Beginn der eigentlichen Wachheit. Der Beginn von allem, was schön, groß, ernst, genußbringend und rein im Leben ist. Er ist die höhere Nüchternheit, die eigentliche Nüchternheit. Es ist der Enthusiasmus, wie die Alten sagten, aus dem die Kunst, die Musik, die Liebe, das wahre Denken entspringt.«

Philipp Erasmus Reich
»Erster Buchhändler der Nation«

Von Gerhard Kurtze

Wenn der Vorsteher des Deutschen Buchhandels über Philipp Erasmus Reich schreibt, dann befaßt er sich eigentlich mit dem ersten aus der langen Reihe seiner Vorgänger.

Auch wenn der Börsenverein erst 1825 gegründet wurde, so hat Reich ihn doch schon mit seiner 1765 gegründeten Buchhandlungsgesellschaft vorweggenommen.

Die Lebensleistung Philipp Erasmus Reichs liegt aber nicht nur darin, daß er dem Buchhandel und dem Verlagswesen zu einer neuen Qualität verholfen hat, sondern vor allem auch darin, daß er das Verhältnis der Verleger zu ihren Autoren auf eine neue Stufe stellte, daß er sich um die Verbesserung von Druck und Herstellung der Bücher maßgeblich bemühte und daß er im Kampf gegen die Piraterie der Nachdrucker erste Vorbereitungen für die Schaffung eines Urheber- und Verlagsrechtes schuf – und ganz nebenbei war er derjenige, der Leipzig endgültig zur Buchstadt und zu dem Weltzentrum des Buchhandels machte.

Als Philipp Erasmus Reich 1745 von Frankfurt nach Leipzig reiste, dürfte er die Postkutsche benutzt haben, weil er seine gesamte Habe dabei hatte.

Gereist war der junge Buchhändler, der seinen Beruf bei dem Frankfurter Verleger und Buchhändler Johann Benjamin Andreae erlernt hatte, schon früher, aber diesmal war es eigentlich ein Umzug. Reich war – wohl auf Vermittlung seines früheren Lehrherrn, der ein Verwandter der Familie Weidmann war – eine Tätigkeit in der Weidmannschen Buchhandlung in Leipzig angeboten worden, und dies sollte sich als der entscheidende Schritt in seinem Leben erweisen.

Geboren am 1. Dezember 1717 als siebtes Kind des Hof-Medicus und Stadt- und Land-Physikus Johann Jakob Reich in der Grafschaft Solms-Laubach in der Wetterau, scheinen sich schon früh Berührungen mit der Welt des Buches ergeben zu haben. Der Graf, in dessen Diensten der Vater Philipp Erasmus Reichs stand, galt als großer Bücherfreund und besaß eine berühmte Bibliothek von über 60.000 Bänden.

Man darf vermuten, daß ein möglicher Zugang zu diesen Schätzen und auch Kontakte zu den Frankfurter Buchhändlern, die den Grafen unter anderen belieferten, bestimmend für die Entscheidung war, mit 14 Jahren, Ostern 1732, eine Lehre als Buchhändler in Frankfurt zu beginnen.

So genaue Informationen und Kenntnisse über die Herkunft und die Familie Philipp Erasmus Reichs vorliegen, so unscharf und unvollständig sind die Kenntnisse über Philipp Erasmus' Leben, seine schulische und berufliche Ausbildung, die ersten fünfundzwanzig Jahre seines Lebens. Die Eindrücke und die Anleitungen, die er empfangen haben mag, müssen aber vielfältig gewesen sein und haben ganz offenbar die Grundlage für seine spätere Tätigkeit als Verleger und Buchhändler gelegt, wie auch für seine reformerischen Ideen und seine große Kontaktfreudigkeit, die sich im Umgang mit Dichtern, Philosophen und anderen Geistesgrößen seiner Zeit später zeigten und die von ihm sehr gepflegt wurden.

Man kann auch davon ausgehen, daß die buchhändlerische Ausbildung in Frankfurt nicht dem entsprach, was Gotthold Ephraim Lessing einmal böse in seiner Hamburgischen Dramaturgie über den Buchhandel geschrieben hat, nämlich »daß man fünf Jahre bei einem Manne Pakete zubinden gelernt, der auch nichts weiter kann, als Pakete zubinden«. Jedenfalls berichten die Quellen, daß Reich sich mit unermüdlichem Fleiß vielseitige Kenntnisse seines Faches erworben hat. Er selbst nennt in einer durch seinen

Neffen Ernst Ludwig Casimir Albrecht (1754-1845) überlieferten Lebensbeschreibung seine Lehrjahre in Frankfurt
»hart«. »... doch blieb ich bis 1744 in diesem Joch, da ich
die Reise nach Stockholm unternahm, um dort die Weide-
mannische Handlung in Ordnung zu bringen. 1745 kam ich
zurück und übernahm die Direction der hiesigen (Leipziger)
Handlung.«

Verglichen mit Frankfurt, Dresden, Hamburg oder Wien
war Leipzig mit knapp 30.000 Einwohnern auch in der
damaligen Zeit klein zu nennen und überhaupt nicht vergleichbar mit den Weltmetropolen Paris, London oder
Rom. Aber schon damals war deutlich, daß in Leipzig aus
der Situation, nie Standort eines Fürstentums oder königlichen Hofes gewesen zu sein, ein reiches selbstbewußtes
Bürgertum entstanden war, das ein umfangreiches kulturel-
les Leben entwickelt hatte, was Lessing veranlaßte, Leipzig
als den »Ort, wo man die ganze Welt im Kleinen sehen
kann« zu bezeichnen, und wo er »die ganze bürgerliche
Welt auf dem höchsten Punkt ihrer damaligen Entwicklung« sah.

Mit der bereits 1409 gegründeten zweitältesten Universität Deutschlands, einer der führenden Bildungseinrich-
tungen des 18. Jahrhunderts, mit vielfältigem Musik- und
Theaterleben und einer reichen Architektur, die sich in den
großen vier- und fünfstöckigen Bürgerhäusern mit kostbaren Barockfassaden ausdrückte, war Leipzig ein faszinie-
render Anziehungspunkt.

Dazu beigetragen haben auch die frühen großen Buch-
handelsdynastien, wie Weidmann, Gleditsch, Fritsch und
Grosse, die Leipzig zu einem Zentrum des Buchwesens
gemacht hatten.

Die Weidmannsche Buchhandlung – gegründet 1680 in
Frankfurt am Main und schon 1682 nach Leipzig verlegt –
hatte bei Eintritt Philipp Erasmus Reichs bereits eine erste
größere Blütezeit hinter sich und verfügte über zwei Filialen
in Stockholm und Warschau und genoß das Römisch-

Kaiserliche, das Königlich-Polnische sowie das Sächsisch-Kurfürstliche Privileg.

Nach dem Tode Moritz Georg Weidmanns 1743 hatte das Unternehmen aber einen Niedergang zu verzeichnen, den erst Reich, zunächst als Gehilfe und später Bevollmächtigter der Witwe Weidmanns und dann als Mitinhaber, beendete und in einen lang anhaltenden Aufschwung umwandelte, der das Unternehmen an die Spitze des deutschen Buch- und Verlagswesens brachte und ihn selbst zu dem – wie Christoph Martin Wieland schrieb – »ersten Buchhändler der Nation« machte.

Als Philipp Erasmus Reich seine Tätigkeit in Leipzig begann, war die Beurteilung des Buchhandels und dessen Ansehen bei Autoren und Lesern durchaus unterschiedlich. Das Nachdruckwesen, ohne die Erlaubnis des Autors und des Originalverlegers und selbstverständlich ohne die Zahlung von Honoraren, war in dem weitgehend rechtsfreien Raum eines der größten Probleme. Winkeldrucker und Auch-Buchhändler, aber durchaus auch angesehene und bekannte Firmen, druckten bedenkenlos alles nach, was Erfolg versprach. Diese unhaltbare Situation zu verbessern, galten bis zu seinem Tode die besonderen Anstrengungen Reichs. Damit verbunden war das Bemühen um eine Verbesserung der Buchqualität, denn häufig kamen die eilig hergestellten Nachdrucke nachlässig gemacht und voller Fehler auf den Markt.

Seine Anstrengungen und Bemühungen gingen in zwei Richtungen. Zum einen versuchte er, juristische Voraussetzungen für den Schutz der Rechte der Autoren und Verleger zu schaffen, eine Aufgabe, die angesichts der vielen Standorte der Drucker im deutschsprachigen Raum mit den vielen Kleinstaaten ungeheuer beschwerlich war. Noch aufreibender war es aber, vorhandenen Rechten Durchsetzung zu verschaffen. Reich scheute den oft jahrelangen Kampf nicht und verfolgte seine Fälle mit Nachdruck und Akribie bis hinauf zum Reichsgericht, wohl wissend, daß ein finanziel-

ler Erfolg, selbst wenn der Prozeß gewonnen wurde, oft
höchst zweifelhaft war. Wirksamer waren schon andere
Maßnahmen, etwa die, daß Nachdruckern und auch angesehenen Unternehmen, die unerlaubte Nachdrucke herstell-
ten, der Zugang zum Markt erschwert wurde, etwa indem
sie zur Leipziger Buchmesse, die sich immer mehr zur Dreh-
scheibe auch des Handels und der Verbreitung von Büchern
entwickelte, nicht mehr zugelassen wurden.

Zum anderen aber investierte Reich in Qualität und Ausstattung seiner Drucke und scheute sich auch nicht, in kurzer Zeit nach Erscheinen eines Titels, oft, wenn gerade die
ersten Nachdrucke vorbereitet und auf den Markt gewor-
fen wurden, eine verbesserte und erweiterte Neuauflage
herauszubringen. Da Reich außerdem dazu überging, seinen Autoren – und nicht nur den bereits bekannten und
angesehenen – höhere Honorare zu bezahlen, bedeutete dies
mit Kalkül vollzogene Vorgehen in mehrfacher Weise ein
hohes finanzielles Engagement des Verlegers. Damit, und
weil andere Verleger ihm folgten, um sich die Gunst der
Autoren und Bücherkäufer zu erhalten, hat Reich wesentlich zur Verbesserung der Buchqualität und zum Ansehen
der Verleger und Buchhändler beigetragen sowie finanzielle
Anreize für Autoren geschaffen, die sich bis dahin oft nur
mit einer lächerlich niedrigen Honorierung zufriedengeben
mußten.

Unter Reich vollzog sich auch der Umzug der führenden,
schon damals internationalen, Buchmesse von Frankfurt
nach Leipzig. Begonnen hatte diese Entwicklung schon
früher, aber es war Reich, der 1764 erklärte, daß er, und
viele andere Verlage folgten ihm, die Buchmesse in Frankfurt nicht mehr besuchen würde. Dies bedeutete nach fast
250 Jahren, daß sich der Schwerpunkt von Frankfurt nach
Leipzig verlegte, eine Entwicklung, die erst nach dem Zweiten Weltkrieg wieder umgekehrt wurde.

Der Abschied von Frankfurt vollzog sich fast zeitgleich
mit der am 3. April 1764 in Frankfurt stattfindenden

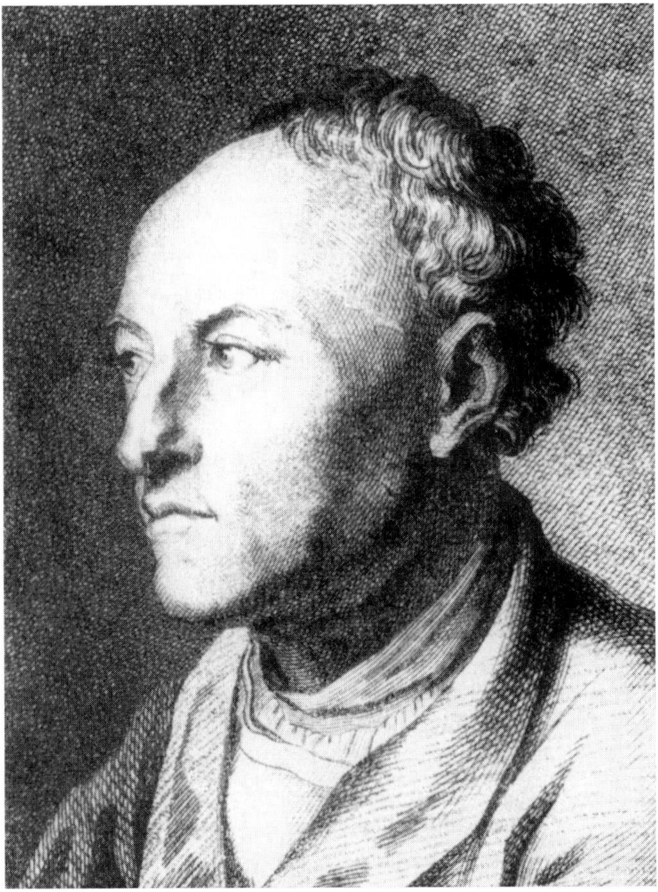

Philipp Erasmus Reich
(1717–1787)

Kaiserkrönung Joseph II. und hatte seine Ursache wohl nicht nur in den schlechter gewordenen Geschäften der Leipziger Verlage in Frankfurt, sondern war auch als deutlicher Hinweis auf die Zensur der in Frankfurt tätigen kaiserlichen Kommission zu verstehen.

Reich bewirkte nicht nur, daß Druck und Illustrationen der veröffentlichten Titel wesentlich verbessert wurden, sondern er strebte auch an, die Tätigkeit der Verleger und Buchhändler – und damit ihr Ansehen in der Öffentlichkeit – auf ein qualitativ höheres Niveau zu heben. Er beendete den bis dahin weitgehend üblichen Tauschhandel der Drucker und Verleger untereinander und führte den Barverkehr – den sogenannten Nettohandel – ein, und er zögerte nicht, die Preise wesentlich anzuheben, als sich in Folge des Siebenjährigen Krieges große Belastungen und wirtschaftliche Schwierigkeiten für das Buch- und Verlagswesen ergaben. Diese Maßnahmen brachten ihm die Gegnerschaft vieler Drucker und Buchhändler, vor allem aus Süddeutschland, ein, aber sein Ansehen war bereits so groß, daß ihm die angesehensten seiner Kollegen folgten, als er 1765 zur Ostermesse in Leipzig ein ›Erstes Grundgesetz der neuerrichteten Buchhandlungsgesellschaft in Deutschland‹ vorlegte. Firmen aus Braunschweig, Göttingen, Halle, Hamburg, Helmstedt, Königsberg, Rostock, Ulm und natürlich aus Leipzig unterzeichneten das Statut, das im wesentlichen den Schutz des Eigentums und die Festschreibung von Handelsbräuchen (und deren Einhaltung!) zum Ziel hatte.

So wurde unter anderem festgelegt, daß im Leipziger Messkatalog keine Titel mehr von unbekannten Buchhändlern und Druckern verzeichnet werden sollten – und natürlich auch keine unerlaubten Nachdrucke. Am 10. Mai fand im Restaurant Quandts Hof in der Nicolaistraße die erste Sitzung der Gesellschaft statt, auf der Reich zu deren ›Secretair‹ gewählt wurde. Schon im Mai 1764 hatte er sich zusammen mit anderen Leipziger Verlegern auch um einen wirksamen staatlichen Schutz für die Rechte der Autoren und Verleger bemüht, analog zu den Entwicklungen in Holland und England, die er auf seinen Reisen dorthin ›studiert‹ hatte. Wie Reich damit gedanklich die Grundlagen für ein erst viel später entstehendes Urheber- und Verlagsrecht legte, so wurde die von ihm gegründete Buchhandlungsgesellschaft eine Vorstufe zu dem dann 1825 ebenfalls in Leipzig gegründeten Börsenverein der Deutschen Buchhändler – des ersten richtigen Wirtschaftsverbandes im gesamten deutschsprachigen Raum.

Seine vielfältige Tätigkeit für das Buch- und Verlagswesen seiner Zeit insgesamt hat Reich nicht davon abgehalten, die Weidmannsche Buchhandlung in der Grimmaischen Straße/Ecke Neumarkt zu dem führenden deutschen Verlag der Aufklärung zu machen. Er verlegte nicht nur die Schriften seines Freundes Christian Fürchtegott Gellert in hohen Auflagen, sondern auch Wieland und Gottsched sowie Herder und Christian Felix Weiße, außerdem die Schriften vieler anderer bedeutender Köpfe seiner Zeit, und er nahm sich besonders auch junger und noch unbekannter Autoren an. Schriftlich und auf seinen vielen Reisen, bei denen er seine Autoren besuchte und enge persönliche Beziehungen zu ihnen pflegte, beriet er mit ihnen gemeinsam den Inhalt sowie die Gestaltung ihrer Bücher und vollzog so den Schritt vom Drucker zum eigentlichen Verleger.

Insgesamt erschienen unter seiner Ägide zwischen 1745 und 1787 über 700 Titel in mehr als 1.600 Bänden bei der Weidmannschen Buchhandlung. Daneben war Reich als Kommissionär auswärtiger Verleger am Leipziger Platz und als Buchhändler – in dieser Eigenschaft auch als bedeutendster Importeur englischer und italienischer Bücher – tätig. Wohl schon seine erste größere Geschäftsreise nach London, 1756, hat die Grundlage für eine anglophile Neigung gelegt, die sich dann in seiner verlegerischen Tätigkeit immer wieder zeigte, etwa durch die Herausgabe zahlreicher Übersetzungen englischer Bücher und den Import von Büchern englischer Verleger und Drucker für sein Leipziger

Sortiment; durchaus beachtenswert in einer Zeit, die vornehmlich auf Frankreich und auf die französische Sprache und Literatur ausgerichtet war. Seine Geschäftsbeziehungen als Käufer und Lieferant von Büchern reichten von Lissabon bis Moskau und von Stockholm bis Rom.

Schon früh begann Reich, seine Verlagswerke bei den besten Druckern in Deutschland herstellen zu lassen; er ließ sie typographisch sorgfältig gestalten und versah sie mit anspruchsvollen Kupferstichen und Vignetten. Besonders gern engagierte er dafür Künstler aus dem Leipziger Raum, allen voran Adam Friedrich Oeser und dessen Schüler. Aus Reichs Kontakten zu Künstlern und Illustratoren ging später eine umfangreiche Kunstsammlung hervor, die bekannte Porträtsammlung berühmter Persönlichkeiten, gemalt von Anton Graff. Überhaupt fand Reich neben seiner Arbeit und seiner vielfältigen Beschäftigung noch Zeit, sich an dem geselligen Leben des Leipziger Bürgertums aktiv zu beteiligen und selbst ein gastfreies Haus zu führen, in dem die vornehmsten Gelehrten, Schriftsteller und Politiker verkehrten. Auch Goethe, den er schon von dessen Studienzeit in Leipzig, seit 1765, kannte, war bei ihm im April 1776 zu Gast, und Reich blieb mit ihm, bis dieser 1786 seine italienische Reise antrat, in Verbindung. Christoph Martin Wieland erinnert sich nach einem Besuch in Leipzig (1770) an Reich als einen Mann, der ihm »unendlich viel Achtung und Freundschaft bewiesen hat« und »ein edelmüthiger Mann ist«. »Er hat etwas Brüskes in seinem Character und in seinen Manieren ...; aber der Grund seines Gemüths erscheint mir sehr gut.«

Erstaunlich, daß Reich sich erst 1775 – also 57jährig – entschließt, eine Ehe einzugehen, aber noch erstaunlicher, daß er mit Friedrike Louise Heyl offenbar zu diesem Zeitpunkt schon sehr lange in einer Art »wilden Ehe« zusammenlebte – ein für das 18. Jahrhundert in diesen Kreisen sehr ungewöhnlicher Vorgang.

Er verlobte sich mit der Berliner Weinhändlerstochter,

nachdem der Markthelfer Johann Samuel Nagel, der ihn 30 Jahre lang als Hausdiener versorgt hatte, gestorben war, und er heiratete sie am 19. September 1775 in Gera. Im November 1776 erwarb er sein »Schlößchen«, ein kleines Landgut, in Sellerhausen und führte dort, besonders während des Sommers, einen vielbesuchten Salon.

Als Philipp Erasmus Reich am 3. Dezember 1787 in Leipzig nach kurzer Krankheit stirbt, wird er drei Tage später auf dem Johannisfriedhof an der Seite Gellerts beigesetzt. Er hat als Verleger und Buchhändler, aber auch als Kaufmann und Bürger, entscheidend dazu beigetragen, daß Leipzig zur geheimen kulturellen Hauptstadt Deutschlands geworden war.

Johann Gottlob Immanuel Breitkopf
DIE BREITKOPFE

Von Erich Loest

So ist eine alte Familienchronik überschrieben: ›Die Breitkopfe‹. Das sind ein tüchtiger Vater, ein genialer Sohn
und recht unglückliche Enkel. Die Breitkopfe gehören zu
denen, die Leipzig für eine Zeitlang zur wichtigsten Stadt
des graphischen Gewerbes dieser Welt machten.

Nichts war weit in Leipzig. Auch heute geht man in zehn
Minuten vom Hauptbahnhof zum Neuen Rathaus, quer
durchs Zentrum, das etwa einen Quadratkilometer umfaßt.
Immer noch nennen wir Leipziger das vom Ring umschlos-
sene Areal ›die Stadt‹.

Der kleine Breitkopf brauchte von der Nikolaischule
nach Hause drei Minuten. 1990 war dieser schöngeglie-
derte Bau fast eine Ruine, seither wurde er aufwendig
gerettet. Im Sommer 1995, da ich dies schreibe, sitzen die
Leipziger und ihre Gäste unter Sonnenschirmen davor; die
Nikolaikirche, seit dem Herbst 1989 weltberühmt, wird
besichtigt und fotografiert. In ihr waren die Eltern des
Johann Gottlob Immanuel Breitkopf im Januar 1719 von
einem ›Montagsprediger‹ getraut worden. (Die Montage
haben in diesem Haus Tradition.) Im November desselben
Jahres kam der Stammhalter auf die Welt. Das nenne ich
Planung.

An St. Nikolai vorbei also und über die Grimmaische zur
Kupfergasse, dorthin etwa, wo heute die ›academixer‹ im
Keller ihre Späße treiben. Der Vater, aus dem Harz ein-
gewandert, hatte eine kleine, ziemlich schäbige Druckerei
erheiratet. Die baute er auf und aus, kaufte zu, riß ab. Statt-
lich erstand der ›Goldene Bär‹, und da die Welt ein Dorf,
zog in den ersten Stock der berühmte Dichter Gottsched.
Der eine schrieb, der andere druckte »so sauber, das diess

Büchlein den Anfang der Epoche von schön gedruckten deutschen Büchern abgab.«

Ein Haus voller Wagemut und Geist also. Zur Universität war es auch nur über die Straße, dort genoß unser Mann Philosophie, Geschichte und Literatur, dem Vater aber mußte er »dennoch in dessen Geschäften behülflich seyn«, mehr als ihm lieb war sicherlich, aber da wir wissen, wie es weiterging, können wir die innige Verbindung von Theorie und Praxis nur loben. Später schneite noch ein Studiosus ins Haus. Unsereiner, im Erdenken von Romanhandlungen lebenslang bemüht, würde diese Konstellation nicht im Traume wagen, doch das Leben schrieb so: Es war der neugierige, gewitzte und lebenslustige junge Herr Goethe.

Noch aber sind wir nicht so weit. Vater Breitkopf druckte dem Capellmeister Bach eine Passionsmusic und lieferte ihm Papier, Bachs Kantate *Blast Lermen* beispielsweise wurde mit einem Schmuckblatt versehen und dem Durchlauchtigsten und Großmächtigsten Augusti III nach Dresden geschickt, woselbst es heute noch zu besichtigen ist. So blühte das kunstreiche Gewerbe und lehrte den Helden unserer kleinen Erzählung. Der hatte mit Vaters Streben vorerst wenig im Sinn, der unumgängliche kaufmännische Part stieß ihn ab und bot ihm lebenslang keine Freude. Mit einundzwanzig hatte er sein Studium beendet – so fix ging das damals –, und begab sich auf eine Reise nach Berlin, Danzig, Königsberg, Stralsund, Hamburg und Braunschweig, sie dauerte ein Jahr. Derweil fiel der preußische Friedrich in Schlesien ein.

Zeitgenossen schildern J. G. I. Breitkopf als heiter, betriebsam, neugierig und ungemein debattefreudig, ob nun in Deutsch oder Latein. Er wechselte Briefe mit Lessing und Winckelmann. Die damals üblichen Schriften fand er dürftig, so forschte er nach, wie Dürer seine Typen gestaltet hatte, nahm die Mathematik zu Hilfe und experimentierte. In einer Biographie heißt es: »Dieser Funke setzte seinen lebhaften weitsehenden Geist sogleich in volles Feuer; er fieng nun an, die von ihm wenig geachtete typographische Kunst mit ganz anderen Augen anzusehn, und als ein ödes Feld zu betrachten, durch dessen Urbarmachung sich ein neues Verdienst mit Ruhm erwerben ließe.«

Er war sechsundzwanzig, als ihm sein Vater eine eigene Werkstatt übergab. Die Zahl der Gesellen nahm zu und zeitweise wieder ab, das Geschäft blühte oder dorrte, wenn es Erzfeind Friedrich mit Sachsen zu übel trieb. Ein Packen von Kontributionszetteln ist erhalten. Einquartierungen quälten auch Breitkopf. In einem Bittgesuch an den Rat der Stadt klagte er, die Buchdruckereien litten durch den Krieg am stärksten. Er habe keine Zeit gehabt, Gewinne in neuen Geräten, Lettern undsofort anzulegen; ohne die Hilfe seines Vaters sei er sowieso ruiniert.

Seit der Revolution der Buchdruckerkunst durch Gutenberg zu Mainz war es damit nicht nur aufwärts gegangen. Breitkopf und einige klügere Drucker in Frankreich, Italien und den Niederlanden registrierten tiefen Verfall und suchten nach neuen Wegen. 1754 gelang Breitkopf der Wurf, bewegliche Notenlettern herzustellen. Der Handel mit gedruckten Noten auf kostspieligem Kupferstich war kaum weiter entwickelt als der Buchhandel vor Gutenberg, jetzt stieß Breitkopf ein Fenster auf. Er selbst besaß musikalische Kenntnisse und phantasierte gern am Klavier, das kam ihm zugute. Sofort druckte er das Typenwerk einer Opernpartitur, eine dreibändige Prachtausgabe, verfaßt von einer unter Künstlernamen agierenden Kurprinzessin. Dann ging es Schlag auf Schlag, der Typenerfinder und Drucker wurde zum Verleger. Noch tobte der Siebenjährige Krieg, da legte Breitkopf ein Lager von deutschen, englischen, französischen und italienischen Musikalien an, handschriftlich oder gedruckt, er schuf und verbreitete Kataloge. Ohne Breitkopf wüßten wir weit weniger über die Werke des großen Bach; zur langen Liste gehört ein vollständiges Chorbuch.

Die Verfeinerung der Schrift ließ ihn sein Leben lang nicht los. Er verhandelte mit Zeichnern und Druckern weit

Johann Gottlob Immanuel Breitkopf
(1719–1794)

herum, und immer wieder bis zu seinem Tode widmete er sich der deutschen Schrift; die Fachwelt spricht heute noch von einer ›Breitkopffraktur‹. Er verteidigte sie gegen die Antiqua, die in den süd- und westeuropäischen Ländern vorherrschte, mit aller ihm eigenen Hartnäckigkeit. Die Fraktur verlor endgültig erst anderthalb Jahrhunderte später, merkwürdigerweise unter Hitler.

Es war im Olympiajahr 1936. Bis dahin waren wir deutschen Kinder sozusagen beidschriftig aufgewachsen, da erklärten uns die Lehrer, im Sinne einer Angleichung an europäischen Brauch falle künftig die ›deutsche‹ Schrift weg, und es gelte nur noch die ›lateinische‹. Mir war's sofort recht. Meine Schwester, ein Jahr älter, schreibt heute noch Fraktur, steil und zackig. Meine Kinder, die nach dem Zweiten Weltkrieg zur Schule gingen, stöhnten, wenn ihnen ein Buch mit ›alter‹ Schrift in die Hände fiel.

Die zweite große Leistung Breitkopfs war die Erfindung beweglicher und wiederverwendbarer Typen für den Landkartendruck. Die Schwierigkeiten liegen auf der Hand: Die Schriften müssen verschieden groß sein und sich beispielsweise einem Flußlauf anschmiegen. 1776 »erschienen drey Charten hintereinander mit beigefügter Erläuterung«. »Es wird kein anderer können«, notierte er, »als der die Gießerey zugleich in seinem Hause hat, um sich deren Hülfe bey allen Vorfällen alsbald zu bedienen.« Einen Schulatlas wollte er auf Subskriptionsbasis herausgeben, aber die Sache kam nicht voran. Also doch kein besonderer Kaufmann.

Seine dritte Tat: Alle Welt war bisher gescheitert, Chinesisch mit beweglichen Typen zu drucken. Der König von Frankreich und der Heilige Stuhl hatten Tonnen von Gold vergeblich investiert, unseren Leipziger kostete das Unterfangen nur ein paar Friedrichsdore. Bisher mußte Chinesisch in Holz geschnitten werden, »sodaß oft ein ganzes Haus nöthig ist, um all die Tafeln aufzubehalten, die nur zu einem Buche gehören.« Diesmal bewies Breitkopf Ge-

schäftssinn: Er schickte sofort ein Exemplar des Probe-
drucks nach Rom, der Papst ließ »in artigsten Ausdrücken
dafür danken und zu dieser Erfindung Glück wünschen.«
Die Akademie in Paris bat um einen Beleg, und ein Geschäft
mit Holland bahnte sich an.

Goethe kam 1767 ins gastliche Breitkopfsche Haus.
Mittwochs, 14. Oktober frühe, schrieb er in einem Brief:
»Sonntags gehe ich um 4 Uhr zu Breitkopfs und bleibe bis 8
daselbst. Die ganze Familie sieht mich gern das weiß ich und
deswegen komme ich auch, und dann wieder nach Hause,
und das so infinitum.« In *Dichtung und Wahrheit* heißt es:
»Einen Teil ihres ansehnlichen Vermögens glaubten sie
nicht besser anlegen zu können, als indem ein großes neues
Haus, ›Zum silbernen Bären‹, dem ersten gegenüber errichteten, welches höher und weitläufiger als das Stammhaus
selbst angelegt ward. Gerade zur Zeit des Baues ward ich
mit der Familie bekannt. Der älteste Sohn mochte einige
Jahre mehr haben als ich, ein wohlgestalteter junger Mann,
der Musik ergeben und geübt, sowohl den Flügel als die
Violine fertig zu behandeln. Der zweite, eine treue gute
Seele, gleichfalls musikalisch, belebte nicht weniger als der
älteste die Konzerte, die öfters veranstaltet wurden. Sie
waren mir beide, so wie auch Eltern und Schwestern,
gewogen. Ich ging ihnen beim Auf- und Ausbau, beim
Möblieren und Einziehen zur Hand.« Siehe da, Goethe der
Praktische, der Nachbarschaftshelfer. Eine Bibliothek von
zwanzigtausend Bänden hatte Breitkopf gesammelt, der
spätere Klassiker bediente sich. Einer der Söhne bewog ihn,
eine Anzahl seiner Gedichte und Liedtexte drucken zu
lassen – hätten sie das nicht getan, wäre allerhand davon
verloren gegangen. Goethe bat, seinen Namen nicht zu
nennen; so bescheiden blieb er nicht lange. Querverweis:
Oben im Haus neben Professor Gottsched wohnte der
Kupferstecher Stock, mit dessen Töchterchen Minna der
Student Goethe ›Neckereien betrieb‹. Sie wurde später die
Mutter von Theodor Körner.

Es tröstet den Sterblichen, wenn er hört, daß auch einem Genius nicht alles gelang. Breitkopf versuchte sich im Entwerfen und Drucken von Spielkarten. Er selbst spielte nie, es erschien ihm geisttötend und kostbare Zeit vernichtend. Vielleicht setzte er deshalb nicht alle Energie ein – jedenfalls versackte das Vorhaben, und Leipzig wurde nicht auch noch die große Spielkartenstadt. Altenburg, ein wenig südlicher gelegen, nutzte seine Chance.

Geläufig ist die Redewendung, wonach die erste Generation ein Unternehmen gründet, die zweite es zur Blüte und die dritte auf den Hund bringt. Des großen Breitkopfs Söhne waren talentiert, aber auch leichtfertig. Schulden häuften sich, einer war auf der Flucht vor seinen Gläubigern, bis er es endlich in St. Petersburg doch noch zur Reputation brachte. Auch der preußische Friedrich hatte seinen Anteil am Niedergang, sein erklärtes Ziel war es ja, Sachsen dauerhaft zu schädigen. Zuviel Kapital wurde herausgepreßt, die Firma Breitkopf blieb auf der Strecke. Das Gut Abtnaundorf und das Haus ›Zum Silbernen Bär‹ wurden versilbert. Schließlich kamen auch die Sammlungen unter den Hammer, darunter 463 wertvolle Werke zur Geschichte der Buchdruckerkunst, sie wurden in alle Winde verstreut.

1800 schien die Pleite nicht mehr abwendbar. Ein Bankhaus gab einen letzten Kredit, machte es aber zur Bedingung, daß ein gewisser Gottfried Christoph Härtel Teilhaber werden müsse. Er stammte aus dem Erzgebirge, war von solider humanistischer Bildung und starkem Geschäftssinn. Auch für ihn waren die Zeiten schwer, Napoleon kam und ging, die fürchterliche Schlacht bei Leipzig im Oktober 1813 brachte einen neuen tiefen Fall.

Nun folgten diese hundert glücklichen Jahre für die Stadt und die Musikalienfirma Breitkopf & Härtel, die schließlich größte der Welt. Die Zeiten hießen Vormärz und Norddeutscher Zollverein, Dampfmaschine, Reichsherrlichkeit und Sozialdemokratie, Eisenbahnbau, Gründerjahre und Krise, sie gaben der Stadt ihr Gepräge bis heute – wenn doch möglichst viel davon bewahrt werden könnte!

An der Nürnberger Straße entstand eine mächtige Druckerei, von hier aus gingen Noten in alle Welt. Dieses Jahr 1913 hat es mir seit langem angetan: Völkerschlacht-denkmal, Russische Kirche und Deutsche Bücherei prunk-ten wie die größte Luftschiffhalle der Welt im Norden der Stadt, der Hauptbahnhof bildete noch immer eine Sensa-tion. Schlote rauchten, morgens und abends wälzten sich Menschenmassen von und zur Arbeit, nur die wenigsten hatten Geld für ›die Bimmel‹. Mittendrin das Graphische Viertel mit Reclam, Insel, Brockhaus und eben Breitkopf & Härtel. Du herrliche Stadt, verweile doch …

Der erste Weltkrieg hatte Krisen zur Folge: Inflation und Arbeitslosigkeit. Die Hitlerei nutzte der Rüstungs-industrie, nicht dem Druckgewerbe. Die Flucht der Juden ließ ›den Brühl‹, das Pelzhandelszentrum, ausbluten. Der bitterste Schlag fiel auf Leipzig im Dezember 1943, er traf den Süden, den Augustusplatz und östlich davon die graphi-schen Betriebe. Das Hauptgebäude von Breitkopf & Härtel brannte aus. Irgendwann nach dem Krieg wurden die Trüm-mer weggeräumt. Gelegentlich, sonntags morgens, war ich dabei.

Zwei Töchter des Gottfried Christoph Härtel heirateten, unter den Namen Volkmann, von Hase und Sievers wurde das Familienunternehmen weitergeführt. Die Amerikaner besetzten am Ende des Zweiten Weltkrieges Leipzig. Nach wenigen Wochen zogen sie ab. Mit ihnen verließen die Besitzer von Breitkopf & Härtel die Stadt, ihnen war klar, daß in der gewohnten Weise nicht würde weitergearbeitet werden können. Das Beste aus dem Archiv, Original-manuskripte aus drei Jahrhunderten, nahmen sie mit; der Erlös sollte helfen, ein neues Unternehmen aufzubauen. Versteigerung und Zerstreuung wurden verhindert: Der Staat Hessen erwarb das Archiv für die Landesbibliothek in Darmstadt.

In den Jahren der deutschen Teilung arbeiteten zwei Ver-lage unter dem Traditionsnamen, das der Familie gehörende Haus in Wiesbaden und der volkseigene Betrieb in Leipzig. Die Vereinigung brachte auch hier die Fusion – aber das ist schon wieder ein anderer Bericht. Die jetzige Besitzerin aus der Härtellinie ist, wie Goethe von den Breitkopfenkeln berichtete, »der klassischen Musik ergeben und geübt, die Violine fertig zu behandeln«.

Die Breitkopfe und ihre Nachfahren wurden auf dem Alten Johannisfriedhof beigesetzt – wer heute dort sucht, findet keine Spuren. Breitkopf hatte am 4. August 1769 die Grabstellen 169 und 170 in der Ersten Abteilung erworben, dort ist heute viel Gras und wenig Stein. 1850 schon wurden die Breitkopfschen Grabstellen eingeebnet. Die nachhaltigsten Zerstörungen des Friedhofs aber sind nach dem letzten Krieg zu beklagen. Bis 1980 kümmerte sich niemand, Kinder spielten den Friedhof kaputt. Wie sollte sich auch ein Stadtregiment, das die Universitätskirche sprengen ließ, um Gräber sorgen. Als der Neue Johannisfriedhof geräumt wurde, sonderten Denkmalpfleger an die 120 Grabmale aus, sie wurden hier in die Ecken gekippt. 23 Jahre lang lagerten sie in brennesselüberwucherten Haufen, dann waren noch 58 halbwegs zu retten. Nun stehen sie endlich restauriert.

Was in der Stadt erinnert noch an Johann Gottlieb Immanuel Breitkopf? Die alte Druckerei in der Brauhofstraße, hinter der Nürnberger Straße, konnte restauriert werden, sie trägt an zwei Außenwänden einen roten Bärenkopf, das Firmensignet von Breitkopf & Härtel, das an das alte Breitkopfsche Druckerzeichen erinnert, den Bären, der einen Pallasschild hält. In diesem Haus arbeitet die Zweigstelle des Wiesbadener Verlages. Pompös ist das nicht. Vermutlich hat Leipzig zu viele große Söhne.

Samuel Heinicke
»Die Tonsprache ist der Grund meiner Lehrart«

Von Gabriele Fechner

Es war ein stattlicher Zug, eine kleine Caravane von meh-reren Wagen, die am 6. April 1778 zu Hamburgs süd-lichem Thore hinauszog; Heinicke mit seiner jungen Frau, seinen vier Kindern und deren Hofmeister und neun Zög-lingen. Da nur kleine Tagereisen gemacht werden konnten, so kamen sie erst am 13. April in Leipzig an und stiegen hier im Gasthof zum Helm am Roßplatz, dem jetzigen Hotel de Prusse, ab.« Von Heinrich Ernst Stötzner, einem der Bio-graphen Samuel Heinickes, ist außer dieser Umzugs-Schil-derung auch überliefert, daß der Pädagoge gleich am Tag darauf, am 14. April, sein Taubstummen-Institut eröffnete.

Samuel Heinicke, 20 Jahre vor diesen denkwürdigen Apriltagen des Jahres 1778 preußischen Soldaten-Werbern nur durch die Flucht nach Norddeutschland entkommen, war wieder in seine sächsische Heimat zurückgekehrt – nun aber als ein angesehener, hochgeehrter Mann. Sein Ruf als erfolgreicher Lehrer Taubstummer, die er in Eppendorf bei Hamburg nach einer eigenen Methode unterrichtete, hatte sich weithin herumgesprochen.

Daß Heinicke nach Leipzig übersiedelte, ist einem säch-sischen Offizier zu danken, der an der Arbeit des Pädago-gen überaus interessiert war und ihn im Sommer 1777 in Eppendorf besucht hatte. Bei dieser Gelegenheit legte er, ein Hauptmann von Schröder, dem geborenen ›Chursachsen‹ nahe, seine verdienstvolle Arbeit in der Heimat weiterzu-führen. Den reizte das Angebot sehr. Als sich dann heraus-stellte, daß es dem Hauptmann aus Dresden mit seinem Vorschlag ernst war, ging er freudig darauf ein. Der sächsi-sche Hof hatte Heinicke wissen lassen, daß Kurfürst Friedrich August III. »den ihm deßfalls gethanen Vorschlag beifällig aufgenommen habe, und daß Heinicke seinen Willen und die Bedingungen, unter welchen er sein Institut nach Sachsen verlegen würde, schriftlich einsenden möge«.

Am 8. Juli 1777 richtete Heinicke ein entsprechendes Bittschreiben nach Dresden, und schon wenig mehr als zwei Monate später traf das im Auftrag des Kurfürsten ergangene Berufungsdekret in Eppendorf ein. Friedrich August III. gestattete ihm die Institutsgründung und bewilligte dazu eine jährliche Pension von 400 Talern. Zwei Bedingungen enthielt das Dokument, daß nämlich Heinicke »arme Taubstumme unter Unseren Unterthanen unentgeltlich zu unterrichten, die Einrichtung … seines Instituto … auf eigene Kosten, ohne weiteren Zuschuß, zu bewerkstelligen, und solches also zu unterhalten auch seine Methode durch seine Söhne oder in deren Entstehung, durch andere geschickte Subjecta fortzupflanzen habe«.

Daß Heinicke sein Institut ausgerechnet in Leipzig einrichtete und der Kurfürst dies genehmigte, hatte gute Gründe. Zum einen sah Heinicke in Leipzig »den Mittelpunkt von Sachsen, ja nicht allein von Sachsen, sondern von ganz Deutschland und Europa«. Und zudem führten die berühmte Universität und die nicht minder berühmten Messen Tausende Menschen aus vielen Ländern zusammen, so daß sich das Wirken eines »heilsamen Instituts«, wie es ihm vorschwebte, im Inland wie im Ausland rasch herumsprechen mußte. Außerdem, wußte Heinicke, gab es in der Stadt zahlreiche Verlage, und er hatte vor, über seine Hamburger Publikationen hinaus noch etliche Schriften über seine Methode zu verfassen und herauszugeben. Unter diesen Voraussetzungen, voller Energie und Hoffnung, am neuen Ort Großes vollbringen zu können, eröffnete er also am 14. April 1778 sein ›Churfürstlich-sächsisches Institut für Stumme und andere mit Sprachgebrechen behaftete Personen‹. Der Öffentlichkeit gab er bekannt, daß Taubstumme schon mit sechs Jahren aufgenommen werden können;

seien sie aber älter als 40 und wollten noch unterrichtet werden, müßten sie mit besonderen Fähigkeiten begabt sein. Den Inhalt seines Unterrichts bestimmte er so: »Die Lehrlinge lernen deutlich und mit Verstand laut sprechen und lesen. Sie werden in der Religion unterrichtet und zu allerley Künsten und Wissenschaften angehalten. Alles, was ein jeder andrer Mensch zuerst zu erlernen im Stande ist, das können sie auch lernen, ausgenommen ... Musik. Mit einem Wort, sie werden zu brauchbaren Mitgliedern der menschlichen Gesellschaft gemacht, und können sich alsdann in ihrem zukünftigen Lebenswandel selbst überlassen werden.«

Zwölf Jahre sollten Heinicke für seine hochfliegenden Erwartungen und Pläne bleiben. Am Ende hatten sich ihm die wenigsten erfüllt. Doch immerhin konnte er in Leipzig ein Lebenswerk ausbauen, das der Stadt als ein Zentrum von Wissenschaft, von Handel und Wandel, von Musik und Verlagen ein weiteres Prädikat hinzufügte – als Gründungsort der ersten deutschen Taubstummenschule ein Zentrum der deutschen Taubstummenpädagogik zu sein. Die heutige Schule für Gehörlose und Schwerhörige, die seinen Namen trägt, kann sich auf diese außerordentliche Tradition berufen.

Die Methode, die Samuel Heinicke 1775 in Eppendorf gefunden hatte und nach der er forthin lehrte, ist die sogenannte Lautsprachmethode. Sie geht davon aus, daß die Taubstummen – genauso wie die Hörenden – zuerst Töne, also Laute lernen und erst danach davon ausgehend die Schrift. Anfangs war Heinicke umgekehrt vorgegangen, doch der eigene Unterricht brachte ihm die Erkenntnis, Schrift als Ausgangspunkt der Sprachbildung führe nicht zu sicheren Begriffen, verspreche keine bleibenden Erfolge. In allen Publikationen, die während der Leipziger Jahre entstanden sind, bekräftigt er die Lautsprache als Grundlage und zugleich Ziel aller seiner Bemühungen. »Die Tonsprache«, schreibt er, »ist der Grund meiner Lehrart für Taub-

Samuel Heinicke
(1727–1790)

gebohrene: in ihr ist Leben, die Schriftsprache aber ist nicht einmal als der Schatten von der Tonsprache anzusehen, und es ist unter ihnen beiden nicht die geringste Gleichförmigkeit.«

Samuel Heinicke war unwandelbar überzeugt von der elementaren, tragenden Bedeutung artikulierter Wörter und Sätze für die Sprache und das Denken der Gehörlosen, für die Ausbildung ihrer intellektuellen Fähigkeiten.

Die von Heinicke gefundene Methode der Taubstummenpädagogik, eine, wie sich herausstellen sollte, Verfahrensweise von weit in die Zukunft reichender Bedeutung, begründete seinen Ruf und Ruhm als Taubstummenlehrer. Zuerst niedergelegt hat er sie in einem kurzen Artikel *Von dem Unterricht taub- und stummgebohrener Personen* (1775). Weitergeführt ist sie in den *Beobachtungen über Stumme, und über die menschliche Sprache, in Briefen von Samuel Heinicke,* einem Buch, das noch kurz vor seinem Wechsel nach Leipzig in Hamburg gedruckt worden war (1778). Eine besondere Rolle spielt das vermutlich schon 1772 (hand-)geschriebene *Arcanum zur Gründung der Vocale bei Taubstummen,* das zwar alle wesentlichen Erkenntnisse Heinickes bereits enthält, das er aber zeitlebens geheimhielt, weil er es als Patent günstig verkaufen wollte. Gelungen ist es ihm nicht.

Folgt man Heinicke, so kannte er auch die Lehrarten aller anderen namhaften europäischen Taubstummenpädagogen seiner Zeit sehr genau. Gelten ließ er sie nicht. Was Wallis, Amman, Abt Stork, Raphael, Pereire, Deschamps und namentlich der französische Abbe de l'Epee, einige der bekanntesten, ihren Schülern »von der Begriffsentwicklung« vorgaben, hielt er für schädlich, für »Blendwerk«. Voller Selbstvertrauen in die Richtigkeit seines Standpunkts und seiner Arbeit, setzte er sich beharrlich und bis zur Intoleranz streitbar mit ihnen auseinander. Der Kernsatz seiner Methode, kein Taubstummer könne »in und mit abwesender Schriftsprache« denken, galt ihm nicht nur als diskutable Meinung, sondern als physische Gewißheit, als bewiesen; er müsse jedem einleuchten, meinte er, der nur tiefer darüber nachdenke. Auch für Hörende träfe er zu, auch sie haben »das Bewusstseyn der Artikulation der Tonsprache«. Oder anders: Auch Hörende haben ihre Sprachbewegungsempfindungen, haben im Gegensatz zu den Gehörlosen vor allem ihre Klangbilder.

Argumentiert Heinicke streng wissenschaftlich, kann man sich der Schärfe und Logik seines Denkens nur schwer entziehen. Ein »Entstummter«, also ein im Sprechen Unterwiesener, so führt er für sich ins Feld, braucht im Gegensatz zu einem von vornherein Taubstummen nur den zehnten Teil der Zeit, um schreiben zu lernen, weil er die Schriftzeichen mitsprechen, darin denken und sie immer wieder denkend ohne Mühe wiederholen kann. Eine Beobachtung, die unzweifelhaft richtig ist und ebenfalls für Heinickes Methode spricht – für die Priorität der Laut- gegenüber der Schriftsprache.

Heinickes Methode hat sich durchgesetzt, heutzutage hat sich die übergroße Mehrheit aller deutschen Hörgeschädigtenpädagogen und -schulen seine Erkenntnisse zu eigen gemacht. Freilich gibt es auch strikte Anhänger von Lehrmethoden, die auf der Priorität von Schrift und Gebärde beharren. Und aus dem 18. Jahrhundert bis in die Gegenwart erhalten hat sich auch der Streit über Umfang und Art einer Kombination von Lautsprache und Gebärdensprache.

Für Heinicke, scheint es, waren Gebärden oder, wie er sagte, »pantomimische Zeichen«, selbstverständliche Hilfsmittel, über die man nicht weiter reden mußte. Wer beispielsweise in der Lautsprache nicht oder noch nicht unterrichtet worden ist, oder auch, wer das dabei Gelernte nicht verwendet, dem bleibt, um sich auszudrücken und verständlich zu machen, gar nichts anderes übrig als Zeichensprache. Er habe beim Unterrichten durchaus »allerley pantomimische und andere Zeichen« nötig, ließ Heinicke denn auch wissen. Kamen etwa neue Taubstumme zu ihm, hätte er sich ja auch anders mit ihnen nicht verständigen können. Insofern ging der Vorwurf des Wiener Taubstummenlehrers Stork, der ein geistiger Anhänger de l'Epees war, Heinicke habe nach eigenem Eingeständnis »die Zeichensprache nöthig«, am eigentlichen Problem vorbei. Stork wollte mit seinem Hinweis die Lautsprachmethode seines Leipziger Kollegen in Zweifel ziehen, doch die ließ sich damit nicht erschüttern: Der Wiener Abt konstatierte nur, was ohnehin unstrittig war.

Samuel Heinicke blieb seinem einmal als richtig erkannten Grundsatz treu; klares Denken ist immer nur in der Lautsprache möglich, die Lautsprache ist gleichsam die Seele der Schriftsprache. Das heißt: Heinicke knüpfte das mittels einfachster Gebärden Bezeichnete an die Erklärung des mündlichen Ausdrucks, übte ihn so lange, bis er sicher beherrscht wurde und hielt dann seine Schüler dazu an, das mündlich Ausgedrückte auch schriftlich darzustellen. Auf diese Weise wurde den Schülern die Lautsprache mehr und mehr zum unmittelbaren Ausdruck des Gedankens.

Heinicke war also schon in Eppendorf dahin gelangt, die Lautsprache zum vorherrschenden Unterrichtsmittel zu machen und wie in normalen Schulen mündlich zu unterrichten. Die Pantomime, die Zeichensprache, war ihm lediglich Beiwerk, das sich bei speziellen Gegebenheiten zwar als unumgänglich erwies, das jedoch bei fortschreitender Sprachbildung immer mehr zurücktreten und dem lebendigen Wort weichen mußte.

In seinen Leipziger Jahren hatte sich Heinicke vorgenommen, ein Methodenwerk herauszugeben, in dem er seine Lehrart umfassend und systematisch darstellen und weltweit bekannt machen wollte – ein ungemein aufwendiges und zudem sehr kostspieliges Unterfangen. Zwar konnte er mehrere Kapitel zu Papier bringen, einige sind in Bruchteilen erhalten und werden im Archiv der Leipziger Samuel-Heinicke-Schule aufbewahrt, darunter auch die *Biblische Geschichte Alten Testaments zum Unterricht taubstummer Personen,* die als das erste Schulbuch für Taubstumme gilt, und die *Biblische Geschichte Neuen Testaments.* Doch finanzieren ließ sich das Methodenwerk letztlich nicht, es blieb bei der Absicht.

Heinickes Energie und Schaffenskraft sind bewundernswert. Viele Jahre lang war er nicht nur der Direktor seines Leipziger Institutes, sondern auch der einzige Lehrer, der vormittags wie nachmittags unterrichtete. In der Zeit, die ihm bei dieser Belastung noch blieb, arbeitete er an Publikationen. Nahezu jedes Jahr kam eine kleinere oder größere Schrift heraus. Und er schrieb nicht nur über Taubstumme, über ihre Denkart und Ausbildung, sondern auch über allgemein-pädagogische und philosophische Probleme.

Lange Zeit waren Heinickes Verdienste um die allgemeine Pädagogik übersehen worden. Erst Jahrzehnte nach seinem Tod erkannten deutsche Pädagogen, daß er im Grunde in einem Atemzug mit den Vorkämpfern einer gediegenen Volksbildung, mit Johann Heinrich Pestalozzi und Adolf Diesterweg, genannt zu werden verdient. Zunächst hatte Heinicke den Tiefstand der Volksschule seiner Zeit gegeißelt, den die meisten als selbstverständlich hinnahmen. In seinen *Schulmeisterbriefen* und *Schulmeistergesprächen* (1785) schilderte er denkbar sarkastisch das erschreckende schulische Elend, den Bildungsmangel der Lehrer und die Verkommenheit der Schulpatrone.

Am energischsten trat Heinicke gegen alle auf, die dafür hielten, das Volk könne nicht dumm genug bleiben. Er nannte sie »Volkstäuscher«, wobei ihn am meisten erbitterte, daß so viele von ihnen aus dem geistlichen Stande kamen, von denen er meinte, gerade sie könnten und müßten am nachhaltigsten für die Volksbildung sorgen. Gegen sie entlud sich sein ganzer Zorn und auch all seine Grobheit.

Bei dieser harschen Kritik ließ es Heinicke allerdings nicht bewenden. Er trug vielmehr auch ganz praktisch dazu bei, der rückständigen Volksschule auf die Beine zu helfen.

So schrieb er ein *Neues A, B, c, Sylben- und Lesebuch, nebst einer Anweisung, das Lesen in kurzer Zeit, auf die leichteste Art und ohne Buchstabieren zu lernen* (Leipzig, 1780), eine Fibel, mit der er sich um die Lautiermethode in der Volksschule verdient machte. Dieser Schrift folgten weitere, darunter *Über alte und neue Lehrarten unter den Menschen* (Leipzig, 1783). Heinicke setzte seine Überzeugung in die Tat um, derzufolge zur Erziehung der Jugend außer »brauchbaren« Lehrern in erster Linie »Bücher und zweckmäßige Lehrarten« erforderlich seien.

Zudem wandte sich Heinicke der Literaturkritik seiner Zeit zu, von der er – vor allem eingedenk schlechter eigener Erfahrungen – der Meinung war, sie müsse grundlegend reformiert werden. Und er war, dies vor allem, ein Anhänger der Kantschen Philosophie, die er versuchte, populär darzustellen und auch für seine pädagogische Arbeit nutzbar zu machen. *Vom Unterschiede der Verstandes- und Vernunftbegriffe* (1787), *Über das moralische Princip* (1788), *Über instruktive und speculative Begriff-Entwicklungen* (1788) – das sind die Titel einiger seiner bekanntesten, von Kant beeinflußten philosophischen Aufsätze.

Bei alledem ist nicht zu vergessen, daß Heinicke Autodidakt war, nie eine systematische Schulbildung genossen hatte. Der am 10. April 1727 in Nautschütz bei Weißenfels Geborene sollte das Gut der Familie übernehmen; deshalb verhinderte sein Vater jede über die Dorfschule hinausgehende geistige Bildung, die der Junge als Bauer nicht gebraucht hätte. Selbst den Unterricht in Violine und Orgel, den der Großvater mütterlicherseits dem aufgeweckten Jungen erteilte, verfolgte der Vater mit Argwohn. Erst nachdem Heinicke, knapp 24, Elternhaus und Heimat verlassen hatte und beim Militär in Dresden gelandet war, konnte er sein Schulwissen vervollkommnen und sich – ungemein beharrlich, jede dienstfreie Minute nutzend – eine darüber hinausgehende allgemeine und sprachliche Bildung erwerben, die er bis ans Ende seiner Tage unablässig erweiterte und vertiefte. Bald begann er sogar, sein Wissen im Privatunterricht weiterzugeben. Schon damals, 1754/55, lange vor seiner Eppendorfer Zeit, soll er erstmals auch einen taubstummen Jungen unterrichtet haben.

In den letzten Leipziger Jahren verschlechterte sich Heinickes Gesundheitszustand. Mißerfolge hatten ihn, den die Gicht plagte, auch körperlich geschwächt, unzählige Streitigkeiten und literarische Fehden verbittert. Sein Institut hat er nicht vergrößern können. Heinicke war müde geworden. Zunehmend auch belastete den über 60jährigen, daß seine drei Kinder aus zweiter Ehe erst zehn, sieben und zwei Jahre alt waren und er für seine Familie keine Ersparnisse hatte, ihr keine Sicherheit bieten konnte. Am 30. April 1790 erlitt er einen Schlaganfall, noch am gleichen Tag starb er.

Samuel Heinicke war ein kantiger Mann, er nahm kein Blatt vor den Mund, polemisierte harsch und grob gegen seine tatsächlichen oder vermeintlichen Widersacher. Dabei war er aber nicht nur streitbar, sondern nachgerade streitsüchtig, er ging keinen Händeln aus dem Weg, war oft genug intolerant und maßlos in seinen Urteilen. Doch der selbstbewußte, unbeirrbare Mann hat Bleibendes geleistet. Was der eingangs schon genannte Heinrich Ernst Stötzner 100 Jahre nach Heinickes Tod schrieb, gilt auch noch nach 200 Jahren: Das deutsche Taubstummenbildungswesen wurzelt in Samuel Heinicke. Er gab den Stummen das gesprochene, lebendige Wort und legte damit den Grundstein, um den tiefen Graben überbrücken zu können, der die Taubstummen von den Hörenden trennt.

Von diesem humanistischen Anliegen waren sein Leben und Werk durchdrungen. Am treffendsten hat er es selber ausgedrückt: »Die ganze vernünftige Welt, glaub' ich, wird mit mir dafür halten, dass die Verbesserung des Zustandes der Taubstummen keine geringe Beschäftigung; sondern ein die ganze Menschheit höchst interessierender wichtiger Gegenstand und ein sehr verdienstvolles Werk sey.«

Carl Friedrich Ernst Weiße
Skizzen aus dem Leben eines Firmengründers

Von Hanns-Jürgen Weigel

Carl Friedrich Ernst Weiße zählt nicht zu den bekannten Gestalten deutscher Geschichte, auch nicht zu denen der deutschen Wirtschaftsgeschichte, und selbst in der Stadtgeschichte Leipzigs findet er nur am Rande Erwähnung.

Gleichwohl ist es nützlich, sich mit Weiße, der am 4. Januar 1781 in Berlin als Sohn des Kammermusikers Carl-Wilhelm Weiße und dessen Ehefrau Christiane Wilhelmine geboren wurde, zu beschäftigen.

Carl Friedrich Ernst Weiße ist der Gründer der Alten Leipziger Versicherung AG, die am 1. Juni 1819 unter dem Namen Leipziger Feuer-Versicherungsanstalt ihre Geschäfte in Leipzig aufnahm und heute zu den bedeutenden deutschen Schadensversicherern zählt; und er war eine wichtige Persönlichkeit in der Musikstadt Leipzig. Was mag einen Mann, der nicht in Leipzig geboren wurde, dazu bewegt haben, 1819 dort eine Aktiengesellschaft ins Leben zu rufen, deren Geschäftsgegenstand es war, Sachen, zum Beispiel Häuser, Fabriken, Hausrat und Maschinen, gegen Risiken zu versichern?

Es gibt nicht sehr viele Informationen über Carl Friedrich Ernst Weiße, so daß es dem zurückschauenden Betrachter erlaubt sei, anhand von historischen Parallelen die Persönlichkeit Weißes zu erschließen.

Vom 16. bis 19. Oktober 1813 tobte in und bei Leipzig die Völkerschlacht. 160.000 Franzosen standen 255.000 Verbündeten gegenüber. Leipzig hatte in diesen Jahren viel zu erdulden und zu erleiden. Das Ausmaß der Zerstörung war nur schwer zu begreifen. So heißt es in einer Chronik der Schlacht von Ludwig Hußel: »Die Toten bedeckten alle

Straßen und namentlich in der Vorstadt … . Der Raum, den Leipzig mit allen Vorstädten einnimmt, wird nicht viel weniger als zwei Stunden im Umfang haben. Hier war selten ein Platz, wenn er nicht mit Häusern besetzt war, wo man nicht gefochten hatte.

Überall stieß man hier auf Tote … . Am gräßlichsten sah es in dem schönen Richterschen Garten, sonst eine Zierde der Stadt, da aus, wo er an die Elster stößt. Dort mußten auch Kavallerie im Handgemenge gewesen sein, wenigstens sah ich eine große Menge französischer Kürasse liegen … . Am ganzen Ufer hinauf sah man Köpfe, Arme und Füße aus dem Wasser hervorragen. … Die Reste von Feuerbränden, das überall zertretene Stroh, Knochen und Fleisch von geschlachteten Tieren, zerbrochene Geschirre, tausenderlei Lederwerk, zerissene Tornister, alte Lumpen, weggeworfene Kleidungsstücke, alle Arten von Pferdegeschirren, zerschlagene Gewehre, aufgebrochene Wagen und Karren, Waffen aller Art und tausend sterbende und tote, scheußlich zerstümmelte Körper von Menschen und Pferden - das alles wild durcheinander … . Unter den Gebäuden hatten vorzüglich die viel gelitten, welche an den äußeren Toren der Stadt befindlich waren. Diese waren größtenteils so durchlöchert, daß sie eher einem großen durchsichtigen Käfig, als massiven Mauern ähnlich sahen.«

Die Leipziger Zeitung berichtet am 21. Oktober 1813 über den 19. Oktober: »Das siegreiche Heer zog ein, die erhabnen verbündeten Monarchen waren an der Spitze desselben, und alle Herzen, die vor kurzem noch bangten, ergossen sich in einstimmigen Jubelruf der seligsten Freude für Errettung aus großer Gefahr, für Befreiung aus einem Übermaß von Schmach und Leiden, die vorzüglich auf unserer Stadt lasteten.«

Und alles scheint schon einmal in der Geschichte dagewesen zu sein, denn unmittelbar nach diesen Ereignissen war die Stadt Leipzig unter russische Kommandantur gestellt. Zahlreiche Anordnungen des russischen Stadtkommandanten Obrist Victor Anton Franz von Prendel sind uns überliefert; unter anderem versprach er bereits am 28. Oktober 1813: »... daß ich stets bereit bin, um jede Bedrückung zu vermindern, und vielleicht mir schmeicheln darf, in kurzem eine gute Ordnung hergestellt zu wissen, welche der Umstände wegen bis jetzt unmöglich war.«

Etwa 130 Jahre später wurden durch die Bombardierungen Leipzigs viele bekannte Bauwerke zerstört, darunter das Gewandhaus, zahlreiche Barockbauten in der Innenstadt und fast alle Druckereien und Verlage des ›Graphischen Viertels‹, das zuvor das größte Druckzentrum Europas gewesen war. Mehr als 220.000 Menschen fielen den Angriffen zum Opfer. Fast 40.000 Wohnungen, drei Viertel der Messehallen, etwa die Hälfte aller öffentlichen Gebäude sowie nahezu alle Schulen wurden vollständig zerstört.

Und wieder war es nach einer schier für undenkbar gehaltenen Zerstörung eine Schar beherzter Männer mit Weitblick und Mut, die 1946 schöpferisch dachten und handelten, das von Weiße gleichfalls nach furchtbarer Verwüstung begonnene Werk retteten und die Grundlagen für eine Zukunftsperspektive schufen: Dr. Ernst Schoen von Wildenegg, Albert Schulze, Johannes Tiedke, Dr. Friedrich Wessendorff, Paul Breddinghaus und Dr. Kurt Müller-Vollmer. Daneben sind Dr. Heinz Gehrhardt und Rudolf Schütz zu erwähnen, die, wenn auch zu jener Zeit nicht Mitglieder der Organe der Leipziger Feuerversicherungsanstalt AG, mit klugem Rat als Vertreter des Hauptaktionärs, der Alte Leipziger Lebensversicherungsgesellschaft a. G., zur Rettung der Gesellschaft vor der Verstaatlichung in Sachsen beitrugen.

Die Gründung der Alten Leipziger Versicherung Aktiengesellschaft bestach zunächst dadurch, daß sie die erste ihrer Art in Sachsen und die zweite in Mitteleuropa war.

Man mag darüber nachdenken, ob es das Verdienst der Nachfolgenden war, daß die Gesellschaft sich über all die

Jahre hervorragend entwickelt hat, Wirtschaftskrisen ebenso wie Kriege überdauerte und nun im vereinten Deutschland ein wichtiger Marktteilnehmer ist, oder aber ob die Kraft der Idee so weittragend war, daß schon allein durch die Gründerpersönlichkeit eine dauerhafte Entwicklung der Gesellschaft vorgegeben war.

Wie dem auch sei, die Gründung entsprang einer kraftvollen Idee, die viele Repräsentanten des damaligen Wirtschaftslebens in Leipzig so überzeugte, daß sie zu Förderern des jungen Unternehmens wurden.

Zu nennen sind: der Sächsische Kammerrat und Ritter des Zivilverdienst-Ordens, Christoph Heinrich Ploß (1757 bis 1838) – eine Schlüsselfigur im Leipziger Wirtschafts- und Gesellschaftsleben –, Teilhaber des angesehenen Bankhauses Frege & Co, Senior der ›Handlungs-Deputierten‹ sowie der berühmten ›Vertrauten Gesellschaft‹, später auch Direktor der ›Leipziger Ökonomischen Sozietät‹; der königlich sächsische Kammerrat und Chef des Handelshauses Anger & Co., David Anger; der Ritter des Russisch Kaiserlichen St. Wladimir Ordens und Chef des Hauses Reichenbach & Co., Christian Wilhelm Reichenbach, und Wilhelm Gotthelf Ernst Seyfferth (1774-1832), Teilhaber des Hauses Vetter & Co.

Zu ihnen gesellte sich der Obergerichts- und Konsistorial-Advocat, Universitätssyndikus, Handlungs- und Börsenkonsulent Karl Gustav Adolf Gruner. Er war auch Rechtsberater und ›Aktor‹ der Leipziger Feuer-Versicherungsanstalt und galt als die dominierende Persönlichkeit des Leipziger Handelsstandes. Ihm vor allem waren die wegbereitenden Leipziger Börsen- und Maklerordnungen von 1818 zu verdanken, an deren Vorbereitungen auch Ploß, Reichenbach und Seyfferth beteiligt waren.

Allein in der Zusammenführung solch einflußreicher Persönlichkeiten des Wirtschaftslebens lag ein großartiger strategischer Entwurf von Carl Friedrich Ernst Weiße. Er prägte damit die Geschäftspolitik des Unternehmens, das sich auch

heute als ein Partner der Wirtschaft begreift. Die ›Alte Leipziger‹ war seit ihren Anfängen ein Unternehmen, das die
gewerbliche Wirtschaft, den Handel und die Industrie zu
ihren Kunden zählte. Entsprechend war ihr Portefeuille
zusammengesetzt, entsprechend baute sie auch ihre Lei-
stungsqualität und ihren Kenntnisstand bis heute aus.

Auch heute spiegelt sich die Partnerschaft mit der Wirtschaft in der Zusammensetzung des Portefeuilles wider,
wenn man insbesondere an die industrielle Haftpflichtver-
sicherung, die Transportversicherung und die technische
Versicherung denkt. Im Beirat der Gesellschaft befinden
sich wichtige Vertreter der Wissenschaft und großer Unternehmen.

Neben der Idee war es sicherlich das überzeugende Konzept Carl Friedrich Ernst Weißes, das der Gesellschaft Stabilität und Lebenskraft über alle Fährnisse der Zeit hinweg
gab. Es bestand ganz wesentlich darin, keine regionalen
oder sonstigen Eingrenzungen bei der Klientel vorzuneh-
men. Die Leipziger Feuer-Versicherungsanstalt war von
Beginn an nicht etwa auf Leipzig oder Sachsen beschränkt
und sah auch keine Eingrenzung ihrer Klientel nach bestimmten Kundensegmenten vor, was um 1820 keine Selbst-
verständlichkeit war. Die Feuerversicherungsbank in
Gotha, zum Beispiel, blieb anfänglich nur Kaufleuten und
Fabrikanten vorbehalten und verweigerte sogar dem Prin-
zen Leopold von Sachsen-Coburg, dem späteren belgischen
König, ihren Versicherungsschutz.

Die Leipziger Feuer-Versicherungsanstalt versicherte
auch Messegüter, lieferte also kurzzeitigen Versicherungsschutz. Mit solchen Dienstleistungen warb sie bald weit
über Sachsen hinaus. Es mag eine völlig unbeabsichtigte
Parallelität der Ereignisse sein, ist vielleicht auch ein Geheimnis der Unternehmensgeschichte und der immer wieder
in die Organe der Alten Leipziger berufenen Führungsper-
sönlichkeiten, das sich planerischen Überlegungen entzieht:
Heute ist die Alte Leipziger Versicherung AG im Osten

Europas gerade an jenen Plätzen präsent, an denen die
Messe Leipzig ihrerseits wieder vertreten ist und dort für
den Standort Leipzig und für die Messe Leipzig wirbt.

Neben Idee und Konzept bestach die Führung der Gesellschaft durch Carl Friedrich Ernst Weiße, der, was man
heute vielleicht als etwas biedermeierlich-bedächtig bezeichnen will, die Gesellschaft mit großer Besonnenheit
leitete. Er hatte wohl allen Anlaß, vorsichtig vorzugehen,
denn immerhin brachte die Wirtschaftskrise, die Mitte der
20er Jahre von England ausging, zahlreiche deutsche Ban-
ken und Unternehmen ins Wanken – auch in Leipzig, wo
das Haus Reichenbach die Geschäfte aufgab. Christian
Wilhelm Reichenbach gelang allerdings als Direktor der
Preußischen Staatsbank in Berlin eine erfolgreiche zweite
Karriere.

Zu Idee, Konzept und besonnener Unternehmensführung
gesellte sich bei Carl Friedrich Ernst Weiße auch ein liberaler und aufgeklärter Geist, der für das Gelingen unter-
nehmerischen Wagemuts unverzichtbar ist. Leipzig zählte
im Vormärz des letzten Jahrhunderts zum Zentrum des frei-
heitlichen Geistes in Deutschland. Die Zensur, wie von
Fürst Metternich gefordert, hat sich hier nie gänzlich durchsetzen können, wobei kommerzielle Interessen durchaus
eine Rolle spielten. Die starke Position des Buchhandels in
Leipzig und die daraus resultierenden Steuereinnahmen verboten es, bei der Behinderung liberalen Gedankenguts hier
ebenso zu verfahren wie an anderen Orten.

Es spricht für die liberale Überzeugung von Carl Friedrich Ernst Weiße, daß er in dem Augenblick, als ihm die
sächsische Staatsregierung Schwierigkeiten bereitete und
die Genehmigung zur Gründung der Gesellschaft fraglich
war, zu erkennen gab, daß er sich im Falle einer Ablehnung
seines Gesuches nach Frankfurt am Main wenden würde,
um dort rascher ans Ziel zu kommen. Schließlich war die
Freie Reichsstadt Frankfurt am Main ebenfalls ein Ort
liberaler Geisteshaltung.

Die strategische Idee, bedeutende Repräsentanten des Leipziger Wirtschaftslebens gleichsam als Förderer und Protektoren des jungen Unternehmens zusammenzuführen, das überzeugende Konzept einer überregionalen und nicht auf spezielle Kundensegmente eingeengten Geschäftspolitik, die besonnene Geschäftsführung als Zeichen großer Verantwortung und die Kraft liberalen Geistes waren die wesentlichen Merkmale, die den Gründer der Leipziger Feuer-Versicherungsanstalt auszeichneten und die die neu gegründete Gesellschaft von Anfang an prägten.

Es bedarf keiner besonderen Scharfsicht, um diese Ideen auch heute noch in der Geschäftspolitik der Alten Leipziger Versicherung AG wiederzuerkennen. Der Gründer hat der Gesellschaft in der Tat ein Leben eingehaucht, das weit über seine Tätigkeit hinaus wirksam blieb.

Die beruflichen Grundlagen Weißes waren solide. Er war Kaufmann und hat seine beruflichen Erfahrungen an so wichtigen Wirtschaftsstandorten wie Hamburg und Berlin erworben. In Hamburg hat er die 1676 ins Leben gerufene ›General-Feuer-Ordnungs-Kasse‹ kennengelernt und war mit den modernen Formen der Feuerversicherung vertraut. Die Hamburger Feuerkasse galt weithin als vorbildlich, und in Berlin wurde er bekannt mit der 1718 unter König Friedrich Wilhelm I. ins Leben gerufenen ›Städtischen Feuer-Societät‹. Mit den verschiedenen beruflichen Stationen hat Weiße damals ein hohes Maß persönlicher Mobilität gezeigt, wie wir sie heute mit großer Mühe zum Bestandteil einer strategischen Personalentwicklung machen.

An einer funktionierenden Feuerversicherung fehlte es zu Beginn des 19. Jahrhunderts in Sachsen merklich, zumal die ›Landesbrandversicherungsanstalt‹ aufgrund schleppender Schadensregulierungen und mangelnder Leistungsfähigkeit immer stärkerer Kritik ausgesetzt war.

Hinzu trat die zu Beginn des letzten Jahrhunderts aufkommende industrielle Revolution, die Produktivität und Mobilität ungeheuer ansteigen ließ, aber auch eine ganze

Fülle neuer Risiken mit sich brachte. Parallel zu dieser Entwicklung sind die beachtlichen Fortschritte in Mathematik und Statistik zu erwähnen, die für verbesserte Kalkulationsgrundlagen in der Versicherungswirtschaft sorgten. Schließlich waren es handfeste wirtschaftliche Gründe, die zu einem Interesse an der Gründung von Versicherungsgesellschaften in Deutschland führten.

Zu Beginn des 19. Jahrhunderts war der englische Versicherungseinfluß in den deutschen Teilstaaten sehr markant. So eröffnete die 1782 gegründete Phoenix-Insurance Co. schon 1786 eine Filiale in Hamburg. Es ging damals auch darum, zu verhindern, daß die Versicherungsgewinne überwiegend an den Londoner Markt abflossen. Der Versicherungsmarkt jener Zeit war schwach reguliert, und die englische Erfahrung schickte sich an, den Kontinent zu erobern. Regulierung, Deregulierung, ›Reregulierung‹ und der englische Einfluß in der Gesetzgebung der Dritten EG-Richtlinie sind Elemente, die auch unsere Marktentwicklung heute auszeichnen. Britisches Unternehmertum und kontinentaler Kaufmannssinn waren schon damals in einem heftigen Wettbewerb aufeinandergestoßen.

Es ist heute nicht mehr feststellbar, wann Carl Friedrich Ernst Weiße den Gedanken faßte, eine Versicherungsgesellschaft zu gründen. Aber das wirtschaftliche Umfeld und die Situation in Sachsen legten es nahe, gerade hier, an einem bedeutenden Wirtschaftsplatz, der darüber hinaus ein in ganz Europa geschätztes Kulturzentrum darstellte, eine Versicherungsgesellschaft zu gründen.

In Hamburg und in Berlin waren solche Institutionen schon erfolgreich ins Leben gerufen worden. In Köln bemühte sich Bürgermeister Karl Josef von Mylius, eine ›Stadtkölnische Feuerversicherungsgesellschaft‹ ins Leben zu rufen. In Gotha betrieb Ernst Wilhelm Arnoldi, wie Weiße in Hamburg ausgebildet, 1817 die Gründung der ›Feuerversicherungsanstalt gegen Feuersgefahr‹, später die ›Feuerversicherungsbank des Deutschen Handelsstandes‹.

Carl Friedrich Ernst Weiße
(1781–1836)

Und in Aachen wirkte David Hansemann (1790-1864). Dieser später so bedeutende Bankier und Staatsmann wurde zum Spiritus rector der ›Aachener Feuerversicherungs-anstalt‹, die ihre Tätigkeit 1824 aufnahm.

Was einen wahren Versicherer ebenfalls auszeichnen muß, ist Hartnäckigkeit, die – für die richtigen Ziele einge-setzt – auch ein Element der Kontinuität ist, die der Ver-sicherungswirtschaft zu eigen ist. Hartnäckigkeit hatte Weiße nötig, und er setzte sie auch ein. Denn sein Vorhaben stieß bei der sächsischen Regierung zunächst auf großen Widerstand. Die an die sächsische Landesregierung gerich-tete Eingabe – heute würde man sagen ›Antrag auf Geneh-migung zur Aufnahme des Geschäftsbetriebs‹ –, verrät uns, ganz im Stil der Zeit gehalten, viel über die Persönlichkeit Carl Friedrich Ernst Weißes: Dort wird er als ein Mann bezeichnet, »der sowohl in Hinsicht seiner moralischen und intellektuellen Eigenschaften, als auch in Hinsicht seiner äußeren Verhältnisse vollkommen dazu geeignet ist. Es ist dieser Mann, der auf hiesigem Platze wohl bekannte Herr C. Weiße, vorhin etablierter Kaufmann zu Hamburg, wel-cher nachher mehrere Jahre sich zu Berlin aufgehalten hat und der nicht nur die Verfassung der an beiden vorgedach-ten Orten bestehenden Institute der fraglichen Art hin-länglich kennt, sondern auch, da er von den Handlungs-geschäften sich freiwyllig zurückgezogen, die erforderliche Muße hat, um einer solchen Anstalt vorzustehen.«

Weiße war ein Mann, der wußte, daß man, um ans Ziel zu gelangen, viele Hindernisse überwinden muß. Er ließ sich durch nichts von seinem Ziel abbringen, weder von den Schwierigkeiten des Genehmigungsverfahrens und dem mit der Neugründung vor dem Hintergrund der schlechten Erfahrungen, die staatliche Einrichtungen mit der Versiche-rung von Gütern und Sachen gemacht haben, betretenen ungewissen Neuland, noch vom Ortswechsel und der not-wendigen ›Einbürgerung‹ in Leipzig.

Um überhaupt sein Amt als Bevollmächtigter der Gesellschaft antreten zu dürfen, mußte Weiße nämlich, da er als ›Ausländer‹ in Leipzig galt, wenn auch nicht Bürger, so doch wenigstens Schutzbefohlener der Stadt werden. Am 13. März 1819 erschien er deshalb im Polizeiamt Leipzig und gab zu Protokoll: »Er, Herr Carl Friedrich Ernst Weiße, sey 38 Jahre alt, aus Berlin gebürtig, woselbst er, sowie in Hamburg als Kaufmann etabliert gewesen sey. Gegenwärtig sey er als Geschäftsführer bey der allhier errichteten und bestätigten Feuer-Versicherungs-Anstalt angestellt worden, – welches Anführen der miterschienene Herr Cammer-Rath Ploß als einer der Unternehmer jener Anstalt bestätigt. Er sey verheyrathet und wohne in der Petersstraße im Hirsch.« Noch am gleichen Tag erhielt Weiße die Schutzkarte der Stadt Leipzig. Ein wahrlich schnelles Verfahren!

Obwohl Weiße eine besonders verantwortungsvolle Führung des Unternehmens in der Gründungsphase bescheinigt werden kann, liegt darin auch der Kern für spätere Kritik. Denn die Gesellschaft wuchs nur langsam, und da man an den Allgemeinen Tarifprämien trotz eines harten Konkurrenzdrucks festhielt, wurde, einem Zeugnis aus jener Zeit zufolge, der »ohnehin geringe Eifer der Agenten noch mehr gelähmt«.

Auch bei der rechtzeitigen Suche nach einem Rückversicherungspartner ließ sich Weiße wohl zu viel Zeit. Der große Brand in Frankenhausen im Jahre 1832 kostete die Anstalt eine so bedeutende Summe, daß ihr Fortbestand gefährdet schien. Das Rechnungsjahr schloß mit einem Verlust von 78.000 Talern.

Diese Elemente im Wirken Carl Friedrich Ernst Weißes zeigen deutlich, in welchem Spannungsverhältnis Versicherer in diesen Jahrzehnten immer wieder gestanden haben und immer noch stehen. Es ist einerseits die Vorsicht, die aus der Einsicht in die Notwendigkeit resultiert, daß ein Versicherer ohne ertragreiches Geschäft dauerhaft nicht existenzfähig ist, und andererseits die Gefahr einer aus der Vorsicht resultierenden Wachstumsschwäche, die ebenfalls eine Besorgnis darstellt. Schließlich ist es das ständige Abwägen zwischen dem, was die Gesellschaft an vereinnahmten Prämien selbst behält – dem Eigenbehalt – und dem, was sie im Sinne einer klugen Rückversicherungspolitik an Prämie aufzuwenden – abzugeben – bereit und in der Lage ist.

Aber zurück zu Carl Friedrich Ernst Weißes Persönlichkeit. Seine Bedeutung als Gründer und seine das Bild der Gesellschaft nach außen prägende Kraft verdienen es nicht, daß operative Betrachtungen versicherungstechnischer Art den Schlußpunkt dieser Lebensskizze bilden.

Wie so oft in der Geschichte bestätigt sich auch bei Weiße der alte Grundsatz ›cherchez la femme‹. Denn wenn es auch aus wirtschaftlichen Gründen und wegen der Bedeutung Leipzigs nahe lag, hier eine Versicherungsgesellschaft zu gründen, so war vielleicht der entscheidende Anstoß doch von einer ganz anderen Seite her gekommen. Weiße, der Musikersohn, war seit Mai 1813 mit Henriette Wilhelmine Schicht (1793-1831) verheiratet, der musikalisch hochbegabten Tochter des Leipziger Komponisten Johann Gottfried Schicht (1753-1823). Als Nachfolger von Johann Adam Hiller stand dieser ein Vierteljahrhundert lang dem Gewandhausorchester vor, bis er 1810 Thomaskantor wurde. Diese Verbindung ebnete Weiße ganz sicher den Zugang zur musikbegeisterten Leipziger Oberschicht. Gerade die Befürworter seiner Gesellschaftsgründung und seine Partner im späteren Verwaltungsrat der Gesellschaft spielten alle im kulturellen Leben Leipzigs eine engagierte Rolle.

Wahrscheinlich war Weiße im tiefsten seines Herzens ein Schöngeist, dessen ganze Liebe der Musik galt. Seine Frau und er haben sich daher nicht zuletzt um die Leipziger Musikkultur sehr verdient gemacht. Gleich ihrer Mutter, einer italienischen Sopranistin, trat Henriette Weiße-Schicht schon in jungen Jahren unter ihrem Vater im Gewandhaus als Sängerin auf. Auch nach ihrer Eheschließung wirkte sie bei Liebhaberkonzerten noch gerne als Solistin mit. Weiße seinerseits war ein geübter Cellospieler, der sich Freund und Schüler des berühmten Cellisten und Komponisten Bernhard Romberg (1767-1841) nennen durfte. »Das kinderlose Haus des kunstgeübten Ehepaares« heißt es in dem Nachruf, den die in Musikfragen tonangebende ›Allgemeine Musikalische Zeitung‹ 1831 der früh verstorbenen Henriette Weiße-Schicht widmete, »stand fremden und einheimischen Tonkünstlern stets offen und viele Virtuosen werden die Gastfreundlichkeit dieser Familie und die von derselben veranstalteten musikalischen Unterhaltungen dankbar zu rühmen haben. Hoffnungsvollen Talenten eröffneten sie durch thätige Hülfe und unermüdete Vermittlung eine Laufbahn, auf welcher die Unterstützten die glücklichste Gelegenheit fanden, sich zu bilden und zu heben.«

Als Weiße, erst 55 Jahre alt, am 18. Dezember 1836 gleichfalls früh verstarb, rühmte auch ihm dieselbe Zeitschrift anerkennend nach, er sei Künstlern gegenüber stets so gastfreundlich gewesen, »dass selten Einer sein wird, der Leipzig besuchte und ihm nicht irgend eine Gunst und einen frohen Quartettabend zu danken hätte.«

Die glückhafte Verbindung mit Henriette Weiße-Schicht und die belebende Kraft der Musik sind zwei der maßgeblichen Faktoren im Leben Carl Friedrich Ernst Weißes gewesen, die seine schöpferischen Ideen entfalteten und ihm die Kraft gaben, sich über die Hemmnisse seiner Zeit zu erheben und ein Werk zu schaffen, das bis heute in beachtenswerter Dimension fortlebt.

Carl Gustav Carus
Erdlebenbildkunst

Von Heinz Zander

Psyche. Zur Entwicklungsgeschichte der Seele; Lehrbuch der Gynäkologie; Neun Briefe über Landschaftsmalerei; Symbolik der menschlichen Gestalt; Göthe. Zu dessen näherem Verständniß; Reise durch Deutschland; Mnemosyne; England und Schottland; Organon der Erkenntniß der Natur und des Geistes; Ueber Lebensmagnetismus; Göthe und seine Bedeutung für diese und die künftige Zeit; Von den Ur-Theilen des Knochen und Schalengerüstes; Physis; Von den äußern Lebensbedingungen der weiß- und kaltblütigen Thiere; Die Lebenskunst nach den Inschriften des Tempels zu Delphi.

Das soll genügen. Es muß genug sein, denn bis zur Vollständigkeit der Aufzählung hin ginge es viel, viel weiter. Aber ist nicht allein dieses Bruchstück aus dem Werkfels ein schönes Konglomerat, dessen Steine lächeln lassen können, ein Lächeln hervorbringen, das vielleicht der Abglanz jener ernsten Heiterkeit ist, mit der die Natur, vertieft beschäftigt wie ein Kind, ihre Hervorbringungen aneinanderreiht?

Im dicken Gesicht dieses Kindes sehe ich ein schelmisches Grübchenlächeln. Noch, so glaube ich, ist es zu sehen. Schon strahlt die Figur des Kleinen im milden Abendlicht. Bald wird es ernst, stringent, kühl, ja, kalt in der Umgebung der Wissenschaften, und nur noch die Großen werden, allen Mühen, aller Freudlosigkeit zum Trotz, sich Zeit nehmen zu spielen, die Geige vielleicht.

Im Jahre 1789, am 3. Januar wurde Carl Gustav Carus als Sohn eines Färbereipächters in Leipzig geboren. Im selben

Jahr machte Frankreich Revolution, das Rosental war noch kein aufgeräumtes Kleinelysium. Es wucherte als verheißungsvolle Sumpflandschaft vor den Toren der Stadt.

Der Hang des heranwachsenden Carl zur Kontemplation wurde vom Hausunterricht glücklich gefördert, der ihn zwangsläufig vom Spiel mit Gleichaltrigen ausschloß. Aber man brachte ihm versteinerte Meerwesen, Muscheln und Seesterne und Zeichnungen, die fernste Fernen darstellten. – Der Naturforscher W. G. Tilesius, ein entfernter Verwandter, machte, von einer seiner Reisen kommend, Rast bei den Eltern. Angeregt von der Kuriosität dieser Gegenstände von weit her, begann Carus, sich ihren Eigentümlichkeiten zeichnend zu nähern. – Es ist dies eine schöne, empfehlenswerte Art der Weltaneignung. Kopf und Hand, Geist und Handwerk arbeiten sich gegenseitig zu. Sie schließen einander nicht aus, wie leider allzu oft und hauptsächlich an hochgelobten und hochdotierten, Kunst genannten Ausflüssen vor- oder vergeblicher Bemühungen beobachtet werden kann. Nach dreijährigem Besuch der Thomasschule bezog Carus 1804 die Leipziger Universität. Einer seiner Lehrer beeindruckte ihn. Ernst Platner versuchte, es ist nur grob anzudeuten, Medizin und Ästhetik in die eine oder andere Verbindung zu bringen. Die Liebe des Studenten gehörte der Botanik und der Zoologie. Zieht man in Betracht, zu welcher Zeit diese beiden Fächer da geliebt wurden, dann liegt es auf der Hand, daß künstlerische Bemühungen nicht ausbleiben konnten. Sowohl die Tier- als auch die Pflanzenwelt verlangten nach Dokumentation, und die fand mittels des Zeichenstiftes statt.

Im Elternhaus verschlechterte sich infolge der napoleonischen Kriege die wirtschaftliche Lage. Von diesem Mißstand gedrängt, entschloß sich Carus zum Studium der Medizin. Und er fand sich einen Trost: »... zuletzt schien mir aber der Stand des Artztes als wünschenswert, weil er die reichste Gelegenheit darböte, mit allen Zweigen des Naturstudiums stets in innigster Berührung zu verbleiben.«

1811 Magisterexamen, Doktor der Medizin, der Philosophie, Habilitation, erste Druckschrift *Entwurf einer allgemeinen Lebenslehre,* zweite Druckschrift *De uteri rheumatismo,* Berechtigung zur Lehrtätigkeit und deren Beginn an heimischer Universität.

Über Leipzig bricht die Völkerschlacht herein, und der Typhus allein fordert bis zu 800 Opfer wöchentlich. Der Arzt Carus findet beim Zeichnen im Rosental Erholung von den Strapazen der täglichen Arbeit. Er findet Erholung? Erstaunlich ist, daß er noch so viel Kraft aufbringt, diese Erholung vor der Landschaft arbeitend zu suchen.

Auch der Ölmalerei wendet er sich zu. Er kopiert Klengels kleine Bilder und spürt autodidaktisch deren romantischen kleinen Lichteffekten nach. Er arbeitet als Assistent im Trierschen Entbindungsinstitut und betreut als Armenarzt die Kranken des Grimmaischen Stadtviertels. Und 1814 kann er vor seiner *Frühlingslandschaft im Leipziger Rosental* sagen: »Eine Szene aus dem Rosental im ersten noch blätterlosen Frühlingstreiben, sorgfältig zuvor nach der Natur gezeichnet und dann als Ölbild mit größter Sauberkeit ausgeführt, gehört zu den Besten, was ich überhaupt ...«

Zwei Worte dieser sicherlich nicht mit sonderlichen Absichten gemachten Mitteilung scheinen eigentümlich schillernd auf. Nicht so sehr das eine oder andere, vielmehr der fast dissonante Klang, den das Auseinanderstreben beider erzeugt, ist es, der die Aufmerksamkeit des Hellhörigen erregen könnte. Carus sitzt vor einer kruden, ereignislosen Gegend. Er sieht ein unentschiedenes Braun, im Vordergrund rechts das überjährig vertrocknete Laub belangloser Sträucher, die als ungeschicktes Ornament vor dem unbewegten Wasserspiegel eines Tümpels stehen, an dessen gegenüberliegendem Ufer Auwald nicht als feste, einbindende Kulisse, sondern als noch zu formender Nebel den Blick in freundlichere Fernen versperrt. Die schwarze Silhouette einer Sumpfeiche steigt rigoros in der linken Bild-

Carl Gustav Carus
(1789–1869)

hälfte auf. Der Stumpf einer anderen wird vom linken
Bildrand angeschnitten. Über allem ein fahlblauer Himmel,
der nichts verspricht.

Hätte Carus sich hier mit der Darstellung einer nach-
winterlichen, noch leblosen Landschaft zufrieden gezeigt,
hätte er vielleicht von einem ›Verharren in winterlicher
Erstarrung‹ gesprochen, auch dann wäre er seinem Bild
gerecht geworden.

Aber er schreibt von »ersten noch blätterlosen Frühlingstreiben«. Blätterlos und das walpurgisnachthafte Frühlingstreiben?

Carus sieht das Werden. Er ist sich des Werdens sicher – er hat es studiert, dieses Erdleben und so wie Nees von Esenbeck, der Botaniker und Zeitgenosse es beschrieben hat, so fühlt Carus das untergründige, unauffällige Geranke der Pilze und Flechten. Er spürt die kleine Walpurgisnacht, die tief unten im toten, feuchten Laub orgiastisch gefeiert wird. Ihm sind die Vorbereitungen auf das erste Keimen bekannt. Er weiß vom unsichtbaren Frühling, der lange vor jenem Frühling blüht, der dann, von einem Tag zum anderen grün und bunt aufspringt.

Eine durch gründliches Studium gesicherte Erwartung, die es verdient in einem Bild gezeigt zu werden, das »sorgfältig zuvor nach der Natur gezeichnet und dann als Ölbild mit größter Sauberkeit ausgeführt …« wird. Mit Sauberkeit! Kein Wort für Kunstbetrachtungen? Sauberkeit – das Wort, das zur stillheimlichen Walpurgisnacht so recht nicht passen will, doch aber stimmig ist, wenn man sich vor Augen hält, daß hier ein Fest unter der Lupe stattfindet – das Naturereignis als Präparat, die Landschaft als Objektträger. »Und da muß man doch Augen haben wie Carus und Nees, wenn dem Geiste Vorteil entstehen soll.« So der Zeitgenosse Goethe achtungsvoll, vielleicht auch mit sanftem Spott, in seinen *Maximen und Reflexionen* zur Landschaftsmalerei des Carl Gustav Carus.

In sich ist das Rosentalbild ja auch ein stimmiges Ganzes und ein Fall von Malerei, wie er viel weniger anzutreffen ist, als man gemeinhin glaubt. Hinzufügung oder Wegnahme auch nur einer Kleinigkeit würde diesem Bild schaden. Es mutet an, wie aus einer langen Tradition heraus gemalt, und hat doch nur Zeitgenossen, wenn von großen Holländern wie Art van der Neer, Ruisdael, deren Bewunderer Carus ja war, einmal abgesehen werden kann. Carus bewunderte sie ja lediglich, malte ihnen nicht nach.

Das Rosentalbild strahlt. Es strahlt nicht nur der geahnte Frühling, sondern auch die Frische eines auf strikte Beobachtung auch des Kleinsten begründeten unvoreingenom-

menen Kunstwollens. Das war nach einer Zeit gewisser
Erstarrung in der Ausführung oft ›heroischer‹ Landschaften
nicht selbstverständlich und also neu. Daß in dieser Rosen-
tallandschaft der Hang zum Konkreten einen Hunger nach
Sinnbildlichkeit so gar nicht aufkommen läßt, sei nicht
gesagt um abzuwerten, sondern nur, um eine Grenze zum
Freund des Arztes, zum großen Caspar David Friedrich zu
beschreiben.

1814 siedelt Carus nach Dresden über. Er nimmt sein Be-
stallungsdekret zum Professor entgegen. Er ist 25 Jahre alt.
Eine Festrede zur Einweihung der medizinisch-chirurgi-
schen Akademie macht ihn bei Hofe bekannt und hilft ihm,
wie er sagte, sein »Larvenstadium« zu beenden.

An Goethe sendet er sein *Lehrbuch der Zootomie* (200
der 300 beigegebenen Zeichnungen sind von seiner Hand
nach der Natur). Goethe antwortet. Ein 14jähriger Briefwechsel findet seinen Anfang. 1816 nach Ausstellungen
Erfolg als Maler. 1817 Bekanntschaft mit C. D. Friedrich.

Carus: »Dabei erfreute ihn übrigens sehr ein gewisser
freier Naturalismus in meinen Bildern wie er eben aus
unzählichen Naturstudien vollkommen hervor zugehen
pflegt.«

Man kann es sehen. Der Maler von *Mönch am Meer,*
einer Großartigkeit, an der nichts Detail ist, nichts irgendein bemühtes Studium der kleineren Natur bezeugt, blickt
ernst zuerst, dann zunehmend freundlicher, etwa auf die
Mondnacht bei Rügen, ein schönes Stück von des nun schon
berühmten Arztes Hand. Friedrich sieht kleine emsige
Wellen, die sich im Lichte eines exakt auf Mitte gesetzten
Mondes freundlich plätschernd kräuseln, und es über-
kommt ihn jene Heiterkeit, die nur fleißiges Naturstudium
zu vermitteln vermag.

Ein Bild, das gut und gern ein Bild ergeben könnte.
Eines, das seine Grundlage, ein gehobenes Naturstudium,
nicht verleugnen würde, das die Gesichter mit feinem

Mienenspiel zeigte und feine Farbabstufungen mit feiner Bedeutung, das nicht ohne Humor, vielleicht auch Ironie wäre, ein Zweifigurenbild also, für das noch nicht wieder Zeit ist.

1820 Karlsbad – Schelling. 1821 Ludwig Tieck. 21. Juli 1821, 11 Uhr 13 Minuten, Treffen mit Goethe in Weimar. 31. August, Treffen mit Pestalozzi in der Schweiz. Bis zum Tod dreht sich so der Reigen.

Carus wird Hofarzt und geht in Seidenstrümpfen. Er bereist Deutschland, Italien, die Schweiz. Er erwirbt ein Haus, in dem er 35 Jahre bis zu seinem Tode wohnen wird. Er bereist die Rheingegenden, sieht Paris, Florenz, er bereist England, Schottland ...

Und wie seine Biographie mit Bienenfleiß Orte und Personen sammelt, ebenso ohne Rast, eigentlich auch bei den Erholungen arbeitend (als Maler), lebt Carus seinen beiden – vielleicht hätte er gesagt: Fächern. Keines von beiden ist ihm Last. Die Medizin ist nicht lediglich Broterwerb. Sie ist ihm ebenso lieb wie die Malerei.

In seinem Werk *Natur und Idee* – es war sein letztes großes – faßt Carus zusammen und blickt auch, etwas nörglerisch zwar, doch darum nicht weniger seherisch in die Zukunft: »Was nun mich selbst und meine Bestrebungen für philosophisches Erkennen des ewig werdenden betrifft, so darf ich wohl sagen, daß schon meine frühesten naturwissenschaftlichen Studien ... lebhaft den Hauch der Erfrischung und neuer und geistiger Anregung empfanden, welcher damals über Alles jener Art sich zu verbreiten begann. Aber ich darf auch hinzufügen, daß selbst in dieser Periode ein richtiges Gefühl und vielleicht ein damals namentlich durch E. Platner angeregter und vertheidigter Skepticismus, mich davor bewahrte, in jene Überschwenglichkeit zu verfallen, von denen selbst Oken, trotz seines scharfen, mit reichem Material genährten Geistes, sich nicht frei machen konnte, während dergleichen bei vielen seiner Nachbeter freilich zu den absurden Mißgriffen führte.«

Weiter wünscht sich Carus, daß in Fortsetzung seines Werkes der Blick für die ideellen Beziehungen der «natürlichen Dinge» weiter geschärft werde. Fast bittet er um Gerechtigkeit: ebenso »... wie Mikroskopie und Mikrochemie ihm (den Blick) für deren materielle Seite aufgeschlossen haben«.

Carus ist 72 Jahre alt. Um ihn wird es kühler. Die Wissenschaften werden klarer und kälter und allzuoft nur kälter. Ein Gott, und sei es nur irgendein kleiner Pan, der sich im goldgesprenkelten Laubschatten mit Lupe und Pinzette verliebt über Farnsporen beugt, wird, da es ihn ja mit Gewißheit doch nicht gibt, nicht mehr gebraucht.

Carus starb einundachtzigjährig am 28. Juli 1869. Im 78. Lebensjahr hatte er seine Praxis niedergelegt.

Hofkapellmeister Rietz: »Begräbniß um halb 8 Uhr. Um 8 Uhr nachgefahren. Tschirsky, Witzleben u. a.... später Prinz Georg... keineswegs festlich...; nothdürftig die Nächsten... kein Musikchor, acht dürftige Kreuzschülerstimmen. Die ärztlichen Corrporationen hätten viel mehr thun können und müssen... es geht toll zu... Sie waren alle ganz fidel. Neugierig macht mich das Testament.«

Es bleibt noch ein seltsam verqueres Wort, das sich nicht etwa so sperrig anstellt, weil es so deutsch ist, sondern nur, weil es sich eben tatsächlich sperrt und dem Geschmackszärtler bis zur Grenze des Monströsen gehen könnte: **Erdlebenbildkunst.** Es entstammt den 1841 erschienenen zwölf Briefen über das Erdenleben. Dieses Wort wagt einen herzhaften Griff in die Welt, in der Hoffnung, die Welt wirklich noch begreifen zu können. Es klingt sicher, glücklich und ist von naiver Monumentalität. Nicht lange nach seiner Geburt war es aus der Mode gekommen.

Gustav Harkort
Erster »Eisenbahndirektor«

Von Heinz Dürr

Nichts auf der Welt ist so stark, wie eine Idee, deren Zeit gekommen ist.« Dieser Gedanke des französischen Dichters Victor Hugo (1802-1885) wurde in Leipzig eindrucksvoll bestätigt. Vor 150 Jahren setzte sich dort eine Idee durch, die eine industrielle Revolution auslöste: Das Technologie-System Eisenbahn hatte Deutschland-Premiere.

Für diese Premiere stand vor allem der Name eines Mannes: Gustav Harkort, Westfale von Geburt und Leipziger aus Passion, gesellschaftspolitisch engagierter Unternehmer, durchdrungen von einer heraufdämmernden neuen Zeit. Wer war dieser im guten Sinne ›Work-aholic‹?

Am 3. März 1795 wurde dieser Mann auf dem väterlichen Gut Harkorten bei Hagen in der Grafschaft Mark geboren. Auf dem Institut zu Hagen wurde er ausgebildet, und in der Fabrik seines Vaters erwarb er sich die kaufmännischen Sporen. Das wohl Wichtigste aber, das ihm für seinen weiteren Lebensweg mitgegeben wurde, waren die den Westfalen nachgesagte Zähigkeit und Festigkeit.

Anfang des Jahres 1820 folgte Gustav Harkort nach dem Tod des Vaters seinem älteren Bruder Carl nach Leipzig, wo beide am 15. April eine gemeinsame Unternehmung gründeten: ein Kommissions- und Speditionsgeschäft mit der Kernaktivität einer ›englischen Garnhandlung‹, das sich im Lauf der Jahre zum Zentrum eines mittelständischen Konzerns, wie man heute sagen würde, entwickelte.

Später kam eine Eisengießerei hinzu, und vor allem: Harkort erhielt die behördliche Genehmigung zur Errichtung einer ›Anstalt für galvanische Vergoldung, Versilberung und Verkupferung‹. Damit war er der erste, der schon wenige

Jahre nach der Erfindung der Galvanoplastik das von Professor Johann Andreas Schubert in Dresden verbesserte galvanoplastische Verfahren industriell anzuwenden versuchte.

Kaum waren 1842, durch den Vertrag von Nanking, die ostasiatischen Märkte für europäische Unternehmen erschließbar geworden, betrieb die Firma Harkort die Gründung einer Tochter in Kanton. Der Geschäftszweck war der Vertrieb von sächsischen und westfälischen Textil- und Metallwaren nach China und Ostindien.

Neben diesen gewerblich-industriellen Aktivitäten war Gustav Harkort über das Leipziger Bankhaus ›Carl & Gustav Harkort‹ außerdem als Bankkaufmann engagiert. So betrieb er mit der Bank der befreundeten Brüder Dufour die Umwandlung der Leipziger Kammgarnspinnerei in eine Aktiengesellschaft und gehörte zwanzig Jahre lang deren Direktorium an. Er war 1838 führend an der Gründung der ersten sächsischen Privatnotenbank beteiligt, der Leipziger Bank, deren Direktorium er 1856 verließ, als er die Allgemeine Deutsche Creditanstalt in Leipzig ins Leben rief. Bis zu seinem Tode 1865 blieb er Vorsitzender des ADCA-Verwaltungsrats.

Widerstände waren für Gustav Harkort dazu da, daß man sie überwindet; sein Motto: »Tandem bona causa triumphat.« Diese Überzeugung – »Am Ende wird die gute Sache siegen« – gab ihm die Kraft für sein Lebenswerk, das größte industriepolitische Vorhaben seiner Zeit: Sachsen mit Hilfe der Eisenbahn voranzubringen; verbunden mit der weitblickenden Absicht, ein die damalige Kleinstaaterei überwindendes deutsches Eisenbahnnetz zu schaffen.

Ein in seiner technologischen Bedeutung vergleichbares industriepolitisches Projekt unserer Zeit ist der Transrapid. Die deutsche Industrie hat bei dieser Technologie weltweit einen mehrjährigen Vorsprung, und die Politik hat entschieden, sie bis zur Marktreife zu fördern. Zukunftstechnologien dieser Dimension sind ohne eine zeitlich begrenzte

politisch-industrielle Kooperation nicht mehr weltmarkt-
fähig zu machen.

38jährig, nach dreizehn Unternehmer-Jahren in Leipzig,
bemächtigte sich Gustav Harkorts der Eisenbahn-Gedanke.
Den letzten Ausschlag gab wohl ein Zusammentreffen mit
Wilhelm Seyfferth, einem Leipziger Unternehmer, der von
einer England-Reise zurückkehrte und von der dort bereits
eingesetzten neuen Technologie begeistert war.

Vier Männer gingen nun daran, die Idee einer Eisenbahn-
verbindung zwischen Leipzig und Dresden in die Tat umzu-
setzen: neben Gustav Harkort und Wilhelm Seyfferth der
Bankier Albert Dufour-Feronce und der alteingesessene Leipziger Kaufmann Carl Lampe. Sie gründeten ein Vor-
bereitungskomitee. Das nach der ersten Generalversamm-
lung am 16. Juni 1833 »constituierte Directorium« übertrug
Harkort den Vorsitz. Das Komitee betrieb die Gründung der
späteren ›Leipzig-Dresdner Eisenbahn-Compagnie‹.

In einer 1878 erschienenen Würdigung der Arbeit
Harkorts, Anlaß war die Auflösung der Leipzig-Dresdner
Eisenbahngesellschaft und die Errichtung einer Harkort-
Büste aus carrarischem Marmor in den Anlagen am Georgi-
ring, heißt es über die Anfangszeiten: »Erinnern sich die
älteren der Mitlebenden der Anfänge der Leipzig-Dresdener
Eisenbahn, so drängt sich das Mährchen auf von dem Rie-
senspielzeuge, das in die Hände von Menschen gerathen
war. Die Festsetzung des Capitals auf nur 1.500.000 Thaler,
die Berechnung einer Jahres-Einnahme von 300.000 Thaler,
die Bestimmung von täglich zwei Zügen zwischen Dresden
und Leipzig, die ersten Betriebseinrichtungen (Namenstaufe
nicht nur der Locomotiven, sondern auch der Personen-
wagen, Numerirung der Plätze, polizeiliche Controle bei
Entnahme der Billets) locken uns jetzt ein Lächeln ab: für
die ersten Leiter des Unternehmens aber wurden die aus
jenen Annahmen folgenden Täuschungen meist zu ebenso-
viel Schwierigkeiten der ernstesten Art, zumal als bedeutende technische Autoritäten Englands das schon begon-

nene Unternehmen für fast undurchführbar erklären wollten, als kein deutsches Eisenwerk sich als fähig erwies, das
erforderliche Material zu liefern, und als das normirte
Capital mehrmals sich als weitaus unzureichend erwies«.

Die Linie Leipzig–Dresden war 115,5 km lang, die
Strecke über Wurzen, Luppa, Oschatz, Riesa, Pristewitz
und Oberau war Harkort mit drei anderen Komitee-Mit-
gliedern und dem englischen Eisenbahnsachverständigen
Walker in fünf Tagen abgelaufen, man entschied sich dann
für diese nördliche Route über Riesa. Der andere deutsche
Eisenbahn-Pionier, Friedrich List, hatte allein nach Karten-
studium eine andere, volkswirtschaftlich und technisch
schlechtere Streckenführung empfohlen. Sie sollte über
Meißen führen. Diese sehr verschiedene Art, an eine Sache
heranzugehen, mag mit darin begründet gewesen sein, daß
der eine eigenes Geld in die Hand nehmen wollte, während
der andere mehr vom theoretischen Ansatz her kam.

In jedem halbwegs ordentlichen Geschichtsbuch steht
heute der lapidare Satz: Durch den Aufbau des Eisenbahnsystems erhielt die industrielle Revolution in Deutschland
entscheidende Schubkraft. Der Streit und die Auseinandersetzungen, die zu bestehen waren, bevor es soweit war, geraten darüber in Vergessenheit. Dabei lassen sich bei näherer
Beschäftigung Erkenntnisse gewinnen, die auch für unsere
heutige Standortdebatte von hohem Interesse sind.

Zusammengefaßt: Wenn sich in einem Staat eine grundlegend neue Technologie durchsetzen soll, darf man nicht
blauäugig auf die Marktkräfte vertrauen. Es müssen vielmehr zusammenwirken: einerseits politische Gremien, die
die volkswirtschaftliche Bedeutung erkennen und admini-
strative und materielle Hilfestellungen geben, andererseits
Unternehmer, die bereit sind, ein gewisses eigenes Risiko
einzugehen und die einen Blick auch für gesamtwirtschaft-
lich interessante Entwicklungen besitzen.

Am Beispiel der ›Leipzig-Dresdner Eisenbahn-Compagnie‹ lassen sich diese Notwendigkeiten konkret nacher-

Gustav Harkort
(1795–1865)

zählen. Der Grundstein für den sächsischen Bahnbau und damit für das gesamtdeutsche Bahnsystem wurde mit dem Sächsischen Ministerialerlaß vom 15. April 1834 gelegt. Darin wird die Vorbereitung des Expropriationsgesetzes zugesagt, der Oberlandvermesser von Schlieben dem Komitee zur Unterstützung zugeteilt, und die Vorbereitungskosten werden vom Staat übernommen.

Zum Start des Eisenbahnunternehmens griff die Sächsische Regierung noch einmal massiv industriepolitisch ein. Neben der selbstverständlich notwendigen Betreiber-Konzession gab es verschiedene Erleichterungen: das Recht, für ein Drittel des Nominalkapitals unverzinsliche Kassenscheine auszugeben, die Freistellung von der Gewerbesteuer für drei Jahre, Verzicht auf die Erstattung von Einnahmen, die der Staat durch die Bahn auf anderen Gebieten verliert, die Genehmigung, die Frachtsätze so zu gestalten, daß eine Verzinsung des Eigenkapitals mit 4% gesichert ist.

Die diesen Preis rechtfertigenden politischen Interessen waren eindeutig: Leipzig sollte zum verkehrstechnischen Mittelpunkt eines künftigen deutschen Eisenbahnsystems werden, Sachsens Wirtschaft insgesamt sollte durch den Standortvorteil Eisenbahn gestärkt werden, vor allem gegenüber dem wenig geliebten Preußen.

Das industriepolitische Projekt Eisenbahn Leipzig–Dresden hatte aber auch ganz unmittelbare positive wirtschaftliche Auswirkungen: Über 7.000 Arbeitsplätze wurden an den Baustellen geschaffen, tausende neue Arbeitsplätze entstanden, weil für den Betrieb Streckenarbeiter, Schaffner, Lokomotivführer und Bahnhofsbeamte gebraucht wurden. Ebenso arbeitsmarktwirksam war die in Leipzig neu eingerichtete Wagenbauanstalt, die später auch von anderen Bahnen Aufträge erhielt.

Mittelbare Auswirkungen auf den Arbeitsmarkt, vor allem aber als Technologieträger, hatte der Aufbau des lange Zeit als mustergültig geltenden Sicherungs- und Signalsystems und ein 515 Meter langer Tunnel bei Machern, der erste in Deutschland überhaupt und als technisches Wunderwerk bestaunt.

Nach dem ersten Spatenstich am 1. März 1836 wurde am 24. April 1837 der erste Abschnitt der Leipzig-Dresdner-Eisenbahnlinie – Leipzig – Althen – unter großer Anteilnahme der Bevölkerung eröffnet. Das »Leipziger Tageblatt« berichtete am 25. April:

»Es war ein festlicher Tag; ein Schauspiel der Freude und Hoffnung und Erwartung für Tausende, die aus der Stadt hinzueilten, um mitzufahren oder die Fahrenden zu schauen. Der Bahnhof war mit wehenden Wimpeln geschmückt, und der ›Blitz‹ (die so benannte Lokomotive), der die Wagen fortzuführen bestimmt war, spie Dampf und Rauch aus seinen Röhren wie ein ungeduldiges Roß aus seinen Nüstern. 3/4 9 Uhr ertönten die muntern Hörner und Trompeten der Schütenmusik, bald gab die Glocke das Zeichen zum Besteigen der schönen Wagen, von denen die des ersten Ranges an Bequemlichkeit und Eleganz im Innern und Äußern alles zu überbieten scheinen, was der Luxus in Anspruch nehmen kann.

Alles harrte schon des Zeichens der Abfahrt, als Se. Königl. Hoheit, der Prinz Johann, noch zwei Minuten vor dem Glockenschlag 9 in den Bahnhof gefahren kam und durch seine Ankunft die allgemeine Freude aufs höchste steigerte. Se. Königliche Hoheit war die ganze Nacht gefahren, um Ihre Teilnahme an dem großartigen Unternehmen an den Tag zu legen, die nur mit dem ehrerbietigstem Dank erkannt werden kann.

Jetzt setzte sich der mit Fahrern und Kränzen geschmückte ›Blitz‹ in Bewegung. Donnernde Böller und Musketensalven und Raketen begrüßten ihn, mit tausendstimmigen Jubelgeschrei vermischt, wie er erst langsam, dann schnell und schneller dahinsauste. Überall salutierten die aufgestellten Militärpiketts (Vorposten) und Wachen, jeder Bahnwärter stand gravitätisch auf seinem Posten und gab das Zeichen, wie alles in Ordnung

sei. Man flog über die zwei Chausseen, die Dörfer zur linken entschwanden, da lag Althen, und der Klang des hier
befindlichen vereinigten Musikchors löste die Militär-
musik ab, welche die Fahrt verschönert hatte. Eine zahlreiche Menge war zu Pferde und im Wagen hinausgeeilt,
mit frohem Jauchzen die Ankommenden zu bewillkom-
men, und in der schönen, eleganten Restauration, ein
Meisterstück netter Zimmermannsarbeit, stand für die
hierzu Geladenen ein Dejeuner bereit; 20 Minuten ungefähr waren vonnöten gewesen, hinauszugelangen, da
man nicht die ganze Kraft des Dampfes aufgeboten hatte
und der Weg sanft, aber doch fast immer etwas steigt. In
4 Minuten weniger kam man zurück, und hatten sich
früh so viele längs der Bahn aus Stadt und Dorf ver-
sammelt, so waren ihrer jetzt noch viel mehr geworden.
Es macht einen eignen Eindruck, bei der buntfarbigen
Menge vorbeizuschießen und nicht die Züge eines einzigen auffassen zu können«.

Der 7. und 8. April 1839 wurden zur Krönung der Arbeit
von Gustav Harkort und seinen Mitstreitern. In einem zeitgenössischen ›Gedenkblatt‹ heißt es: »Am siebenten fuhren
drei Züge mit zusammen 68 Wagen, die 972 Personen faß-
ten, von Leipzig nach Dresden. Die Fahrzeit zwischen diesen beiden Städten betrug reichlich zwei und eine halbe
Stunde (der DB-InterCity braucht heute 1 Stunde, 33 Minuten). Vor der Abfahrt überreichte der Minister des Inneren
Harkort und dem leitenden Oberingenieur, Hauptmann
Karl Theodor Kunz, mit sehr anerkennenden Worten den
Zivildienstorden; das zahlreich versammelte Publikum
feierte spontan beide verdienstvollen Männer mit Hoch-
rufen. Am nächsten Tag fuhren der König, seine Familie
und zahlreiche Ehrengäste nach Leipzig. Bei dem Diner
brachte Harkort das Hoch auf den König aus, und dieser
dankte mit sehr schmeichelhaften Worten dem Direktorium
und allen Mitarbeitern.« Ihre Namen sind zusammen mit
den wichtigsten Daten der sächsischen Eisenbahngeschichte

auf dem Eisenbahndenkmal an der Goethestraße, einem Obelisken, festgehalten.

Der Erfolg der Harkortschen Eisenbahn führte in Deutschland und Österreich zum Bau weiterer Strecken. Und damit stand Harkort vor einem Problem, das wir heute Internationalisierung nennen, aber in weiten Bereichen immer noch nicht gelöst haben: Wie bringen wir die verschiedenen Bahnen zeit- und kostensparend auf die jeweils anderen Netze.

Die Themen der damaligen Konferenzen könnten die Tagesordnungen von heute abgeben: Übergang der Züge von einem Netz zum anderen, Verbilligung der Frachten durch Vermeidung des Umladens, Abstimmung der Fahrpläne oder effizienter Transport von Massengütern.

Schon in den 40er Jahren des 19. Jahrhunderts liefen Wagen der Leipzig-Dresdner bis Paris, Warschau und Triest; an den beiden Bahnhöfen gab es 21 verschiedene Fahrkarten, je sieben für jede Klasse; von Dresden aus konnten Güter an 430 Bahnhöfe direkt versandt werden.

Die Aktivitäten zeigten, daß Harkort sich seine Auszeichnungen redlich verdient hatte. Neben dem Zivildienstorden wurden ihm drei besondere Ehrungen zuteil: 1860 erhielt er vom sächsischen König das Komturkreuz des Albrechtsordens anläßlich des 25jährigen Vorsitzes im Eisenbahn-Direktorium, 1864 wurde er Ehrenbürger von Leipzig und gleichzeitig sächsischer Geheimer Kommerzienrat, außerdem ernannte ihn die Kramerinnung zum ›Ehrenkramer‹.

So naheliegend diese Ehrungen angesichts des Lebenswerks sind, so erstaunlich sind sie zugleich. Denn Harkort lebte mit der politischen Obrigkeit keineswegs in immerwährender Freundschaft. Der gesellschafts-politisch engagierte Wirtschaftsführer war von den Ideen der französischen Revolution von 1848 beeindruckt und unterstützte die human-politischen Forderungen des liberalen Bürgertums in Deutschland: Herstellung der deutschen Einheit,

politische Freiheit, Freiheit der Presse und der Schwur-
gerichte wie Volksbewaffnung mit freier Offizierswahl. Im
Gegensatz zu Frankreich verfolgten die Forderungen aber
keine sozialistischen Ziele, sondern »den Machtanspruch
der Fürsten zu verringern« und »den Werktätigen in Stadt
und Land zu sozialer Gerechtigkeit aus ihrer Bedrückung zu
helfen«.

1848 legte Harkort, der inzwischen als Vertreter des
›Handels- und Fabrikwesens‹ in den sächsischen Landtag
entsandt worden war, zusammen mit seinem Freund Albert
Dufour-Feronce Reformvorschläge unter dem umfang-
reichen Titel vor: ›Versuch zur Beantwortung einiger der
durch die Commission für Erörterung der Gewerbs- und
Arbeits-Verhältnisse in Sachsen aufgestellten Fragepunkte‹.
Auf 36 Seiten wurden ›361 Fragepunkte‹ angesprochen.

Leitgedanke waren das Grundprinzip der Menschenrechte und freie Handlungsmöglichkeiten für alle Staats-
bürger. Zu Beginn heißt es: »Wir halten die Freiheit für das
höchste Gut. Jedes Abweichen von der Freiheit aber für ein
Übel, zu welchem man sich nur durch die höchsten Staats-
rücksichten, das heißt, Rücksichten auf das Gemeinwohl
des Volkes, bestimmen lassen sollte. In einem freien Land
sollte nur das verboten sein, was moralisch verwerflich ist,
was die Rechte eines anderen Mitglieds der Gesellschaft
widernatürlich beeinträchtigt, oder dem Staate Nachteil
oder Gefahr bringt.«

Konkret fordern die Autoren so unterschiedliche Dinge
wie Förderung von Investitionen auf dem Land, um die
Landflucht zu stoppen, kontinuierlichen Abbau der Zünfte
und Innungen, Aufhebung des Verbots der Frauenarbeit
oder die Einrichtung von Unterstützungs- und Kranken-
kassen für Arbeiter ebenso wie Fortbildungsmöglichkeiten
und das Recht, Grundbesitz zu erwerben.

Daß soziales Engagement für ihn mehr als bloße Worte
waren, hatte Gustav Harkort schon zehn Jahre zuvor mit
einer besonders zukunftweisenden Idee bewiesen. Er rich-

tete 1837 bei der Eisenbahn eine Unterstützungskasse ein.
Den Grundstock bildeten die Eintrittsgelder für die Besichtigung der ersten Lokomotive, den ›Komet‹.

Die Nagelprobe für ihre politischen Forderungen stand
Harkort und seinen Gesinnungsfreunden noch bevor. Die
sächsische Staatsverfassung stammte aus dem Jahre 1831.
Im November 1848 trat eine Verfassung nach demokratischem Wahlgesetz in Kraft. Gustav Harkort gehörte als
Abgeordneter des 24. Wahlbezirks dem Landtag an. Er
mußte aber wie seine Mitstreiter erfahren, daß die alte
Regierung und der Adel ihre Sonderrechte nicht kampflos
aufzugeben bereit waren.

Außerdem kehrte Sachsen, auf Betreiben des Außenministers Beust, den Bestrebungen, Deutschland unter Führung
Preußens zu einigen, den Rücken. Als dann die Regierung
im Frühjahr 1850 erklärte, Ziel sei die Wiederherstellung der
alten Verfassung ohne jede Reform, konnten die Liberalen
im Landtag eine Mehrheit gegen diese Absicht organisieren.
Einer offiziellen Mißbilligung konnte die Regierung nur
noch dadurch entgehen, daß der König den Landtag zum
1. Juni 1850 auflöste.

Die Regierung ihrerseits erließ eine Reihe von Verordnungen, in denen die Vereins- und Versammlungsfreiheit
ebenso aufgehoben wurden wie die Pressefreiheit. Es wurden – unter Ausschaltung des neuen Wahlgesetzes – keine
Neuwahlen ausgeschrieben, sondern die alten Stände, deren
Mandat längst erloschen war, für den Juli 1850 wiederberufen. Damit waren die früheren Rechte der reaktionären
Kreise unter Mißachtung bestehender Gesetze zurückerobert.

Diesen Verfassungsbruch beantwortete eine Reihe von
Abgeordneten zusammen mit Harkort dadurch, daß sie den
neuen Landtag boykottierten. Sie beriefen sich auf den
geleisteten Eid, drückten mit dem Fernbleiben ihre entschiedene Verurteilung des verfassungswidrigen Schritts der
Regierung aus.

Daraufhin erklärte der Landtag die elf standhaften Abgeordneten zu ›Renitenten‹ und entzog ihnen das passive Wahlrecht.

›Renitent‹ Harkort blieb zwar wie alle anderen unbeugsam, litt jedoch sehr unter der Ungerechtigkeit. Vor allem konnte er nicht nachvollziehen, daß die gleiche Regierung ihm das Recht auf Wählbarkeit entzog, die seine großen Verdienste für das sächsische Eisenbahnwesen ohne Wenn und Aber anerkannte.

Erst in einem Zeitraum von vielen Jahren konnten diese Wunden heilen. Den Schlußpunkt unter den langen Prozeß setzte dann jener Minister Beust, der durch sein verfassungswidriges Verhalten Harkort gekränkt hatte. Er überreichte dem politischen Unternehmer in einem sehr anerkennenden Schreiben das Komturkreuz des Albrechtsordens sowie den Titel eines ›Geheimen Kommerzienrates‹.

In seiner Unbeirrbarkeit unterstützt wurde Harkort sowohl in seinen Eisenbahnaktivitäten als auch in seinen politischen Reformvorstellungen von seinem im Westfälischen gebliebenen Bruder Friedrich, der nach dem Wahlspruch handelte: »Das Befugtsein gehört denen, welche den Mut dazu haben.«

Friedrich Harkort hatte bereits 1825 mit einem Artikel unter der Überschrift *Eisenbahnen* erste Diskussionsanstöße gegeben, er legte 1832 im Provinzial-Landtag zu Münster den Plan für eine Streckenführung von Köln nach Minden vor und wurde 1833 im Landtag Berichterstatter über den Eisenbahnbau. Während sein Bruder Gustav Harkort den Bau der Strecke Leipzig–Dresden realisieren konnte, gelang es Friedrich lediglich, Teilstücke durchzusetzen. Die beiden Brüder, die immer in engem Briefkontakt standen, unterschieden sich nicht im Grundsatz, sondern in der Gewichtung ihrer Aktivitäten. Während bei Friedrich das politische Engagement stärker war als das unternehmerische, er dort auch erfolgreicher war und zur Krönung 1871 als 78jähriger in den Deutschen Reichstag gewählt wurde, war Gustav stärker unternehmerisch geprägt und führte 30 Jahre lang die ›Leipzig-Dresdner Eisenbahn Compagnie‹.

Als unbeantwortete, spannende Frage bleibt:

Was hätte Gustav Harkort, der am 29. August 1865 in Leipzig starb, wohl ›Renitentes‹ getan, wenn der freiheitlich denkende Unternehmer erlebt hätte, daß ›seine‹ Eisenbahn 1876 in den Besitz des Staates überging. Was wir wissen, und was gewisse Schlußfolgerungen zuläßt, ist dies: 1864 wollte die sächsische Regierung eine zweite Eisenbahnlinie von Leipzig über Döbeln und Meißen nach Dresden bauen. Harkort konnte die Regierenden davon überzeugen, daß seine Kompagnie den Bau besser und billiger schaffen würde. Er erhielt den Auftrag und betrachtete das als einen seiner größten Triumphe.

Mit Blick auf die Fragestellung: ›Behörden-Bahn versus Wirtschaftsunternehmen‹ stehe ich mit meiner Arbeit bei der Deutschen Bahn in einer gewissen Tradition zu Gustav Harkort. Denn mit der Bahnreform vom Dezember 1993 wurde die Deutsche Bahn wieder von den Fesseln des öffentlichen Dienst- und Haushaltsrechts befreit. Mehr noch: Die Bahnreform ist ein Modell für die Modernisierung des Staatsapparates. Sie zeigt beispielhaft, daß es durchaus möglich ist, verkrustete Strukturen aufzubrechen, aus Staatsbürokratien effiziente Dienstleister zu entwickeln und damit den Wirtschaftsstandort Deutschland zu stärken.

Entscheidend aber ist: Das Technologie-System Bahn kann nach dieser grundlegenden Reform eine Renaissance schaffen und die Vision Gustav Harkorts mit Hilfe der modernsten Technologien wieder aufnehmen.

Der Buchhändler Heinrich Brockhaus, mit dem Gustav Harkort befreundet war und der ebenfalls zu den elf ›Renitenten‹ des Jahres 1850 gehörte, notierte anläßlich Harkorts Tod in seinem Tagebuch: »Solch einem hochverdienten ausgezeichneten Ehrenmann erzeigt man gern die letzte Ehre. ... daß Harkort ein Renitenter war und geblieben ist, nach meiner Ansicht der beste Orden, den er besessen.« Wahrhaft ein großer Leipziger.

Gustav Theodor Fechner
»Mein Leben bietet überhaupt keine denkwürdigen Ereignisse dar«

Von Lothar Sprung

> Du fragest nach dem Ob, ich ant-
> worte mit dem Wie. Der Glaube er-
> spart die Frage des Ob, doch wird sie
> getan, so gibt es nur die eine Antwort
> darauf durch das Wie, und solange
> das Wie nicht fest steht, wird das Ob
> nicht aufhören zu gehen und zu kom-
> men.
>
> *Gustav Theodor Fechner*

Es war Ostern 1817, als sich ein 16jähriger Medizin-
student in der Nikolaistraße in Leipzig, im sogenannten
›Essigkrug‹, vier Treppen hoch einmietete. 70 Jahre später
stirbt er als berühmter Professor und Ehrenbürger in dieser
Stadt; ein Mann, auf den sich heute Physiker, Psychologen,
Philosophen, Ästhetiker und Psychoanalytiker als einen
ihrer Stammväter berufen.

»Ich bin geboren am 19. April (1801) in einem kleinen
Dorfe der Niederlausitz. Mein Vater sowie dessen Vater
waren Pastoren. Meine Mutter stammte aus der Niederlausitz, wo ihr Vater ebenfalls Pastor war. Ueberhaupt war
der geistliche Stand in unserer Verwandtschaft reich vertreten und ich selbst war von vorn herein dazu bestimmt, doch
ist es anders gekommen«, schrieb er kurz vor seinem Tode
in einem Lebenslauf. Und am 21. November 1887 fand
Wilhelm Wundt an seinem Sarg die Worte: »Unser Freund
gehörte nicht zu den Gelehrten, deren Stärke die Beschrän-
kung ist. Aber nie hat diese Vielseitigkeit der Gründlichkeit
geschadet«.

Was war das für eine Stadt, in der er 70 Jahre wirkte?

»Als Fechner nach Leipzig kam, war es eine Stadt von kaum 40.000 Einwohnern«, und die Bürger gingen »von Gänsen begleitet, die nebenher das auf der Gasse wuchernde Gras abweideten, durch das äußere Tor (wo jetzt der Bayerische Platz ist) ins Freie, als wären sie auf dem Lande«. Fünf Jahre nach seinem Tod schrieb sein Neffe: »der Körper der Stadt dehnte sich nach allen Weltgegenden, das klassische Maß wich dem Kolossalen. Nun ist Leipzig eine Großstadt, wie andere Großstädte, von ihnen nur noch unterschieden durch einige Reste spießbürgerlicher Ängstlichkeit und Kleinlichkeit in Entschlüssen, Straßen und Kirchen«.

Lehr- und Wanderjahre

Lehrjahre gab es viele, Wanderjahre keine. Kant in Königsberg ähnlich, verließ Fechner Leipzig nie in seiner Karriere. Geistig wanderte er ständig umher. Am Beginn standen Forschungen zur Elektrizitätslehre, so zum ›Galvanismus‹ (1826, 1828, 1831), zum ›Ohmschen Gesetz‹ (1838) und zur *Verknüpfung der Faradayschen Induktionserscheinungen mit den elektrodynamischen Erscheinungen* (1845). Von 1831 bis 1839 gab er ein ›Pharmaceutisches Centralblatt‹ heraus. Viele Beiträge wurden von ihm selbst verfaßt. Fast zur gleichen Zeit arbeitete er an einem achtbändigen *Hauslexikon*, in dem ein Drittel der Artikel von ihm geschrieben wurden. Er übersetzte von 1824-1830 zwei fünfbändige Lehrbücher der Physik und der Chemie aus dem Französischen ins Deutsche. Wundt bemerkte später dazu: »Wo ihm das Original nicht genügte, schritt er zur selbständigen Arbeit bis vom Original nichts mehr übrig blieb. In Wahrheit waren diese Lehrbücher zu einem wesentlichen Teil geistiges Eigentum des deutschen Bearbeiters. Sie gingen unter dem Namen der berühmten französischen Autoren, weil diese einen besseren buchhändlerischen Erfolg versprachen.«

Die Übersetzungstätigkeit, nicht sein Medizinstudium, prägten seinen Denk- und Arbeitsstil. »Allmählich wurde ich, namentlich durch die Uebersetzungen des Biotschen Lehrbuches (1824) in eine exaktere Bahn gelenkt, indem mir dadurch zum Bewußtsein kam, daß nur auf solchem Wege zu klaren, sicheren und fruchtbaren Resultaten in der Naturwissenschaft zu gelangen sei. Hierauf fing ich an, eigene Experimentaluntersuchungen im Gebiete der Electricität und des Galvanismus anzustellen, wozu ich mir den erforderlichen Apparat durch Ersparnisse vom literarischen Erwerb verschaffte«, schrieb er später über diese Zeit.

Nicht nur als Physiker, Übersetzer und Herausgeber begann er sich in diesen Jahren einen Namen zu machen, sondern auch als Satiriker. Er liebte es, neue Ideen spielerisch unter einem Pseudonym zur Diskussion zu stellen oder überlebte Anschauungen in dieser Verkleidung zu kritisieren. Als Dr. Mises publizierte er Arbeiten wie: *Beweis, daß der Mond aus Jodine bestehe* (1821), *Vergleichende Anatomie der Engel* (1825) oder *Schutzmittel für die Cholera* (1832), mit denen er die zeitgenössische Medizin karikierte. Unter seinem Pseudonym schrieb er auch *Das Büchlein vom Leben nach dem Tode* (1836). In ihm begründete er, daß jeder Mensch drei Leben führt. Eines des dauernden Schlafes im Mutterleib, eines des abwechselnden Wachens und Schlafens im eigenen irdischen Leben und eines des dauernden Wachens im jenseitigen Leben. Das Buch sollte seine erfolgreichste Arbeit zu Lebzeiten werden, wenn man sie an der Anzahl der Auflagen mißt.

Am Scheideweg

Die physikalischen Arbeiten brachten ihm den ersten äußeren Erfolg. Im August 1828 beriet die Philosophische Fakultät der Universität Leipzig über seine Berufung zum ›außerordentlichen Professor für Physik‹. Moritz Wilhelm

Drobisch, Mathematiker und Philosoph, schrieb im Auftrag der Fakultät: »Daß Herr Fechner Geist, Gelehrsamkeit und eisernen Fleiß besitzt, wird gewiß niemand in Abrede stellen, der seine Schriften oder ihn selbst näher kennengelernt hat. Befände er sich in sorgenfreieren Verhältnissen, so würde er gewiß auch zahlreiche Vorlesungen gehalten haben«.

Von seiner bisherigen Entwicklung aus gesehen boten sich zu dieser Zeit vier ernstzunehmende Möglichkeiten an.

1. Die Medizin: Sie war sein erlernter Beruf. Zur Medizin verspürte er aber keinerlei Neigung. Sie war ihm nicht exakt genug und befriedigte den Naturwissenschaftler nicht. Darüber hinaus war sie ihm nicht ganzheitlich genug, was dem Philosophen und Pfarrerssohn mißfiel. Zudem befürchtete er, mit einem praktischen Beruf ins »mechanische Weltgetriebe« abzugleiten.

2. Die Naturphilosophie: Sie war die eine seiner beiden großen Lieben. Aber er hatte ein ambivalentes Verhältnis zu ihr. Sie war zwar ganzheitlich, aber nicht exakt genug und konnte daher sein Bedürfnis nach analytischem Denken und empirischem Forschen nicht befriedigen.

3. Die literarische und Übersetzertätigkeit: Sie war zum größten Teil sein ›Muß‹, der Broterwerb. Aus ihr hatte er nicht nur das Beste gemacht, sondern viel aus ihr gelernt, insbesondere Physik und Chemie. Auf Dauer konnte sie ihn aber auch nicht befriedigen. Er wollte mehr, er wollte wissen, was die Welt im Innersten zusammenhält.

4. Die experimentellen Naturwissenschaften: Sie waren die andere seiner großen Lieben. Sie schienen alles zu versprechen, Exaktheit und Ganzheit. Exaktheit durch Experiment und Mathematik, Ganzheit in den philosophischen Grundlagen. Darüber hinaus Exaktheit und Ganzheit in den Hauptwegen der Erkenntnis, d. h. im induktiven und im deduktiven Denken sowie in den Analogiebildungen. Schließlich auch noch Ganzheit in der Anschauung der Harmonie der Natur. Und dennoch scheint er früh geahnt

zu haben, daß sie eine Seite seiner Persönlichkeit nicht ent-
falten würde, die Suche nach Bindung ans Weltganze, nach
Sinngebung des Lebens und nach Sinngebung in der Natur.
In einem Brief an Jean Paul schrieb er am 6. Oktober 1825:
»Mich selbst anlangend, so werden Sie vielleicht nicht
bedenken, daß ich eigentlich das harmloseste Geschöpf auf
Gottes Erdboden bin, der ein tägliches Leben wie ein Uhr-
werk führt und im Inneren manchmal nicht recht weiß, was
er will, es sein denn, daß ich überall im Einzelnen gern ein
Ganzes finden möchte«.

Ambivalente Entscheidung für die Physik

Am Ende dieser sensiblen Phase entschied er sich für die
exakten Naturwissenschaften. Es war eine Entscheidung
für ein Leben in vorgezeichneten akademischen Bahnen.
Dazu mag eine Reise zu Biot und Thenard nach Paris beigetragen haben, deren Lehrbücher er ins Deutsche übertragen hatte. 3 Monate war er in Paris. Nach seiner Rückkehr
wurde er 1828 ›außerordentlicher Professor für Physik‹ an
der Leipziger Universität. Doch der neue Status änderte nur
wenig an seiner finanziellen Lage. Seinen Lebensunterhalt
und seine Forschungen mußte er weiter durch literarische
Nebenarbeiten finanzieren.

1834 starb Heinrich Wilhelm Brandes, der den physikalischen Lehrstuhl innegehabt hatte. Universität und Ministerium zögerten nicht lange. Am 29. Juni 1834 schlug die
Fakultät Fechner ›primo loco‹ zu dessen Nachfolger vor
und wenig später, am 3. Oktober 1834, wurde er mit einem
Jahresgehalt von 600 Talern zum ›ordentlichen Professor
für Physik‹ an die Leipziger Universität berufen. Doch
damit begannen neue Sorgen. Um sich und seiner Frau einen
Lebensunterhalt zu sichern, hatte er sich in den Jahren zuvor zeitlich übermäßig verschuldet. Nun fand er nicht einmal die Zeit, die zur Berufung notwendige ›pro loco disser-

tation‹ vorzulegen und zu verteidigen. Die Fakultät mußte ein Gesuch an das Ministerium einreichen, um die Dissertation zu stunden. Erst am 16. Januar 1836 konnte sie dem Ministerium berichten: »Nachdem Gustav Theodor Fechner, welchen das Hohe Ministerium des Kultus und öffentlichen Unterrichts zu dem Amte eines ordentlichen Professors der Physik berufen, am 16. Dezember 1835 zum Antritt seines Amtes die löbliche Rede gehalten, zu welcher er durch eine am 14. Dezember 1835 öffentlich verteidigte Dissertation de variis intensitatem vis galvanicae metiendi methodis eingeladen, und hiermit verpflichtet worden ist, verfehlen wir nicht, das Hohe Ministerium unter abschriftlicher Beifügung des über den letzten Act aufgenommenen Protocolls davon in Kenntnis zu setzen«.

Mit der Übernahme des physikalischen Lehrstuhls kommt Fechner das Verdienst zu, das noch von seinem Vorgänger Brandes projektierte erste Physikalische Institut an einer deutschen Universität im neuerbauten Leipziger ›Augusteum‹ eingerichtet zu haben.

Krise

Mit der Berufung zum Ordinarius war er eigentlich am Ziel. Er hatte eine feste Stelle, ein regelmäßiges Einkommen und eine Arbeit in einer aufstrebenden Wissenschaft. Trotzdem war ihm unbehaglich. Kuntze bemerkte dazu: »Es ist, als ob er eine stille Ahnung der Folgen gehabt hätte, denn lange sträubte er sich gegen die ihm nahe gelegte Bewerbung um die Professur. Eine tief eingewurzelte Abneigung gegen allen geschäftlichen Zwang kam hinzu; die völlige Ungebundenheit literarischen Arbeitens und Schaffens erschien ihm von jeher als ein Paradies, welches ihm der Engel der akademischen Lehrordnung verbieten würde«.

Schließlich kam es so, wie er befürchtet hatte. Die alten Aufgaben blieben, so z. B. seine Arbeiten am ›Pharmaceuti-

Gustav Theodor Fechner
(1801–1887)

schen Centralblatt‹ sowie die am *Hauslexikon,* und neue
Pflichten kamen hinzu. Fechner fühlte sich mehr und mehr
überfordert. Natürlich war er auch schuld an der Misere.
Nicht einmal von seinen satirischen Arbeiten hatte er sich
trennen können. Auch seine Studien über *Heinrich Heine als
Lyriker* (1835) oder *Friedrich Rückert* (1835) zeugen
davon, daß er die literarische Arbeit extensiv weiter betrieben hatte.

Die Belastungen bestanden aber nicht nur in einer quantitativen, sondern vor allem in einer qualitativen Überfor-
derung. Sein neues Amt und die alten Arbeiten zwangen
ihn, zu heterogene und zu viele ungeliebte Aufgaben zu erfüllen. Mehr und mehr drängte sich die Überzeugung auf,
zum Eigentlichen nicht mehr zu kommen. Der Physiker
stand dem Philosophen, dem Satiriker, dem Essayisten, dem
Psychologen und dem Ästhetiker im Wege. Am Ende brach
er physisch und psychisch zusammen. Es begannen die
Jahre, die er später seine »Krisenjahre« genannt hat. Am
Ende stand ein anderer; ein Fechner, der für viele der
›eigentliche Fechner‹ ist, der Philosoph, der Psychophysiker
und der Experimentelle Ästhetiker.

Doch noch schreiben wir das Jahr 1840, und für Fechner
begann eine lebensbedrohliche Krise: Sehstörungen, Kopf-
schmerzen, Konzentrationsschwäche, Übelkeit und zuneh-
mende Lichtempfindlichkeit der Augen. Die Krankheit
nahm schließlich ein solches Ausmaß an, daß er seine Lehrtätigkeit und jede wissenschaftliche Arbeit einstellen mußte.
Nach einer chirurgischen Fehlbehandlung im Dezember
1841 verschlechterte sich sein Zustand dramatisch. Die
Wunden eiterten und wollten nicht heilen. Er konnte kaum
noch essen und magerte zunehmend ab. Seine Augen ver-
schlechterten sich so sehr, daß er nur noch in einem dunklen
Zimmer leben konnte. Jedes Licht bereitete ihm Schmerzen.
In dieser Zeit verlor die Universität jede Hoffnung auf eine
Genesung ihres Physikordinarius. Im Jahre 1843 besetzte
sie seinen Lehrstuhl neu. Sie entschied sich für Wilhelm

Weber, einen der Vertriebenen der Göttinger Sieben. Wirt-
schaftlich fing die Universität ihren todkranken Kollegen
auf. Auf Beschluß des sächsischen Ministeriums vom
17. Mai 1843 wurde ihm ein jährliches ›Wartegeld‹ von
600 Talern zugewiesen.

Nachdem diese Entscheidungen über sein Schicksal
getroffen worden waren, erholte sich Fechner wider alle
Erwartungen relativ schnell. Über Kuntze ist uns seine
Selbstbeurteilung überliefert: »Die so rasche günstige
Umwandlung, die in meinem physischen und psychischen
Lebensprocess eingetreten war versetzten mich im Laufe des
Octobers und theilweise Novembers (1843) in einen eigen-
thümlichen überspannten Seelenzustand. Ich glaubte, von
Gott selbst zu außerordentlichen Dingen bestimmt und
durch mein Leiden dazu vorbereitet zu sein«. Und er fügt
als Selbstdiagnose hinzu: »Offenbar war mein Zustand
dem einer Seelenstörung nahe.«

Diagnosen einer mysteriösen Krankheit

Über Fechners Krankheit ist viel spekuliert worden. Keine
Diagnose ist eine rein organische. Die am einfachsten ver-
stehbare hat 1892 sein Neffe und Biograph, der Jurist
Johannes Emil Kuntze, gestellt, der jahrzehntelang im
Haushalt seines Onkels gelebt hatte. Er führte das Krank-
heitsgeschehen schlicht auf Überarbeitung zurück. Die
Augenschädigungen, die den Krankheitsprozeß ausgelöst
haben, hatte sich Fechner danach bei seinen Studien über
die ›subjektiven Farben‹ zugezogen. Bei diesen Versuchen
mußte er längere Zeit durch eine berußte Glasscheibe direkt
in die Sonne sehen.

In den letzten 100 Jahren sind aber auch spezifischere
Diagnosen versucht worden.

Der Leipziger Nervenarzt, Fechner-Schüler und Stifter
des Fechner-Denkmals im Leipziger Rosental, Paul Julius

Möbius, diagnostizierte die Krankheit als ›Akinesa algera‹. Dazu schrieb er: »Unter Akinesa algera will ich ein Krankheitsbild verstanden wissen, das sich darstellt als eine wegen Schmerzhaftigkeit der Bewegungen gewollte Bewegungslosigkeit. Das überreizte Gehirn tut nicht nur beim Denken, sondern auch beim Gehen und Sehen weh«. Als ganzes gesehen laufen Möbius' Ausführungen auf die Diagnose einer Hysterie hinaus.

Eine kuriose Interpretation stammt vom ungarischen Psychoanalytiker Imre Hermann. Hermann interpretierte die Krankheit 1920 als Ödipuskomplex. Der frühe Tod des Vaters und die Kinderlosigkeit der Ehe hätten zu massiven Schuldgefühlen geführt. Die Krankheit stellte danach eine ›Pseudo-Schwangerschaft‹ dar, die Fechner erfolgreich überstand und aus der er als ›Neugeborener‹ hervorging.

Die amerikanischen Psychologiehistoriker und Klinischen Psychologen Wolfgang G. Bringmann und William D. G. Balance führten 1976 und 1987 die Krankheit auf den gescheiterten Versuch zurück, seine ungezügelten Phantasien, Ideenfluchten und Emotionen durch präzise wissenschaftliche Arbeiten im Zaum zu halten. Sie kamen zum Ergebnis, daß der unbewältigte Konflikt zwischen rationaler Welterkenntnis und emotionalem Weltverständnis zu einer ›komplexen Psychoneurose‹ geführt hatte. Diese Störung trug depressive, zwanghafte und hypochondrische Züge. Die Heilung führten sie auf einen ›Selbsttherapieprozeß‹ zurück. Zu diesem Zwecke hatte sich Fechner eine ›Beschäftigungstherapie‹ entwickelt. Aus seiner Krankengeschichte geht hervor, daß er zur Selbstheilung fast alle Küchenarbeiten übernahm. Weiterhin fertigte er sich Schreibhilfsmittel an, die ihm das Schreiben auch ohne den Gebrauch der Augen ermöglichten. Bringmanns und Balances Resümee besteht darin, daß sich Fechner in seiner ›Midlife-crisis‹ selbst geheilt hat.

Zweite Geburt

Wie dem auch gewesen sein mag, die lange und schwere Krankheit bedeutete eine Wende in seinem Leben. Sie erlöste ihn endgültig aus der permanenten Überforderungssituation und nahm ihm das ungeliebte Amt des Physikordinarius ab. Als besonders glücklichen Umstand empfand er es, daß ihm die Leipziger Universität auch nach der Genesung sein Wartegeld ohne Amt weiterzahlte. Damit hatte er 1843 erreicht, was er im Grunde immer angestrebt hatte. Er war materiell unabhängig und konnte sich mit dem beschäftigen, was ihn interessierte.

Nach seiner völligen Genesung fühlte er sich der Universität gegenüber moralisch verpflichtet, das Salär »nicht ganz so ohne Gegenleistung für die Universität zu verzehren«. So begann er vom 6. Juni 1846 an, wöchentlich zweistündige öffentliche Vorlesungen zu halten. Als Themen wählte er aber kaum noch physikalische, sondern vor allem philosophische Probleme aus. Bevorzugte Gebiete waren Ethik, Anthropologie, Naturphilosophie, Leib-Seele-Problem oder Sitz der Seele. Später kamen Psychophysik und Ästhetik hinzu.

Seine neue Situation, die er als »Beiläufer der Universität« bezeichnete, dehnte er dahingehend aus, daß er kaum noch an den Sitzungen der Fakultät oder anderer Gremien teilnahm. Sitzungen hatten ihm schon früher mißhagt. So tief war aber jetzt seine Abneigung geworden, daß er auch nach einer offiziellen Einladung noch zögerte, Mitglied der ›Königlich-Sächsischen Akademie der Wissenschaften‹ zu werden.

Panpsychismus als Leitthema und die Entstehung der
Psychophysik und der Experimentellen Ästhetik

Für die Zeit nach der Genesung, die zweite Hälfte seines
langen Lebens, gilt am ehesten, was er in seinem Lebenslauf kurz vor seinem Tode geschrieben hatte, sie wurde
»hauptsächlich am Schreibtisch geführt«. Es waren die
Jahre, in denen er die Bücher und Artikel schrieb, die ihn
als Psychophysiker, als Experimentellen Ästhetiker und als
Philosophen bekannt gemacht haben.

Sein Leitthema war der ›Panpsychismus‹, die Allbeseelt-
heit. Ein Thema, das er in immer neuen Variationen behandelte. Heute wissen wir, es waren die ›Nebenprodukte‹
seiner Bearbeitungen, die ihn berühmt gemacht haben. Aus
der psychophysischen Bearbeitung des ›Leib-Seele-Pro-
blems‹ entstand die ›Psychophysik‹ und aus der des ›Inhalt-
Form-Problems‹ die ›Experimentelle Ästhetik‹. Heute
könnte man – mit Fechnerscher Ironie – die Entstehung dieser ›Nebenprodukte‹ des Panpsychismus in Erich Kästners
Worte kleiden: »Irrtümer haben ihren Wert; jedoch nur
hie und da. Nicht jeder der nach Indien fährt, entdeckt
Amerika«.

Woran lassen sich diese Entwicklungen zur Psychophysik
und zur Experimentellen Ästhetik ablesen?

Im Jahre 1848 erschien das Buch *Nanna oder über das
Seelenleben der Pflanzen,* in dem er die Beseelung der Pflanzen beschrieb. Natürlich geriet er damit in einen Streit mit
den Botanikern seiner Zeit. Entkleiden wir das Werk aber
aller Metaphorik und sehen wir es mit den Augen eines heutigen Naturwissenschaftlers, dann finden wir in ihm Vorstellungen entwickelt, die Jahrzehnte später in der Botanik
als ›Tropismenlehre‹, d. h. als Bewegungslehre der Pflanzen
formuliert werden sollten.

Im Jahre 1851 erschien das Buch *Zend-Avesta oder über
die Dinge des Himmels und des Jenseits,* in dem er die
Beseelung der Gestirne begründete. Wieder stieß er auf mas-

sive Kritik, diesmal von den astronomischen Fachleuten. Aber das Werk enthält bei aller Metaphorik auch die ›Kurze Darlegung eines neuen Prinzipes mathematischer Psychologie‹, die Keimzelle der Psychophysik.

Im Jahre 1860 erschienen die *Elemente der Psychophysik,* mit denen er »eine exakte Lehre von den Beziehungen zwischen Leib und Seele« begründete, um »Elementargesetze für die Beziehung zwischen Körperwelt und Geisteswelt zu gewinnen«. Mit diesem Werk liegt eines der grundlegendsten Werke der Neueren Psychologie, d. h. der jungen Experimentalpsychologie im 19. Jahrhundert vor. Dabei wollte Fechner die Psychophysik in zweifacher Form verstanden wissen. Zum einem sollte sie ›Äußere Psychophysik‹ sein, die sich mit den gesetzmäßigen Beziehungen zwischen physikalischen Reizen und Empfindungen beschäftigt. Zum anderen sollte sie ›Innere Psychophysik‹ sein, die sich mit den gesetzmäßigen Beziehungen zwischen Empfindungen und innerorganismischen physischen Prozessen befaßt. Den Ausbau der Äußeren Psychophysik konnte er in seiner Zeit noch mitgestalten. Die methodischen Möglichkeiten zum Ausbau der inneren Psychophysik wurden erst nach seinem Tode geschaffen.

Besonders Fechners ›Äußere Psychophysik‹ hatte in den nachfolgenden Jahrzehnten fruchtbare Auswirkungen. Sie entwickelte sich zum einen gegenständlich und methodisch als Wahrnehmungspsychologie. Innerhalb der Methodenlehre der Experimentalpsychologie bildete sie zum anderen einen der Ausgangspunkte für Entwicklung der Skalierungsmethodik, die sich mit der Meßbarmachung psychischer Erscheinungen beschäftigt. Schließlich war sie eine der Keimzellen der Mathematischen Psychologie, die die Grundlagen der formalen Modellierung und Simulierung psychischer Strukturen und Prozesse beinhaltet.

Wie kam er auf die Idee der Psychophysik? Die Motive sind rekonstruierbar, der kreative Prozeß ist schwieriger nachvollziehbar. Offenbar war es ähnlich wie es René Des-

cartes von sich gesagt hat, als er am 10. November 1619 als
Soldat im Winterlager der kaiserlichen Truppen des
30jährigen Krieges in Neuburg an der Donau sein ›cogito
ergo sum‹ formulierte. Offenbar war es ähnlich wie es
Albert Schweitzer beschrieben hat, als er 1915 auf einer
Bootsfahrt auf dem Ogowe-Fluß in sein Urwaldhospital
Lambarene fuhr und dabei die ethische Formel von der
›Ehrfurcht vor dem Leben‹ fand. Es war ein spontaner Einfall nach langem Nachdenken über ein fundamentales Pro-
blem. Bei Fechner war es der 22. Oktober 1850 morgens im
Bett. An diesem Tag kam ihm die Idee, das von Ernst Hein-
rich Weber entwickelte ›Maß der Empfindlichkeit‹ (Weber-
sches Gesetz) zu einem ›Maß der Empfindungen‹ weiter zu
entwickeln (Fechnersches Gesetz). Lange vor Weber und
Fechner war das ›Gesetz der Schwelle‹ bekannt, nach der ein
Reiz erst eine bestimmte Größe besitzen muß, um als Empfindung wirksam werden zu können. Weber hatte 1846 die
Konstanz der relativen Unterschiedsschwelle nachgewiesen
(Weber-sches Gesetz). Dabei handelt es sich bei der relativen
Unterschiedsschwelle um das Verhältnis des Reizzuwach-
ses, d. h. der absoluten Unterschiedsschwelle zur Größe des
Ausgangsreizes. Fechner kam auf die Idee, psychische Emp-
findungen wie physikalische Reize zu behandeln. Danach
bauen sie sich in ihrer Intensität ebenso additiv auf wie die
Stärken der Reize. Weiterhin nahm er an, daß Empfindungsintensitäten bei einer Grenzwertbetrachtung wie Reizstärken gegen Null gehen. Damit war die Vorstellung unter-
schwelliger oder unbemerkter Empfindungen eingeführt.
Durch eine entsprechende mathematische Behandlung der
Fundamentalformel des Weberschen Gesetzes kam er zu
dem Ergebnis, daß die Empfindungsintensitäten den Loga-
rithmen der Reizstärken proportional sind. Anders gesagt,
wenn sich die Reizstärken in einer geometrischen Reihe verändern, verändern sich die Empfindungsintensitäten in
einer arithmetischen Reihe (Fechnersches Gesetz).
  Fechner ging es aber bald um mehr als nur um ›Maße des

Psychischen‹. Seit den frühen 70er Jahren ging es ihm auch darum, ›Maße des Schönen‹ zu entwickeln. Das Leib-Seele-Problem wurde zum Inhalt-Form-Problem. 1876 erschien die *Vorschule der Aesthetik*. In ihr begründete er seine ›Experimentelle Aesthetik‹, eine »Aesthetik von unten«, wie er sie auch nannte. Methodologisch war es der Schritt von der Psychophysik elementarer Wahrnehmungsprozesse zur Psychophysik höherer psychischer Prozesse, d. h. zur experimentellen Untersuchung kognitiver Prozesse, insbesondere der des Urteilsverhaltens. Zur Entwicklung und empirischen Überprüfung seiner experimentellen ästhetischen Vorstellungen führte er u. a. Experimente zum ›Goldenen Schnitt‹ durch (1865). Der Goldene Schnitt stellt die stetige Teilung einer Strecke dar, dessen Teilungsverhältnis als angenehm empfunden wird. Als Faustregel wird häufig das Teilungsverhältnis 8:5 angegeben. Fechner verwandte als Testmaterial Attrappen der Vorderseite des Leipziger Rathauses, um empirisch die ästhetisch schönste Lokalisation des Turmes in der Längsfront zu bestimmen. In gleicher Weise experimentierte er mit Proportionen rechteckiger Bilderrahmen, um schön geschnittene Seitenverhältnisse zu ermitteln. Nur mittelbar dem Goldenen Schnitt gewidmet waren seine Versuche, mit Hilfe von Ausstellungsbesuchern die Echtheit der Holbeinschen Madonnen empirisch zu überprüfen (1871, 1872). Eine späte Studie befaßte sich mit der Ästhetik des Leipziger Mendebrunnens (1887). Aber nicht nur der Wissenschaftler, sondern auch der Satiriker meldete sich zu Wort. In einer empirischen Untersuchung ging er der Frage nach: „Warum wird die Wurst schief durchschnitten?" (1875). Um Daten für die Beantwortung zu gewinnen, kaufte er Wurstscheiben in verschiedenen Leipziger Metzgerläden und maß ihre Schnittwinkel nach. Unter seinem Pseudonym Dr. Mises veröffentlichte er die Ergebnisse.

Die *Experimentelle Ästhetik* hatte ebenfalls viele Nachwirkungen. Wir finden sie innerhalb der heutigen Kunstwissenschaften. Es gibt eine internationale Gesellschaft für Experimentelle Ästhetik, auf deren Tagungen z. B. experimentelle interkulturelle Untersuchungen von Kunstwerken verschiedener Kulturen und Stile vorgestellt werden, um Invarianzkriterien des Schönen zu ermitteln. Sie ist ein Teilgebiet der heutigen Psychophysik. Sie ist in die technische Designforschung eingeflossen. Schließlich hat sie innerhalb der Psychologischen Methodenlehre die Methodologie und Methodik zur Untersuchung höherer kognitiver Prozesse befördert. Als solche hat sie die experimentelle Denk-, Lern- und Gedächtnispsychologie beeinflußt. Ihr Einfluß reicht von der experimentellen Gedächtnispsychologie eines Hermann Ebbinghaus aus den 80er Jahren des 19. Jahrhunderts – der Fechner aus Dankbarkeit sogar ein Gedicht widmete – bis hin zur Kognitiven Psychologie der Gegenwart, d. h. der Psychologie, sie sich mit der experimentellen Aufklärung, Modellierung und Simulation von Erkenntnisprozessen befaßt.

Mit seinen panpsychistischen Vorstellungen erhob Fechner aber auch einen philosophischen Anspruch. 1879 erschien *Die Tagansicht gegenüber der Nachtansicht*, in der er sein philosophisches Credo formulierte. Die wahre Welt ist danach die hinter den Erscheinungen liegende ›Tagansicht‹, die beseelte Welt. Unmittelbar zugänglich ist uns nur die ›Nachtansicht‹, die stoffliche Welt. Ziel philosophischer Erkenntnis muß es sein, zur Tagansicht vorzudringen. Im Verhältnis beider Ansichtsformen verkörpern sich Wissen und Glauben, Wissenswahrheiten und Glaubenswahrheiten. Insbesondere in seinen philosophischen Auffassungen sind Ansichten formuliert, durch die er zu einem der geistigen Väter der Psychoanalyse wurde. Freud berief sich mehrfach auf ihn und nannte ihn den »großen Fechner«. Von ihm übernahm er das ›Lust/Unlust-Prinzip‹ und wahrscheinlich auch die Vorstellung der ›seelischen Energie‹.

Versucht man abschließend, das Werk und Wirken Fechners als ganzes zu überblicken, dann lassen sich vor allem zwei charakteristische Züge seines Denkens hervorheben. In den Worten Wilhelm Wundts ausgedrückt, wollen wir sie ans Ende dieses Abschnittes setzen. Typisch war, daß er »zunächst jeder Ansicht, mochte sie neu oder alt sein, das Recht des Zweifels entgegenhielt. Darum liebte er es, manche seiner Ideen in eine scherzhafte Form zu kleiden, wobei es dem Leser überlassen blieb, ernsthaft zu deuten, was ihm zusagte«. »Das Streben, überall Außen- und Innenwelt zueinander in Beziehung zu setzen, mußte ihn fast mit innerer Nothwendigkeit *zwei* Gebieten zuführen, der Betrachtung der künstlerischen Phantasiethätigkeit und der Erforschung der Wechselbeziehungen zwischen den äußeren Einwirkungen der Sinne und dem menschlichen Bewußtsein«.

Fechner in der Psychologie seiner Zeit

Was war das für eine Zeit, in der Fechner wissenschaftlich wirkte? Der Aufstieg der Experimentalphysik und Fechners Beitrag in ihr wurde bereits berührt, nicht aber der der Psychologie. In der Geschichte der Psychologie war es die Zeit, in der sich die ›Neuere Psychologie‹ als empirische Einzelwissenschaft herausbildete und eine entscheidende Phase ihrer Disziplingenese durchlief. Zu dieser Disziplingenese hat Fechner Maßgebliches beigetragen. Daher sei kurz der Frage nachgegangen, wie sein Lebenswerk in die Psychologie seiner Zeit und in die der nachfolgenden Zeit einzuordnen ist.

Die Geschichte der Psychologie im 19. und in der ersten Hälfte des 20. Jahrhunderts kann vor allem durch fünf Ergebnisse charakterisiert werden: 1. Durch die gegenständliche und methodische Herausbildung der Neueren Psychologie. 2. Durch die institutionelle Verankerung dieser Psychologie im Universitäts- und Hochschulwesen. 3. Durch die Herausbildung der großen Schulen und deren allmähliche Integration in die rezente Psychologie. 4. Durch die Erschließung und Entwicklung von Praxisfeldern außerhalb der Universitäten und Hochschulen. 5. Durch die Herausbildung und Qualifizierung des Berufsbildes eines graduierten Psychologen, so z. B. dem des Diplompsychologen.

Im deutschsprachigen Raum wurde diese Entwicklung zunächst vor allem durch die Experimentalpsychologie bestimmt. Ihr Wissenschaftsverständnis wurde ihr über die Experimentalphysik und über die Experimentalphysiologie vermittelt. Insofern nimmt es nicht Wunder, daß die Mehrzahl der ›Gründungsväter‹ der Neueren Psychologie im 19. Jahrhundert von Hause aus Physiker oder Mediziner, vor allem Physiologen waren.

In dieser Zeit bildeten sich Entwicklungslinien heraus, deren Weiterentwicklungen noch heute das Bild der Experimentalpsychologie mitbestimmen. Wir wollen sie kurz durch Stichwörter und die Namen einiger Vertreter kennzeichnen.

In der ersten Hälfte des 19. Jahrhunderts wurden Versuche unternommen, die Psychologie nach dem methodischen Vorbild der Physik als ›Physik der inneren Erfahrung‹ zu begründen. Im Gegensatz zur Physik, die die Objekte in Raum und Zeit zu untersuchen habe, sollten danach die Erlebnisse, d. h. die subjektiven Erscheinungen den Gegenstand der Psychologie ausmachen. In den Forschungsmethoden sollte es keine Unterschiede geben. Sie bestanden aus Experiment und Mathematik. An Vertretern dieser Entwicklungslinie sind Johann Friedrich Herbart oder Friedrich Eduard Beneke zu nennen. Die Physik der inneren Erfahrung stellt eine der Quellen der heutigen Mathematischen Psychologie dar.

Von der Mitte des 19. Jahrhunderts an sind Bemühungen erkennbar, die Psychologie als ›Objektive Psychologie‹ auf verhaltensanalytischer Basis zu begründen. Das äußere Verhalten bildete den Gegenstand, während das Methodenrepertoire durch die kontrollierenden Beobachtungs- und

Veränderungsmethoden gebildet wurden. Friedrich Albert Lange, Iwan M. Setschenow und Iwan P. Pawlow können als Vertreter genannt werden. Vorstellungen dieser Art finden wir heute z. B. innerhalb des Neobehaviorismus, der Theorie der höheren Nerventätigkeit, der Verhaltenstherapie, der Tätigkeitstheorie oder der verhaltensregulatorischen Konzepte der Psychologie.

Ebenfalls von der Mitte des 19. Jahrhunderts an sind Ansätze beobachtbar, die Psychologie als ›Physiologie der Seele‹ oder als ›Psychophysiologie‹ zu etablieren. Johannes Müller, Rudolf Hermann Lotze oder Hermann von Helmholtz waren hier besonders wirksam. Diese Entwicklungslinie ist in viele heutige biopsychologische und neuropsychologische Forschungs- und Anwendungsgebiete eingegangen.

Seit der Mitte des 19. Jahrhunderts trat eine Entwicklungslinie deutlich in den Vordergrund, die sich bemühte, das methodologische Konzept der Physik nach Gegenstand und Methode auf die Psychologie zu übertragen, die ›Psychophysik‹. Ernst Heinrich Weber, Gustav Theodor Fechner und Franz Cornelius Donders seien als Vertreter genannt.

In der Mitte des 19. Jahrhunderts begann eine wissenschaftspolitisch folgenreiche Entwicklung, die Psychologie als duale Konzeption nach Gegenstand und Methode zu institutionalisieren. Wilhelm Maximilian Wundts Ansatz, sowohl eine experimentelle ›Physiologische Psychologie‹ als auch eine nichtexperimentelle ›Völkerpsychologie‹ zu etablieren, hat diese doppelgleisige Psychologieentwicklung über Jahrzehnte maßgeblich bestimmt. Auch Rudolph Hermann Lotze ist zu erwähnen, da er seiner experimentellen ›Physiologie der Seele‹ eine nichtexperimentelle ›Philosophie-Psychologie‹ an die Seite gestellt hatte.

Das letzte Drittel des 19. Jahrhunderts war die Zeit, in der die Psychologie als ›Psychophysik höherer kognitiver Prozesse‹ entstand. Fechner und Ebbinghaus wurden bereits erwähnt. Auf Ebbinghaus in Berlin folgte um die Jahrhun-

dertwende Georg Elias Müller und seine Schüler Adolph
Jost und Alfons Pilzecker in Göttingen. Auch Carl Stumpf
in Berlin mit seinen tonpsychologischen Untersuchungen
gehört in diesen Zusammenhang, der eine ›Psychophysik
des Urteilsverhaltens‹ und ›Allgemeine Psychologie‹ im
Auge hatte.

Über einen Zeitraum, der bis ins 18. Jahrhundert hinein
reicht, verteilt, läßt sich der Versuch verfolgen, eine ›Allgemeine Entwicklungspsychologie‹ als ›Empirische Seelen-
lehre des Kindes‹ und als ›Vergleichende Psychologie‹ (Tier-
psychologie, Tier–Mensch-Vergleich) zu begründen. Unter
den Vorläufern können u. a. Karl Philipp Moritz, Herbert
Spencer und Charles Darwin genannt werden. Unmittelbar
aber muß auf Dietrich Tiedemann, Adolf Kussmaul und vor
allem auf William Preyer sowie auf William Stern und Clara
Stern verwiesen werden.

Resümee und Ausblick

Unsere Skizze konnte viele, keinesfalls alle Seiten seiner
Persönlichkeit berühren. Es bleibt die Frage: Was fehlt am
›ganzen Fechner‹ oder, vorsichtiger gefragt, was war Fechner noch? Aber auch die Frage nach den Gegenwartsbezü-
gen ließe sich erweitern. Bei eindrucksvollen Figuren der
Geschichte drängt sich ohnehin schnell die Frage auf: Ist
eine solche Persönlichkeit und ihre Entwicklung heute noch
möglich?

Was war Fechner noch? Er war ein Wahrnehmungspsy-
chologe, der die polyphänen Farben und das nach ihm
benannte Paradox entdeckte. Er war ein Statistiker, der die
Kollektivmaßlehre als eine Methodik der quantitativen
Datenanalyse entwickelte. Er war ein Dichter und Märchen-
erzähler, der Verse und Märchen schrieb. Er war kurioser-
weise auch ein Bürgerwehrmann, der in der Revolution von
1848 in den bürgerlichen Ordnungskompagnien, mit einem

langen Spieß bewaffnet, Dienst gegen die sächsischen Revolutionäre tat. Vor allem aber war er auch ein liebenswerter Sonderling und liebevoller Ehemann, der am Ende seines langen Lebens in seinem Lebenslauf schrieb: »Mein Leben bietet überhaupt keine denkwürdigen Ereignisse dar und ist hauptsächlich am Schreibtisch geführt. Ich verheiratete mich am 18. April 1833 mit Clara Marie geb. Volkmann, Schwester des Physiologen A. W. Volkmann in Halle, Verfasserin des beliebten Märchenbuches *Die Schwarze Tante*. Unsere sehr glückliche Ehe ist kinderlos geblieben«.

Ist eine solche Persönlichkeit und eine solche Entwicklung heute noch möglich? Fechner lebte im 19. Jahrhundert. Wo sind die Fechners heute? Ich glaube, die Fechners hatten und haben es zu allen Zeiten schwer. Neben der Trivialvoraussetzung jeder Leistung – der ›Begabung‹ – brauchen sie zu allen Zeiten Frustrationstoleranz und Glück, wobei man ›Glück‹ auch mit ›günstige zeitgeschichtliche Umstände‹ übersetzen kann. Menschen mit Anlagen zu Persönlichkeitseigenschaften dieser Art werden immer wieder geboren, und Glück ist ein Kind des Fleißes und des Zufalls.

Der historische Fechner hat es geliebt, ernste Fragen und Antworten in ironische Formen zu kleiden. Und so möchte ich in der gleichen Form schließen. Der historische Fechner hätte es heute an einer deutschen Universität schwer, einen Studienplatz zu erhalten. Endlich immatrikuliert, hätte er es schwer, solange an der Universität bleiben zu können, wie er es für notwendig hält. In seinem Studium würde er mehr versuchen, als nur seine Scheine fürs Examen zu machen und das verstieße gegen die Regelstudienzeit. Fechner war aber Optimist und hätte seinem sächsischen Landsmann Erich Kästner zugestimmt: »Vergiß in keinem Falle, auch dann nicht, wenn vieles mißlingt; Die Gescheiten werden nicht alle. (So unwahrscheinlich das auch klingt.)« Und was Theodor Fontane über Adolph Menzel gesagt hat, hätte er auch über Fechner sagen können: »Gaben, wer hätte die nicht? Talente – Spielzeug für Kinder. Erst der Ernst macht den Mann, erst der Fleiß das Genie.«

Anton Philipp Reclam
Verleger im »Junior-Status«

Von Dietrich Bode

Sein Jugendbildnis hat etwas Ähnlichkeit fast mit dem Porträt Georg Büchners im Polenrock von 1831, und vielleicht ist es mehr als Mode und Malstil, eher so etwas wie Zeitgeist, was die beiden Bilder in unserem Blick zusammenrückt. Denn als Anton Philipp Reclam 1828 in Leipzig den ›Verlag des Literarischen Museums‹ gründete, den er neun Jahre später in ›Philipp Reclam jun.‹ umbenannte, war der jugendlich revolutionäre, politisch wache, antimonarchisch-liberaldemokratische Impuls für ihn wesentlich. »Wir wollen den rebellischen Ursprung dieses Hauses und Unternehmens nicht vertuschen, wir wollen ihn betonen und ehrend hervorheben«, sagte Thomas Mann, als er 100 Jahre später den Verlag in einer Festrede feierte. Inzwischen sind nach einem zweiten Weltkrieg zwei weitere Generationen wirksam geworden, und die Gründung und das Werk Anton Philipp Reclams erwiesen sich weiter voller Vitalität.

Antoine Philippe Reclam – die Namensformen verweisen auf die hugenottische Herkunft – wurde am 28. Juni 1807 in Leipzig geboren, der Großvater war Juwelier Friedrichs des Großen in Berlin und fertigte kostbare Tabaksdosen für die Majestäten, der Vater hatte nach einer Lehre bei der Schulbuchhandlung Vieweg & Sohn in Braunschweig und mit einer Heirat der Tochter des Buchhändlers Campe sich in Leipzig etabliert. Von ihm, Charles Henri Reclam, ließ sich der 21jährige Anton Philipp Reclam 3.000 Taler vorstrecken, um sich selbständig zu machen. Und um sich von ihm, dem buchhändlerischen und verlegerischen Vater, zu unterscheiden, nannte er seine Firma ›Philipp Reclam *jun.*‹ In diesem Junior-Status lebt noch das heutige Verlagshaus.

Anton Philipp Reclam
(1807–1896)

Mit jenem Vorschuß des Vaters erwarb Philipp Reclam
zunächst im Zentrum Leipzigs, in der Grimmaischen Straße
neben Auerbachs Hof, gegenüber der Börse, das bestehende
›Literarische Museum‹, eine Leihbibliothek und ein Journalistikum, in dem Zeitungen des In- und Auslandes, Tages-
und Wochenblätter, literarische Zeitschriften und Flugblät-
ter auslagen. Er belebte dieses vom Buchhändler Beygang
gegründete Unternehmen aufs neue, so daß ein Reiseführer
durch ›Sachsens Hauptstädte‹ 1834 schreiben konnte: »Die
verschiedenartigsten politischen Ansichten und Meinungen
geben sich da kund und man wird inne, daß das Juste Milieu
auf dem Museum ziemlich festen Fuß gefaßt hat.« Und in
diesem Juste Milieu begann Reclam auch seine verlegerische
Arbeit.

Es ist die Zeit der Restauration, der Karlsbader Beschlüsse und der Zensurherrschaft – und man darf sich vorstellen, daß sich in Reclams Lesehalle die liberalen Geister
Leipzigs und die Zensurflüchtlinge aus dem Österreich Met-
ternichs trafen. An einem Aufstand Leipziger Bürger gegen
den Polizeipräsidenten von Ende war Anton Philipp Reclam
mit der Konsequenz, in einen Hochverratsprozeß verwickelt zu werden, ebenso beteiligt wie an der Eingabe der
Leipziger Drucker und Buchhändler an den König gegen die
Zensur.

Aus solchen Aktivitäten des jungen Reclam sind weitere
Episoden überliefert. Der polnische Freiheitskampf gegen
den Zaren – Büchner trug einen sogenannten Polenrock –
bewegte 1831 die Literaten in ganz Europa, und Leipzig
war ein Zentrum der Polenhilfe. Unter gleichgesinnten
Buchhändlern engagierte sich Anton Philipp Reclam beson-
ders. Er druckte Ferdinand Stolles *Allgemeines Gebet für
Polen* und Julius Mosens Polenlied *Die letzten Zehn vom
Vierten Regiment* unter der Deckadresse eines Fürther
Freundes, verbreitete das Flugblatt und stellte den Erlös der
Emigranten- und Flüchtlingshilfe in Leipzig zur Verfügung:
»Wir bestimmen keinen Preis, auch der Pfennig ist uns will-

kommen, und wir werden redlich über die Einnahmen Rechnung ablegen«.

Ein Jahr später hatte Reclam Kontakt zu dem jungdeutschen Autor Heinrich Laube und verlegte – wieder unter der Fürther Deckadresse – dessen vom Oberzensurkollegium in Preußen verbotenes Polen-Buch mit dem Haupttitel *Das neue Jahrhundert*. In Laubes Erinnerungen kann man darüber nachlesen: »Wir verglichen unsere Erfahrungen, wir debattierten [...]. Junge Buchhändler hörten zu, und einer von ihnen, Philipp Reclam, interessierte sich für mich Fremdling und für meine kürzere Form dieses Themas, er bot mir den Verlag an und brachte somit mein erstes Buch. ›Das neue Jahrhundert‹ ward es genannt«. Auch findet sich in den Memoiren des späteren Burgtheaterdirektors Laube ein weiteres Erlebnis: »Ich war einige Male in das Theater gegangen und hatte es mittelmäßig gefunden. Für meine hochfliegenden Pläne war das Theater damals ein untergeordnet Ding, ein Ding zum Spaße. Und so zum Spaße, zu humoristischer Übung schrieb ich eine Kritik. Reclam fand mich bei der Beschäftigung und nahm das Blatt mit beim Fortgehen. Tags darauf stand sie abgedruckt im ›Tageblatte‹ und machte Spektakel ...« So also begann ein junger Verleger.

1846 wurde Reclam seiner antihabsburgischen Schriften wegen als »äußerst schlecht berüchtigter« Leipziger Verleger für Österreich verboten, und als er im gleichen Jahr Thomas Paynes Schrift von 1794/95 *Das Zeitalter der Vernunft* publizierte, wurde er in Leipzig wegen »öffentlicher Herabsetzung der Religion« zu vier Monaten Gefängnis verurteilt. Zeitgewinn durch Einspruch führte in eine andere Epoche hinüber: die nach der bürgerlichen Revolution von 1848.

Auf die politisch polemische Verlagsaktivität folgte eine entspannte Phase. Schon 1844 hatte Reclam eine ›Wohlfeile Unterhaltungsbibliothek für die gebildete Lesewelt‹ begonnen. Jetzt kamen aus der Druckerei, die er 1839 gekauft und bald erweitert hatte, Klavierauszüge der großen Opern, Liedersammlungen, Bibelausgaben, geschichtliche Werke und lateinische und griechische Wörterbücher. Es war eine gemischte Produktion, mit der aber ständig auch technische Innovationen einhergingen und Versuche mit hochauflagigen und niedrigpreisigen Ausgaben. So erschien 1858 eine Ausgabe von Shakespeares Dramen, die zuvor schon von zwei anderen Verlagen angeboten worden war, bei Reclam als ›Neue Stereot. Auflage‹ – das heißt unter Nutzung von Gipsmatern und Plattendruck – zu einem nie dagewesenen Niedrigpreis von 2 1/2 Talern; wir würden heute von einer Sonderausgabe oder von speziellem Modernen Antiquariat sprechen. Und mit einer nach heutigem Verlagsjargon ›Drittverwertung‹ machte Reclam 1865 dann aus den *Sämtlichen dramatischen Werken* fünfundzwanzig Shakespeare-Einzelbändchen, die er für zwei Groschen verkaufte. Damit näherte er sich mit Folgerichtigkeit dem Werk, das ihn weltberühmt gemacht hat: der Universal-Bibliothek.

Anton Philipp Reclams Sternstunde schlug, als er schon 60 Jahre alt geworden war. Am 9. November 1867 kam es – gegen Raubdruckpraktiken, Privilegien und Regionalstaatenregelung – zu der bundeseinheitlichen Neuordnung des Urheberrechts, wonach eine 30jährige Schutzfrist nach dem Tod eines Autors festgeschrieben wurde. Danach wurden dessen Werke ›gemeinfrei‹, konnten also honorarlos nachgedruckt werden. Die ›Klassiker‹ von Lessing bis E. T. A. Hoffmann waren nun auf legale Weise günstig zu verbreiten, und der erfahrene Leipziger Verleger nahm die Situation wahr, die der Stuttgarter Kollege Cotta gleichsam verschlief. Die Universal-Bibliothek, die Reclam kreierte, verbreitete Literatur zum Zwei-Groschen-Preis, in den ersten Serien Werke von Goethe, Lessing, Körner, Shakespeare, Müller, Hauff, Kleist, Börne, Schiller, Knigge, Jean Paul, Iffland, Kotzebue, Hebel und weiter in die Weltliteratur hinein. »Sämmtliche classische Werke unserer Literatur« wurden damals ebenso versprochen wie »die besten

Werke fremder und todter Literaturen [...] in guten deutschen Übersetzungen«. Und diese zitierte erste Annonce für die Universal-Bibliothek enthält auch einen Satz, der noch heute von den Mitarbeitern des Verlags nicht selten augenzwinkernd ausgesprochen wird: »An der Fortsetzung dieser Sammlung wird unausgesetzt gearbeitet.«

Welche Konstellation aber war 1867 gegeben, daß diese verlegerische Idee zu dem langanhaltenden Erfolg werden konnte, zu dem sie geworden ist? Zum einen hatte die Literatur – wie die Philosophie, wie die Künste – nach wie vor in goethezeitlicher Tradition einen hohen Wert als Medium zur Ausformung menschlicher Individualität, zur Bildung von Charakter, Geist, Geschmack und bürgerlicher Existenz. Es ist überliefert, wie Anton Philipp Reclam sich selbst, quasi autodidaktisch, Wissen in einem Maße aneignete, daß er im Freundeskreis ›Professor‹ genannt wurde. Und sicher gehörte auch sein Freimaurertum in dieses Umfeld eines Bildungsidealismus, einer säkularisierten Religion vom Guten, Schönen, Wahren. Zum anderen aber kam des Verlagsgründers vormärzlich-demokratischer Impuls hinzu, eben diese Bildungsgüter weit und weiter und wohlfeil zu verbreiten, auf daß viele daran teilhaben konnten. Und es fiel die Periode eines ersten Wachstums der Universal-Bibliothek in eine relativ prosperierende Zeit mit dem wirtschaftlichen Aufschwung des Bürgertums und dem Höherstreben der Sozialdemokratie, die sich ja eben auch aufs ›Klassische‹ berief. Als ›Kulturnation‹ entwickelten die Deutschen über Stand, Klasse und Beruf hinaus ihr Selbstverständnis, und dabei spielte die Universal-Bibliothek, die bis zu Anton Philipp Reclams Tod am 5. Januar 1896 auf 3.470 und dann bis 1909 auf 5.000 ›Nummern‹ wuchs, eine ganz große Rolle.

Es war ein großer literarischer Kosmos, der da geschaffen und zugänglich gemacht wurde: von den antiken Autoren bis zu den modernen Klassikern, Literatur aus vielen Epochen und vielen Räumen, Zeugnisse für Leben und

Kunst unterschiedlichster Art. Die geleistete Arbeit des Übersetzens ist hoch anzurechnen. Und diesen Bildungskosmos gab es eben über ein halbes Jahrhundert hin für zwanzig Pfennige pro Nummer, pro Sternchen. Das Theater spielte eine große Rolle, in Operntexten, aber auch in mancher Trivialität. Naturwissenschaftliches kam später hinzu, relativ früh Gesetzesausgaben, praktische Bücher, Autorenlexika. Zu Tausender-Nummern wurden Gegenwartsautoren gebeten: 1000: Paul Heyse, 2000: Wilhelm Raabe, 3000: Wilhelm Jensen. Buchhandelsgeschichtlich wichtig war, daß diese Universal-Bibliothek als ›offene Verlegerserie‹ konzipiert war: mit »›einheitlichen, abgeschlossenen Bändchen verschiedener Verfasser‹, die durch gleiche Obertitel, gleiche Ausstattung und gleichen Preis, ›verbunden, aber doch einzeln käuflich‹« waren (Jäger, Bry). Es gab nicht die Verpflichtung zur Subskription.

Reclam hatte sich auf seinen 9. November 1867 gut vorbereitet: *Faust I* und *Faust II* waren schon im Juli, Lessings *Nathan* – die Nr. 3 der Universal-Bibliothek – bereits im Mai gedruckt worden. 35 Titel lagen zur Auslieferung bereit, als am 9. November die bisherigen Rechte erloschen. Der Sechzigjährige sah hinfort die Universal-Bibliothek – inhaltlich wie buchhändlerisch – als seine Sache an, obwohl der einzige Sohn Hans Heinrich – gut ausgebildet und seit 1863 in der Firma, seit 1868 als Teilhaber tätig – am Ausbau und an der Verbreitung der Universal-Bibliothek gewiß seine Verdienste hatte. Was aber war dieser Verleger, der bis ins 80. Lebensjahr das Heft nur ungern aus der Hand gab, für ein Mensch?

Es gibt keine persönlichen Aufzeichnungen von ihm, keinen nennenswerten Briefwechsel. »Unermüdlicher Fleiß und eiserne Energie« werden ihm nachgesagt, eine »einfache und sparsame Lebensweise und die Selbstbeschränkung auf die Arbeit in seinem Geschäft«. Und im Nachruf heißt es: »Geduldige Ausdauer in der Ausführung des Großen verband er mit peinlicher Sorgfalt und eigener

bewundernswerter Geschicklichkeit im Kleinen«. »Das
schlechteste Gespräch ist besser als das Kartenspiel« ist eine
von ihm überlieferte Sentenz, über die man nachdenken
mag. Er wird als schwierige Natur und unbequemer
Mensch geschildert, dessen Eigenwilligkeit im Alter auch
zur Schroffheit werden konnte, doch Gerechtigkeit des
Prinzipals und Hilfsbereitschaft gegenüber seinen Ange-
stellten ist auch überliefert. Der Sohn schrieb einmal an
einen Geschäftsfreund: »Er ging seinen geraden Weg und
ließ sich weder von oben noch von unten das Geringste
gefallen.«

Eben Philipp Reclams Sohn Hans Heinrich entwickelte
die Sammlung weiter, und zumal die Enkel erweiterten und
aktualisierten sie, steuerten sie durch zwei Weltkriege und
das nationalsozialistische Deutschland. Und als der Ur-
enkel, Heinrich Reclam, nach den Zerstörungen des Zweiten Weltkriegs diese Universal-Bibliothek in Stuttgart von
Grund auf wieder aufbaute, schrieb er 1953 über Anton
Philipp Reclam: »Aber er ist das eigentliche Genie der
Familie gewesen.«

Damals gab es bereits zwei Verlage mit dem Namen
Reclam. Die Reclam-Nachkommen waren im Westen
Deutschlands tätig geworden, nur da war ihnen die liberale
Tradition der Universal-Bibliothek in unzensierter Verlagsarbeit fortzuführen möglich. In der DDR blieb der Verlagsgründer als Vormärzler hoch angesehen, erst mit seinem
Sohn Hans Heinrich erschien der böse Kapitalist auf der
geschichtlichen Bühne. So konnte, als mit den beiden deutschen Staaten auch die Reclam-Verlage wieder zusammengeführt wurden, Anton Philipp Reclam unstreitig auch weiter das Leitbild der verlegerischen Arbeit sein.

Seine historische Position läßt sich nicht besser beschreiben, als es der Verleger Heinz Friedrich in der Enzyklopädie *Die Großen der Weltgeschichte* 1976 getan hat: »Anton
Philipp Reclam, der Erfinder der Massenauflagen für die
Massen, der Urvater des modernen Großverlags und der

pluralistischen Taschenbuchprogramme – Reclam, der geniale Kaufmann und Vorkämpfer des Sozialismus auch im geistigen Bereich, der Revolutionär und Bürger, ist für seine Epoche eine ähnliche Schlüsselfigur wie Gutenberg für die Frührenaissance: indem diese Männer die Tür zum kommunikativen Fortschritt aufstießen, knüpften sie bereits die Schicksalsfäden für die kommenden Generationen.«

Felix Mendelssohn Bartholdy
»Es flogen ihm hundert Herzen zu im ersten Augenblicke«

Von Johannes Forner

Es kann nicht lange nach Kriegsende gewesen sein, 1946 vielleicht, da bekam ich – zehnjährig – von irgendwoher Mendelssohns Violinkonzert e-Moll zu Gesicht. Ich spielte damals schon einigermaßen Klavier und setzte alles an Noten ›Greifbare‹ (wörtlich verstanden) in Töne um, also auch besagtes Violinkonzert – die Solostimme teils spielend, teils mitsingend, aus dem Klavierauszug der Steingräber-Edition das Wesentliche des Orchesterparts zurechtfingernd. Was ich zu jener Zeit über den Komponisten wußte, kann ich heute nicht mehr sagen, allzu viel wird es nicht gewesen sein. Auch fehlten mir genauere Kenntnisse über musikalische Form, über die Gattungsgeschichte des Solokonzerts, kurz: es fehlte noch die innere Beziehung zur Historie. Mein ›Musikverständnis‹ erklärte sich aus einer unstillbaren Neugier auf Musik schlechthin, und ich verschaffte mir so die unterschiedlichsten Genüsse mit jener kindlichen Unbefangenheit allem Neuen gegenüber, deren Verlust die Erwachsenen später beklagen, wenn sie ihn überhaupt bemerken.

Inmitten der Ruinen und Schuttberge im Nachkriegs-Leipzig begegnete mir also Felix Mendelssohn Bartholdy, der kurz zuvor noch Geschmähte, Ausgegrenzte, Verbotene. Und gleich mit einer seiner geglücktesten Kompositionen. Man muß es nicht eben ein ›Schlüsselerlebnis‹ nennen, aber seitdem trage ich eine ganz spezifische Empfindung in mir, wenn ich auch nur an das Violinkonzert denke – so, wie über das Leben hinweg bestimmte Gerüche bestimmte Situationen wachrufen. Mendelssohns Werk besitzt für mich diesen charakteristischen ›Geruch‹. Heute würde ich ihn vielleicht beschreiben als elegische Gewandtheit oder als rhythmisch behendes Formen mit einem Anflug von Melancholie ... die *Lieder ohne Worte* sind davon erfüllt, viele Kammermusikwerke und Lieder, die ›Schottische‹ Sinfonie, die *Hebriden*-Ouvertüre ... Aber es bleiben verbale Versuche einer Annäherung an etwas, das sich sprachlicher Fixierung entzieht. »Es wird so viel über Musik gesprochen und so wenig gesagt. Ich glaube überhaupt, die Worte reichen nicht hin dazu, und fände ich, daß sie hinreichen, so würde ich am Ende gar keine Musik mehr machen«, dies schrieb Mendelssohn in einem Brief 1842 an Marc André Souchay. Und da ist noch ein zweites: Der Finalsatz, virtuos und brillant herausgeputzt, öffnet uns die Sinne für jenes unnachahmliche Feengeflüster und heimliche Gekicher der Geister und Kobolde – eine glitzernde Helle, wo sich Vision und Realität zu begegnen scheinen. Das sind nicht die geheimnisvoll-dunklen Traumwelten Robert Schumanns oder die Bizarrerien Hector Berlioz' – das hat eher zu tun mit der theatralischen Realistik Shakespeares und Goethes, dem bunten Treiben ihrer Gestalten. Die geniale *Sommernachtstraum*-Ouvertüre des Siebzehnjährigen und die *Erste Walpurgisnacht* (1831) belegen es. Aber auch die Scherzosätze des Oktetts von 1825 und des Klaviertrios d-Moll aus dem Jahre 1839, das *Hexenlied* (hier wohl zum erstenmal) und das Capriccio brillante für Klavier und Orchester (1832) – da gemischt mit weltmännisch-virtuoser Geste. Nicht die Seelenqualen der Romantiker mit Mondnächten und Sturmgewölk, nicht die Sehnsüchte nach etwas Verlorenem, nach der ›blauen Blume‹, nicht Einsamkeit und Ich-Verlassenheit – nein: Hier wirken die Kräfte der Klassik, Klarheit der Gedanken, Ordnung der Gefühle, hier wird der Spuk inszeniert aus Lust am phantastischen Spiel.

Von all dem wußte ich damals – 1946 – natürlich nichts, konnte es nicht einmal ahnen. Aber bald machte ich eine zweite Entdeckung: 1949 betrat ich erstmals die Musikhochschule als ›Seminarschüler‹ (wie es auch heute noch heißt), erhielt endlich geregelten und guten Klavierunterricht, lernte fleißig Vorzeichen, Intervalle und Tonarten, sah mich mit Harmonielehre und Kontrapunkt konfrontiert, übte Kadenzen und Modulationen – alles gelang, und ich fühlte mich wohl dabei. Die Beschäftigung mit Musik – praktisch und theoretisch – war zu einer Art Elixier geworden. Allwöchentlich, beim Betreten des damals noch stark bombengeschädigten Gebäudes in der Grassistraße, mußte ich an einer neu angebrachten Tafel vorbei mit der Aufschrift ›Staatliche Hochschule für Musik – Mendelssohn-Akademie‹. Da war er wieder, der Name! Damals muß ich erfahren haben, daß es dieser Mendelssohn gewesen war, der das Leipziger ›Conservatorium der Musik‹ gegründet hatte (es soll ja das erste Konservatorium seiner Art in Deutschland gewesen sein), aus der mittlerweile eine Musikhochschule hervorging.

Immer mehr erfuhr ich: Mendelssohn hatte die letzten zwölf Jahre seines kurzen Lebens die Gewandhauskonzerte geleitet und soll dort das Dirigieren eingeführt haben. Für die Musik Johann Sebastian Bachs hat er sich eingesetzt – offenbar war dies nötig gewesen. Unbegreiflich für mich – die *Inventionen* und große Teile des *Wohltemperierten Klaviers* hatte ich doch schon studiert – das war selbstverständlich. Die Sonnabende mit Bach-Kantaten des Thomanerchores unter Günther Ramin in der Thomaskirche gehörten zu meinem festen Wochenprogramm. Es gibt in der Nähe der Thomaskirche zwei Bach-Denkmäler – das große im Thomaskirchhof von Carl Seffner und ein kleines, bescheidenes in den Grünanlagen davor, auf vier zarten Säulen stehend, in der Form eines Tabernakels gestaltet. Mendelssohn gab die Anregung und ein Orgelkonzert dazu. Nur drei Wochen nach Eröffnung des Konservatoriums wurde es im April 1843 feierlich enthüllt, dieses erste Bach-Denkmal, das sein Stifter gern ›Monument‹ nannte. Und dann erfuhr ich auch, daß er Jude gewesen sei, daß zur Nazizeit weder seine Musik gespielt noch sein Name genannt werden durfte, daß es vor dem Gewandhaus (die Ruine des neoklassizistischen Baues stand damals noch) ein großes Mendelssohn-Denkmal gegeben habe, welches noch vor dem Krieg heimlich bei Nacht und Nebel beiseite geschafft worden war und daß darüber viele Menschen in dieser Stadt heimlich empört waren und einige sogar heimlich geweint hatten. Was muß dieser Mendelssohn doch für ein außergewöhnlicher Mensch gewesen sein, der so viel bewirkt hatte in seiner Zeit und später vom Ungeist getötet werden sollte! Aber nun gab es ja die ›Mendelssohn-Akademie‹ – ein öffentlicher Wiedergutmachungsversuch. Doch ich kann mich nicht entsinnen, im Klavierseminar der Hochschule jemals etwas von Mendelssohn gespielt zu haben. Bach, Mozart, Beethoven – ja, dann Schumann, leichtere Sachen von Chopin und auch schon Brahms. Doch Mendelssohn – keine Spur. Spätestens da begann meine Irritation. Sie sollte sich später noch vertiefen.

Goethe nannte den zwölfjährigen Mendelssohn, nachdem er sich hatte entzücken lassen durch dessen Bach-Spiel, einen »himmlischen, kostbaren Knaben«. Damals, 1821, stand er noch unter der Obhut seines musikalischen Ziehvaters Carl Friedrich Zelter. Im Klavierspiel hatte ihm Ignaz Moscheles, die pianistische Autorität der älteren Schule, den letzten Schliff gegeben – Mendelssohn dankte es ihm durch lebenslange Freundschaft und die spätere Berufung als Klavierprofessor an das Leipziger Konservatorium. Mit 16 Jahren hatte Mendelssohn bereits vier Singspiele, ein Dutzend Sinfonien, daneben Konzerte, Klavierstücke und Kantaten geschrieben – erstaunlich sicher im kompositionstechnischen Handwerk und im Formgefühl. Ein Wunderkind – ja, und da auch nur mit Mozart vergleichbar. Und doch nicht im Sinne der Eltern. In Hamburg 1809 geboren und in Berlin aufgewachsen, entfaltete er seine Talente in aufgeklärt-bürgerlicher Familientradition. Diese greift zurück auf Moses Mendelssohn, den Philosophen und Freund Lessings. Und sie weicht zugleich ab in einem entscheidenden Punkt: Die Familie ließ sich 1816 protestantisch taufen. Der nüchtern denkende Bankier Abraham sah darin weniger einen Verrat am jüdischen Glauben seines Vaters Moses als vielmehr eine Art Vorsorge gegenüber drohenden antisemitischen Attacken, zumal im damaligen Berlin.

Für den heranwachsenden Felix bedeutete dies zunächst eine ungestörte Entwicklung im Elternhaus, offen für alles, was das geistige Leben der Berliner Gesellschaft aufzuweisen hatte. Die Mendelssohns bewohnten seit 1825 das Rebecksche Palais in der Leipziger Straße 3 – ein Treffpunkt der Prominenz aus Wissenschaft und Kunst. Hier verkehrten die Brüder Humboldt, Hegel und Heine, Schinkel und Jacob Grimm, E. T. A. Hoffmann und Brentano, die Schröder-Devrient und Spohr, Weber und Paganini. Hier knüpfte Felix Freundschaften mit Moscheles und Ferdinand David, mit Zelter und Klingemann, mit Adolf Bernhard Marx und dem späteren Orientalisten Friedrich Rosen. Hier tobte er mit seinen Geschwistern in Haus und Garten, maß seine Kräfte, lernte Sprachen und Naturwissenschaften, Zeichnen und Malen, studierte die neueste Literatur und Geschichte. Alles nahm er auf, begabt mit einer phänomenalen Auffassungskraft. Lernen war ihm Spiel. Der Überfülle von Anregungen begegnete er mit einem Übermaß an Fleiß. Ein Multitalent mit großen Chancen auf vielen Gebieten – die Musik gewann die Oberhand. Aus diesen Kindheits- und Jugendjahren des Frühreifen erhielt sich Mendelssohn jene innere Triebfeder, jenes immanente Muß zum produktiven Tätigsein, das ihm letztlich zum Verhängnis wurde, seine Physis frühzeitig untergrub.

Was Mendelssohn von Schumann, Chopin und Liszt, seinen Generationsgefährten, unterscheidet, ist nicht nur die Eigenart seiner Begabung, sondern der Niederschlag der ›Familienanamnese‹ in seinem Wesen, seinem Charakter. ›Romantiker‹ – dieses Etikett paßt zu seiner Persönlichkeit nicht. Viel mehr erscheint er als legitimer Erbe dessen, was

man gemeinhin ›Klassik‹ zu nennen pflegt, wenngleich
dabei die Empfindung von ›Abglanz‹ nicht ganz zu unterdrücken ist. Also: ›Klassizist‹ – auch da stocken die Gedanken. Wohl ist er hineingeboren in eine nachklassische Zeit,
aber Epigone der großen Vorbilder Mozart und Beethoven
ist er deshalb nicht geworden. Dabei hatte schon Franz
Schubert die übergroße Last gespürt (»Wer vermag nach
Beethoven noch etwas zu machen!«). Das Klischee vom
problemlos schaffenden Felix, dem ›Glücklichen‹, dem
dann freilich manches zu glatt geraten, aber verziehen sei,
will heute nicht mehr stimmen. Wenn Robert Schumann im
Denk- und Dicht-Büchlein eine seiner fiktiven Gestalten,
den ›Meister Raro‹, sagen läßt: »Die erste Konception ist
immer die natürlichste und beste. Der Verstand irrt, das
Gefühl nicht«, so hätte Mendelssohn diese Auffassung
gewiß nicht unterschrieben. Gerade seine Konzeptionen,
die sinfonischen zumindest, befrachtet er mit Skrupeln. Wie
erklären sich sonst die erstaunlich langwierigen Entste-
hungsprozesse seiner ›Italienischen‹ und ›Schottischen‹ Sinfonie? Mit der angeblich so leichtfüßigen Schreibweise ist
dies schwerlich zu erklären. Könnte es nicht sein, daß ihn,
dem die Musik der Wiener Klassik und die Gestalten Bach
und Händel so gut vertraut waren, diese geistige Last und
historische Bürde stärker drückten, als bisher angenommen? Diese Superbegabung, produktiv nach vielen Richtungen hin und deshalb von den meisten Zeitgenossen
bewundert, verehrt, ja geradezu vergöttert, sah sich dennoch in ein Dilemma verstrickt, das zuinnerst etwas zu tun
hatte mit Heimatlosigkeit. Nach der ausgiebigen Italien-
reise 1830/31 wußte Mendelssohn von sich zu sagen, »daß
ich eigentlich Deutscher bin und bleibe«. In London fand er
sich nicht nur als Künstler am besten verstanden, sondern
auch als emanzipierter Jude, so daß er auf den wenig
geliebten Namensteil Bartholdy zumindest in England
verzichten konnte. Aber an eine endgültige Übersiedlung
hat er nie ernstlich gedacht. Berlin hat ihn als Wirkungs-

Felix Mendelssohn Bartholdy
(1809–1847)

stätte immer gereizt – und enttäuscht. Nichts konnte ihn entschädigen, wenn ihm das volle Tätigsein vorenthalten wurde. »Ich muß wirken können«, schrieb er einmal.

Dieses »Ich muß wirken können« ist kein Wunschgedanke, sondern eine sehr bewußt formulierte Forderung an seine Zeit. Und nirgendwo in seinem Leben wurde sie besser erfüllt als in Leipzig. Mit 26 Jahren kam er in die Stadt, ein junger Mann und zugleich ein fertiger Meister mit einer bezwingenden Strahlkraft, präzisen Vorstellungen, mit unglaublich wachen Sinnen und der Gabe, aus den Möglichkeiten des Alltags das Machbare sogleich zu erkennen und durchzusetzen. In Mendelssohns Charakter mischen sich Weltbürgertum und elitärer Bildungsanspruch mit nicht zügelbarer Rastlosigkeit und schöpferischer Unruhe. Er war konziliant und anstrengend zugleich. Sein Charisma sicherte ihm die Sympathie der Mitwelt bis hin zur freiwilligen Unterwerfung unter seinen Willen. Geht ein solcher Sog von despotischen Naturen aus, kann dies gefährliche, ja verheerende Folgen haben. Die Menschheitsgeschichte weiß ein garstig Lied davon zu singen. Aus Mendelssohns Biografie ist kein einziger Fall bekannt, daß er seine Auserwähltheit jemals mißbraucht hätte.

Die Leipziger Universität ging voran im Werben der Stadt um seine Person. Musikgeschichtliche Vorlesungen sollte er halten, was Mendelssohns Sache nun gar nicht war – er lehnte ab. Das zweite Angebot kam wenig später von der Gewandhausdirektion: der Wunsch, die Leitung der Abonnementskonzerte zu übernehmen. Diesmal sagte er zu, wobei gleich drei Bedingungen erfüllt sein müssen: Es darf durch ihn sich niemand verdrängt fühlen, er möchte das neue Amt probeweise auf eine Konzertsaison begrenzt haben und dabei aber die uneingeschränkte ›Direction der Instrumentalmusik‹ zugesichert bekommen (bisher Sache des Konzertmeisters!). Also: kollegiale Rücksicht, persönliche Vorsicht und eine geradezu revolutionäre Forderung! Dies hat er, ein Meister auch im Briefeschreiben, freundlich und bestimmt, die Leipziger Herren wissen lassen – und sie haben akzeptiert.

Rücksicht, Vorsicht, Forderung – es war Mendelssohns diplomatische Triade. Mendelssohn traf auf ein städtisches Umfeld, das – eine Glücksstunde der Geschichte – bereitet schien für seine Ambitionen. Leipzigs Weltoffenheit und Bürgersinn, der geistig-kulturelle Anspruch, erwachsen aus bedeutsamer Tradition als Universitäts-, Messe-, Buch- und Musikstadt: dies alles erschien gleichsam als sächsischer Gegenentwurf zur Residenzstadt Dresden. Und mit dem sächsischen König hatte Mendelssohn ohnehin nichts im Sinn. Sein erstes Gewandhauskonzert am 4. Oktober 1835 mit der Ouvertüre *Meeresstille und glückliche Fahrt* und Beethovens Vierter Sinfonie gestaltete sich zu einem glanzvollen musikalischen Initial. Robert Schumann, er hatte ein Jahr zuvor die ›Neue Zeitschrift für Musik‹ ins Leben gerufen und galt schon damals als genauer Beobachter und engagierter Kritiker der Leipziger Musikszene, begleitete Mendelssohns Debüt im Gewandhaus mit den Worten: »F. Meritis trat vor. Es flogen ihm hundert Herzen zu im ersten Augenblicke.« Man war stolz auf das Orchester, aber erst durch Mendelssohns neuen Umgang mit den Musikern, seine intensive Probenarbeit und klaren Interpretationsvorstellungen waren die Zeiten unterhaltsamer Liebhaberaufführungen und damit auch des Künstlerisch-Mittelmäßigen beendet. Ein Zeitgenosse, der Maler und Schriftsteller Johann Peter Lyser, brachte es 1838 auf den Punkt: »Welch einen großartigen Aufschwung jetzt dieses berühmte Institut erhielt, ist bekannt, denn der Ruf desselben ist in diesem Augenblick ein europäischer.« Vielleicht ist es ein Zufall, daß Schumann und Lyser jeweils vom ›Augenblick‹ sprechen. Der eine meint Mendelssohns Erscheinen, der andere einen Glanzpunkt der Geschichte. Frappierend dabei ist, daß beide Sinngebungen austauschbar sind: Der historische Augenblick deckt sich mit Mendelssohns zwölfjährigem Wirken in Leipzig. Die Stagnation und der Verfall in der Zeit danach lassen sich nicht verheimlichen.

Die doppelte Verantwortung gegenüber dem zu reprodu-
zierenden Kunstwerk und dem rezipierenden Publikum
führte Mendelssohn zu neuen Maßstäben nicht nur in der
Interpretation, sondern auch in der Programmgestaltung.
Als erster führte er den Taktstock ein, versammelte er seine
Musiker unter dem Diktat des Dirigierstabes, was selbst in
Fachkreisen keineswegs unumstritten war. Noch einmal
Schumann: »Mich für meine Person störte ... der Taktier-
stab, und ich stimme Florestan bei, der meinte, in der Sinfonie müsse das Orchester wie eine Republik dastehen, über
die kein Höherer anzuerkennen.« Doch Mendelssohn
wußte es besser. Als erster Dirigent im heutigen Sinne ver-
einigte er seine Orchestermitglieder zur großen, von einem
kollektiven Willen getragenen Musiziergemeinschaft. Dies
wiederum mußte sich nachhaltig auf den Kunstsinn des
Leipziger Konzertpublikums auswirken, das seines kritischen Urteils wegen bald allgemein gerühmt wurde. Bahn-
brechendes gelang auch hinsichtlich der Programminhalte.
Den Kern bildeten die Werke der Wiener Meister mit
Beethoven als zentraler Gestalt. Hier war allerdings, wie in
keiner zweiten deutschen Stadt, der Boden bereitet gewesen.
Noch zu Lebzeiten Beethovens, im Konzertwinter 1825/26,
erklangen im Gewandhaus dessen neun Sinfonien in nahezu
chronologischer Folge – vielleicht der erste ›Beethoven-
Zyklus‹ überhaupt!
Von der Wiener Klassik ausgehend, erweiterte Mendelssohn nach zwei Seiten. Zum einen förderte er die Musik seiner Zeitgenossen – mit Leidenschaft da, wo er eine Wahl-
verwandtschaft spürte, bei Robert Schumann und Ignaz
Moscheles, bei Niels Wilhelm Gade und William Sterndale
Bennett –, mit toleranter Großzügigkeit dort, wo er andere
ästhetische Positionen vorfand, bei Hector Berlioz und
Franz Liszt. Seine Stellung am Gewandhaus hat er nie dazu
benutzt, das eigene kompositorische Schaffen in den Vordergrund zu stellen. Andererseits – und da stand er gleichfalls auf der Höhe seiner Zeit – huldigte er den Bestrebun-

gen des aufkommenden Historismus und initiierte die von ihm so genannten ›Historischen Konzerte‹ (nach dem Londoner Vorbild der ›ancient concerts‹ und den Pariser ›Concerts historiques‹). Die Vorklassik – Bach und Händel, auch alte Italiener und Franzosen – wurde ins Bewußtsein gerückt. Die Zyklusidee als Bildungsprinzip – eine von Mendelssohns Maximen, gedacht für ein bildungswilliges und -fähiges Publikum. In Leipzig hatte er es vorgefunden! Und hier sah er auch den idealen historischen Ort für die Wiedererweckung der Musik von Johann Sebastian Bach, der die letzten 27 Jahre seines Lebens als Thomaskantor in dieser Stadt verbracht hatte. Ganz vergessen blieb er nie, aber ›bekannt‹ war er doch nur wenigen ›Insidern‹ – mit wenigen Stücken. So manches Bachsche Werk holte er nun ans Tageslicht. Er wiederholte das Berliner Experiment von 1829 – die Aufführung der Matthäus-Passion, diesmal in der Thomaskirche am Karfreitag 1841. »Ein Kunstgenuß, nicht allein, eine Feier ist die Aufführung des Werkes, auch wo sie, ohne einem liturgischen Zweck zu dienen, selbständig auftritt« – dies der Kommentar Schumanns.

Als die geistigen und finanziellen Voraussetzungen zur Gründung eines Konservatoriums gegeben waren, zögerte er nicht, seine ganze Autorität in die Waagschale zu werfen, in feinem Amtsdeutsch die entsprechenden Behörden von der Notwendigkeit einer solchen Einrichtung gerade in Leipzig zu überzeugen, sich unter den Künstlerkollegen Verbündete zu suchen, die er auch schnell fand: Konzertmeister Ferdinand David, Thomaskantor Moritz Hauptmann, Ignaz Moscheles und Robert Schumann. Er selbst wollte als erster Studiendirektor nicht mehr sein als primus inter pares. Dabei war sein Grundgedanke, daß sich der Unterricht »theoretisch und praktisch über alle Zweige der Musik als Wissenschaft und Kunst betrachtet« erstrecken möge. Auch dies ein Hinweis auf Mendelssohns Eingreifen zugunsten einer ganzheitlichen musikalischen Ausbildung. Noch einmal wurde Universalität angestrebt in einer Zeit freilich, die auch in den Künsten das Spezialisten- und Virtuosentum favorisierte. Doch seit seiner Eröffnung am 2. April 1843 entwickelte sich das Leipziger Konservatorium zu einer ersten Adresse für junge Musiker aus aller Welt.

Der Punkt ist erreicht, wo ich beim Skizzieren der wesentlichsten Aktivitäten, die Mendelssohn in Leipzig entfaltet hat, innehalten muß. Über der Vielfalt seines Wirkens hier – ›Universalität‹ wäre auch dafür ein angemessener Begriff – wurde es fast vergessen: das kompositorische Werk. Als wäre es etwas Beiläufiges. Komponieren war ihm wichtig, aber eben nicht nur Komponieren. Der rastlos Tätige hat in seinem kurzen Leben allein fürs Briefeschreiben vielleicht mehr Zeit benötigt als fürs Notenschreiben. Und dennoch: die wichtigsten Werke sind in den bewegten Leipziger Jahren entstanden oder abgeschlossen worden – die Oratorien *Paulus* und *Elias,* die A-Dur- und a-Moll-Sinfonie, das Violinkonzert, die Orgelsonaten und Klaviertrios, der *Lobgesang* und die Streichquartette. Dabei war Mendelssohn sehr häufig unterwegs, leitete die großen Musikfeste in Düsseldorf und Birmingham, unternahm Reisen nach England und in die Schweiz, war zudem noch in Berlin verpflichtet. Auch seine Heirat, die Gründung der Familie, fallen in diese Zeit. Er hatte Erfolg im öffentlichen Leben und empfand tiefes Glück in der familiären Geborgenheit. Hier aber war er verwundbar, und die Nachricht vom plötzlichen Tod seiner über alles geliebten Schwester Fanny hat ihn selbst tödlich getroffen. Freunde hatte er nur wenige, doch diese zeitlebens. In seinem letzten Werk, dem Streichquartett f-Moll, bricht unverhüllter Schmerz hervor, Töne, wie sie bis dahin in solcher Dichte von ihm noch nicht zu hören waren – Trauer um die Schwester oder mehr? Sein jähes Ende am 4. November 1847 muß die Frage offenlassen, doch sind in seinem Innern Abgründe zu vermuten, die er mit anerzogener Disziplin und durch die äußere Eleganz zu verdecken wußte. Ein ›Frühvollendeter‹? Eine abgegriffene sentimentale Floskel, die nichts erklärt. Der Tod hat den 38jährigen zu früh zu Fall gebracht, ohne daß sich das Verborgenste seines Schöpfertums entfalten konnte. Doch das bleibt eine Hypothese.

Mendelssohn ist kein ›Leipziger‹ im urbanen Sinn wie Schumann oder Bach. Dafür verstand er sich viel zu sehr als Kosmopolit. Doch die Stadt hatte ihm so viel zu bieten wie zu dieser Zeit keine zweite. »Es gefällt mir vieles in Leipzig gar zu gut, und indem ich jetzt wieder andre Städte sehe und damit vergleiche, drängt sich mir von neuem auf, wie manches für mich dort glücklich zusammentrifft«, bekennt er seinem Freund Ferdinand David. Spätere Zeiten haben dieses Bild gründlich getrübt. Das alte Gewandhaus mußte 1895 abgerissen werden, das Neue Konzerthaus wurde 1944 zerbombt, das Mendelssohn-Denkmal schon 1936 beseitigt. Das kleine Bach-Denkmal und das Sterbehaus haben den Zweiten Weltkrieg überlebt. Letzteres siecht seit einem halben Jahrhundert dahin. Die Musikhochschule hat sich merkwürdig schwer getan, den Namen ihres Gründers anzunehmen – geschehen erst 1972 anläßlich des 125. Todestages! Mittlerweile ziert seit 1993 ein neues Mendelssohn-Denkmal den Gewandhausvorplatz, von dem Rostocker Bildhauer Jo Jastram geschaffen, eine langgestreckte, ein wenig distanziert und asketisch wirkende Gestalt – vielleicht nicht einmal von jedermann bemerkt wie schon die 1947 von Walter Arnold geschaffene Büste, die sich heute beziehungslos in einer Grünanlage versteckt. Immerhin erinnert das Stadtgeschichtliche Museum seit 1970 mit dem ›Mendelssohn-Zimmer‹ – Mobiliar aus Musiksalon und Arbeitszimmer der Leipziger Wohnung enthaltend – an das bürgerliche Ambiente des Komponisten. Und vielleicht wird der schöne Traum doch noch Wirklichkeit, das marode Wohn- und Sterbehaus Mendelssohns – nur wenig entfernt vom heutigen Gewandhaus gelegen – zu restaurieren und in eine lebendige Erinnerungsstätte zu verwandeln. Die Aktivitäten der Internationalen Mendelssohn-Stiftung unter dem Vorsitz des derzeitigen Gewandhauskapellmeisters Kurt Masur sind ermutigend und lassen hoffen.

Richard Wagner
Begegnungen

Von Peter Konwitschny

Als ich 1949, mit 4 Jahren, nach Leipzig kam – mein Vater wurde damals Gewandhauskapellmeister –, da hatte ich natürlich noch keine Ahnung, daß ich in Richard Wagners Geburtsstadt gelandet war. Aber meine erste Berührung mit Wagners Musik fällt bereits in diese Zeit. Ich wurde häufig ins Konzert, in den ›Großen Saal‹ am Zoo, mitgenommen, auch zu Proben. Auf Konzertreisen wurde, daran erinnere ich mich, oft die Ouvertüre zu den *Meistersingern* am Beginn eines Konzerts oder als Zugabe gespielt. Einer meiner Klavierlehrer hat mir dann erzählt, daß Wagner in Leipzig, im ›Rot und Weißen Löwen‹, zwei Treppen hoch, geboren und in der Thomaskirche getauft wurde, daß er hier als Kind und junger Mann gelebt hat. Sein Geburtshaus am Brühl hat noch bis kurz nach seinem Tod, bis 1886, an der Stelle gestanden, wo heute das Horten-Kaufhaus seinen Platz hat.

Wir wissen einiges über Richard Wagners Zeit in Leipzig durch seine Autobiographie *Mein Leben*. Danach lebte er hier, nach der überwiegend in Dresden verbrachten Kindheit, von 1828 bis 1834, bis er mit 21 Jahren Musikdirektor der Magdeburger Theatergesellschaft wurde. Sein Engagement begann in Bad Lauchstädt, wo ihn der Zustand des Theaters eigentlich von dem angebotenen Amt zurückschrecken ließ, aber wo er dann der Schauspielerin Minna Planer begegnete, seiner späteren ersten Frau, die ihn so faszinierte, daß er, um mit ihr zusammenzusein, die Stelle doch antrat. Damit schloß, wie er sich erinnert, »die eigentlich heitere Jugendperiode« seines Lebens ab. Sie ist für ihn mit seiner Leipziger Zeit identisch.

In Leipzig bestanden zur Zeit Wagners zwei Gelehrten-
schulen, die ältere Thomas- und die jüngere Nikolaischule.
Richard Wagner trat in die Nikolaischule ein, die in vor-
züglichem Rufe stand. Nachhaltiger jedoch als die Schule,
die er vernachlässigte, hat ihn ein Mann beeinflußt, den er
täglich zu den »Nachmittagspromenaden um die Tore der
Stadt« begleitete: sein Onkel Adolf Wagner, der ihm durch
»die Vielseitigkeit seines Wissens« imponierte, »welches
sich vom philologischen Fach über das philosophische und
literaturpoetische mit gleicher Wärme ausdehnte«. Seiner
reichhaltigen Bibliothek verdankt Wagner eine nicht eben
gründliche, aber vielseitige literarische Bildung. Er schreibt
sein erstes Trauerspiel, *Leubald und Adelaide,* zum Entset-
zen seiner Familie und auch dieses Onkels.

Er begeistert sich für Carl Maria von Webers *Freischütz,*
hört, von seiner Schwester am Klavier gespielt, erstmals
Beethoven, seine Musik zu *Egmont,* schließlich in einem
Gewandhauskonzert eine Symphonie des ›Meisters‹, die
A-Dur-Symphonie, und Mozarts *Requiem.*

Bei Friedrich Wieck, dem Vater von Clara Wieck, der
auch eine musikalische Leihanstalt unterhielt, besorgt er
sich Logiers *Methode des Generalbasses* und macht erste
Kompositionsversuche, er nimmt heimlich Stunden in
Harmonielehre bei einem Musiker des Leipziger Orchesters
und fertigt einen Klavierauszug von Beethovens Neunter
Symphonie an.

Es bedarf nur noch des einen entscheidenden Ereignisses,
damit er sein Leben als das eines Künstlers begreift: Er
erlebt Wilhelmine Schröder-Devrient als Leonore in einem
Fidelio-Gastspiel. Sie stand damals »auf der vollsten Höhe
ihrer Künstlerlaufbahn … jugendlich, schön und warm, wie
nie seitdem auf der Bühne mir ein Weib erscheinen sollte«.
Keinem späteren Ereignis schreibt er soviel nachhaltige
Wirkung auf seine Entscheidung für die Musikerlaufbahn
zu.

Ostern 1830 muß er die Nikolaischule aufgeben; er kann

aufgrund seiner Versäumnisse mit keiner Empfehlung an die Universität rechnen. Sein Schwager, der Verleger Brockhaus, läßt ihn ein paar Groschen mit Korrekturlesen verdienen: es ist die neubearbeitete Beckersche Weltgeschichte. Wagner kommt so zum erstenmal mit dem Mittelalter und der Französischen Revolution in Berührung, und als die ›Leipziger Seiten‹ die Nachricht von der Pariser Julirevolution bringen, ist dies der Zeitpunkt, den er als den Beginn der »geschichtlichen Welt« für sich erinnert. Im September 1830 beteiligt er sich begeistert an den Unruhen in der Stadt. Abermals über Brockhaus lernt er die Ereignisse auch politisch zu betrachten – Brockhaus wird zum Vizekommandanten der Leipziger Kommunalgarde ernannt.

Im Herbst 1830 tritt Wagner in die Thomasschule ein; Ostern 1831 wird er sich dann an der Universität als Student der Musik einschreiben lassen und ein begeistertes Mitglied der Landsmannschaft der Sachsen werden, durch Glücksumstände mehreren Duellforderungen entgehen und die »wildeste Periode« seines Lebens durch den Rückgewinn leichtfertig entstandener Spielschulden beenden.

Am Heiligabend 1830 erlebt er in einem Armenkonzert, welches das Leipziger Theater alljährlich anstelle des Schauspiels veranstaltet, die Aufführung seiner *Neuen Ouvertüre,* ohne Namensnennung. Eine erste Komposition, die ihm der Kantor und Musikdirektor der Thomaskirche, Theodor Weinlig, so verübelt, daß er ihm den Unterricht in Komposition am liebsten absagen möchte. In der gemeinsamen Arbeit an einer Fuge aber erkennt Weinlig die musikalische Begabung Wagners, und schließlich befördert er dessen erste Sonate zum Druck in der Breitkopfschen Musikalienhandlung.

Auch mit den danach entstehenden drei ›Ouvertüren‹ ist Weinlig einverstanden; die erste davon (in d-Moll) wird im Winter 1831/32 in einem Gewandhauskonzert aufgeführt. Friedrich Rochlitz, dem damals namhaftesten Musikkritiker Leipzigs und Vorstand der Konzertgesellschaft, legt

Wagner eine große Symphonie in C-Dur vor. Am Beginn des Jahres 1833 wird sie in der ›Schneiderherberge‹ voraufgeführt und schließlich auch im Gewandhauskonzert beifällig aufgenommen. Alle wichtigen Zeitungen bringen Rezensionen.

Die Zeit der wohlwollenden Aufnahme Wagners durch das Leipziger Publikum endet mit der Ära Felix Mendelssohn-Bartholdy. Als dieser Direktor der Gewandhauskonzerte wird, eröffnet sich nach Wagners Eindruck für den Leipziger Musikgeschmack eine bedeutungsvolle Epoche: »Mit der Naivität des Leipziger Publikums, mit welcher es bis dahin die Produktionen seiner gemütlichen Abonnementskonzerte beurteilt hatte, war es nun zu Ende«.

Als ich mich 1995 entschlossen habe, nach Leipzig zurückzukehren – dieser Entschluß war nach meiner ersten richtigen Beschäftigung mit Wagner gefallen und nachdem ich innerhalb eines Jahres plötzlich vier Angebote erhielt, Wagner zu inszenieren –, war mir bewußt, daß es ›seine‹ Stadt ist, in die ich gehe. Ich lebe seitdem in unmittelbarer Nähe des kleinen beschaulichen Zentrums, das auch ihn geprägt hat (»Klein-Paris, es bildet seine Bürger«). Er wurde in diesem Zentrum nicht nur geboren und ging hier zur Schule, er wohnte auch einige Zeit am Markt in dem Prunkzimmer, das August der Starke bei Besuchen Leipzigs bewohnte. Wie für mich, so hat auch für ihn hier Jugend stattgefunden und erste Begegnung mit Musik. Während ich den Zusammenhang von Humor und Dialekt in dieser sächsischen Stadt wiederentdecke, wird mir klar, daß auch Wagner in der für ihn entscheidenden Zeit davon nicht unberührt geblieben sein kann.

Als ich 8 oder 10 Jahre alt war, fuhren wir nach Bayreuth zu einer *Lohengrin*-Aufführung. Meine Eltern dachten, ich wäre eingeschlafen, ich hatte mich in den Samt der Brüstung vergraben; und als dieser Mann dann tatsächlich weggeht, weil Elsa weiß, wer er ist, da war ich so bewegt, daß ich gar

Richard Wagner
(1813–1883)

nicht mehr reden konnte. Diese zarten Geigen, wenn er sich verabschiedet und es klar ist, daß eine Chance verspielt ist, diese unheimliche Wehmut, in der der Abschied vollzogen wird und in der alles, was möglich oder wünschenswert gewesen wäre, noch klingt – das hat mich schon als kleiner Junge unheimlich getroffen.

Die »vertane Chance«, das ist eines der großen Wagner-Themen. Er war ja auch verheiratet, und es hat ihm sehr zu schaffen gemacht. Als seine erste Ehe mit Minna Planer über seiner Liebe zu Mathilde Wesendonk zerbrach, konnte er sich zur Trennung nicht entschließen. Es kann sein, daß Minna Planer gerade daran gestorben ist. Seine Entscheidungs-Behinderung finde ich begründet in einer Welt, die an einen Punkt gekommen ist, wo Lösungen äußerst schwierig geworden sind. In dem abendländischen Wertesystem scheint etwas Fehlerhaftes zu sein. Diese Forderung, du sollst überhaupt nur immer eines haben, dieser Monotheismus und diese Monogamie widersprechen ganz offensichtlich Lebensprinzipien von organischer Materie. Und die Entwicklung des Lebens, speziell des wirtschaftlichen Systems, zielt auf Überproduktion und Mehrwert. Das ›Grauen‹ (»Lebt kein Gott?!«) über bestimmte moderne Entwicklungen, die eigentlich Entgleisungen sind, wird schon in Carl Maria von Webers *Freischütz,* aber stärker noch bei Wagner deutlich. Es ist erstaunlich, wie die Themen seiner Zeit durch Wagner hindurch und aufgrund seiner Genialität in seine Texte und in seine Musik eingehen, aus seiner Hand auf das Papier kommen. Dieses Papier haben wir heute noch, und es ist ein Dokument dessen, was Menschen damals schon ahnten oder empfanden. Sie wußten bereits, daß unser abendländisches Wertesystem unlösbare Widersprüche enthält. Insofern deutet alles darauf hin, daß wir an die Wurzeln der Widersprüche, an die Axiomatik, heranmüssen, wenn wir eine Zukunft haben wollen. Bezogen auf den *Parsifal,* der meine erste tiefgehende Beschäftigung mit Wagner wurde, heißt das u. a.: ›Erlösung‹

wird erst dann nötig, kommt erst dann in die Welt, wenn
Lösungen nicht mehr möglich sind, wenn es keine Lösungen mehr gibt.

Nehmen wir Beispiele. Die Gralsritter, diese Männer-
gesellschaft, sind bedürftig einer bestimmten Nahrung,
eines Kraftquells. Das ist nicht gemeine Atzung, wie Gurne-
manz sagt. Es geht um eine übersinnliche Nahrung, die im
Zusammenhang mit dem Gral steht, wie wir als Zuschauer
erfahren. Der ist in einem Schrein verschlossen, ist etwas
sehr Kostbares, das geschützt sein muß, nicht alltäglich
angeschaut werden darf, mit anderen Worten: sich nicht
abnutzen darf. Und wenn dieser Schrein dann geöffnet wird
– wie klingt das in der Oper Wagners? Wie klang das, bevor
er geöffnet wurde? Wie stark wurde, auch musikalisch, das
Bedürfnis, daß er geöffnet wird?

Es geht bis zum Äußersten: Zwischen den Gralsrittern
und Amfortas, ihrem König, der sich weigert, ihn zu öffnen,
was seines Amtes ist, entstehen Riesenkämpfe. Wir erkennen: Ohne die dem Vorgang innewohnende existentielle
Bedeutung würde es nicht einen so hartnäckigen Kampf
geben. Eine der bedrückendsten, mich tief berührenden
musikalischen Stellen der Partitur ist der Beginn des 2. Bildes. Die Ritter singen: »Zum letzten Liebesmahle …«;
dann gibt es in der Musik eine Wendung von C-Dur nach
es-Moll. Das ist für mich die Stelle, wo ganz besonders kraß
und ungeschminkt zum Ausdruck gebracht wird, wie
furchtbar hoch offenbar der Preis ist für das Selbstverständnis dieses Männerbundes. Die sagen sich: Es gibt so
viel Elend und Unheil in der Welt; darum ist es unsere
Pflicht, für die Wiederherstellung des Guten in dieser Welt
zu sorgen. Aber wir machen das unter Ausschluß des weiblichen Geschlechtes, der Frauen. Wer bei uns mitmachen
will, muß keusch sein und bleiben.

Da zeigt sich für mich sozusagen der helle Wahnsinn, das
ist ein Irrweg, eine Sackgasse. Alle Männersysteme haben
sich doch in letzter Konsequenz als lebensfeindlich erwie-

sen. Und diese Stelle in der *Parsifal*-Partitur berichtet darüber ganz knapp und zugespitzt in sieben Takten. Wagner läßt da überhaupt nichts offen: Die Männer sind erschöpft, sie sind am Ende.

Das Libretto enthält, losgelöst von der Musik betrachtet, eine eindeutige Aussage: Wenn wir Männer es schaffen, uns die Sexualität abzuschneiden, die Bedürftigkeit, nach dem anderen Pol hin zu leben, dann können wir das leisten, was wir uns als Ziel selbst gegeben haben. Die nonverbale, musikalische Ebene dagegen gibt der Verzweiflung darüber ihre Stimme, daß ich dazu nicht in der Lage bin, oder daß, wenn ich dazu in der Lage wäre, mein Leben – ein wirkliches ›Leben‹ – zu Ende ist. Wenn der Jünglingsgesang einsetzt, klingt das wie Engelstrost. Das wirkt auf mich wie eine große tröstende Geste; das ist, als ob Wagner diesen verzweifelten Menschen in ihrer Finsternis beisteht, sie ganz einfach streichelt.

Ein weiteres Beispiel: Amfortas ist Sohn und Nachfolger des Ordensgründers Titurel. Klingsor ist dessen Widerpart und Todfeind. Man will ihn besiegen, um frei in der Welt für das Recht einzutreten und Gutes tun zu können. Klingsor erweist sich als scheinbar unüberwindbar. Amfortas versucht den Kampf gegen Klingsor im Alleingang und scheitert. Denn Klingsor verfügt über Mädchen, die die Ritter demoralisieren, in ihrer Angriffsstärke paralysieren sollen. Amfortas scheitert an der Hure Kundry, an seiner Empfänglichkeit fürs weibliche Geschlecht. Welche Erkenntnis ist daraus zu ziehen?

Die Ritter scheitern an der Regel, die sie sich auferlegt haben, also an sich selbst. Wagners Oper demonstriert oder belehrt uns, daß eine männliche Spielregel (oder eine Spielregel für Männer), bei der das weibliche Element komplett ausgeschlossen ist, verändert werden muß, wenn sie etwas Lebenserhaltendes schaffen soll.

Amfortas hat sich bei seiner geschlechtlichen Vereinigung mit Kundry – nach den Vorstellungen der Gralsritter, muß

man hinzufügen – seine unheilbare Wunde geholt. Er hat
außerdem die Spielregel verfehlt und lähmt dadurch die
Existenzmöglichkeit des gesamten Ordens. Er will den Gral
nicht enthüllen, der den anderen Kraft spendet, weil das
sein eigenes Leiden verlängert. Amfortas befindet sich in
einem übermenschlichen Konflikt, aus dem ihm und dem
Orden nur ein Messias heraushelfen kann. Man muß also
auf ein Wunder hoffen.

Was wir im 2. Bild und auch am Schluß der Oper hören,
das erzählt mir die absolute Erschütterung, in der sich
Wagner selbst befunden haben muß. Er hat Amfortas'
Zwangslage und Leid selbst durchlitten. Wir kennen seine
Biographie. Er wollte einerseits eine harmonische Ehe
führen, eine intakte Familie haben. Dazu gehört, ganz banal
gesagt, daß man nicht jeden Tag eine andere Frau hat. In
diesem Punkt aber war Wagner, wir wissen es, ›schwach‹.
In der Vorstellung der Gralsritter – das ist das zentrale
Thema im *Parsifal* – ist Sexualität, ja Körperlichkeit überhaupt, etwas Negatives, ist mit Schmutz verbunden. Da
sind wir bei einer zentralen Kategorie unserer Kultur: Was
ist uns der Körper? Schmerz ist eine körperliche Qualität,
die geheilt werden muß; sonst bleibt sie bestehen. Gedank-
licher Schmerz hingegen ist mit Argumenten wegzudisku-
tieren. Körperlicher Schmerz muß erfahren werden, damit
man ihn kennt. Körperlichkeit beim Menschen geht verloren, wenn Sexualität, eine der fundamental wichtigen
Körperfunktionen, ausgegrenzt wird. Entkörperung ist die
Folge.

Nehmen wir die Konstellation Kundry – Parsifal. Sie soll
ihn im Auftrag Klingsors verführen. Für mich wird dieser
Ausgangspunkt verlassen, wenn sie von seiner Mutter zu
reden beginnt. Sie ist über ihren Verführungsauftrag hinaus
als Frau des Mannes bedürftig. Die Unterstellung, die Frau
würde den Mann verführen, ihn manipulieren, indem sie
sich ihm hingibt, kann nur krankhaften Männergehirnen
entspringen. Ich will zeigen, das Kundry im Recht ist, Par-

sifal als Mann von sich aus zu begehren. Natürlich ist das sehr komplex angelegt und auch vielschichtig verunklart. Aber Wagner führt uns alles Schritt für Schritt vor. Der entscheidende Augenblick ist erreicht, wo Geliebte und Mutter für Parsifal große Ähnlichkeit bekommen.

Und Wagner geht weiter. Er thematisiert den uns anerzogenen Schrecken. Wenn Parsifal ausruft: »Amfortas, die Wunde!«, wird das durch den Kuß ausgelöst. Wunde steht für Vagina der Frau, beide sind in ihrer Form identisch. Er erschrickt und will fliehen, was Amfortas – für mich sympathischerweise – nicht gelungen ist. Kundry reagiert darauf unberechenbar, sie ruft ihren Zuhälter herbei, gerät außer sich, weil ihr das für sie Lebensnotwendige weggenommen wird, ihre weibliche Kraft in Frage gestellt wird. Wagner läßt für meinen Begriff Kundry hier Recht zukommen: Er führt die Geschichte der Verführung, der sexuellen Bedürftigkeit, des Liebesverlangens und des Verrats am Ende vor. Hier zeigt Wagner durch Parsifals Ausgrenzung des Weiblichen, das ihm damit für alle Zeit verloren geht, den eigentlichen Sündenfall. Hier geht es um uns, um die ganze Menschheit. Und hier wird vorweggenommen, daß es für Kundry, sprich: die so behandelte Frau, zum Schluß nur das Sterben geben wird.

Nun hört sich das Ganze ausweglos an. Aber wir kennen die vermeintliche ›Lösung‹: Die Ritterschaft findet in Parsifal den ersehnten Messias, der keusch bleibt gemäß ihrem Reglement. Das zeigt uns Wagner am Ende des 2. Aktes, wenn die Probe bestanden ist. Der 3. Akt ist dann nur der Rest, der noch zu tun ist.

Aber ich finde, wir täuschen uns; Wagner meint mehr, und das müssen wir zeigen. Einerseits die Hoffnung, Parsifal möge sich enthalten, ›rein‹ bleiben. Und gleichzeitig die Verzweiflung darüber, die Verzweiflung über den Verlust des Weiblichen.

Im *Parsifal* ist alles ableitbar aus den ersten fünf Takten des Vorspiels. Was hat das für Konsequenzen? Klingsor und

Amfortas haben das gleiche musikalische Material. Der
2. Akt, die Klingsor-Welt, enthält kein Material, das bis
dato nicht im Stück war. Das Absturzmotiv der Kundry, das
hauptsächlich ihr zugeordnet wird, haben alle anderen
Figuren auch. Alle stehen vor dem Abgrund. Allein schon
durch das musikalische Material und dessen Verarbeitung
zeigt uns Wagner, daß sich alle handelnden Personen nicht
voneinander abgrenzen lassen. Es gibt nicht hier die Guten
und da die Bösen, nicht hier die Kranken, dort die Gesunden, das Rechte und Unrechte, das Gefährdete und das Gesicherte. Es ist alles als Ganzes zu sehen und möglicherweise
von daher zu interpretieren. Das kulminiert in Wagners
Schlußformel: »Erlösung dem Erlöser!«

Diese Worte sprechen sehr direkt zu mir: Wagner formuliert einen Wunsch, die Utopie, daß wir erlöst werden
mögen in dem Sinn, daß Frauen und Männer wieder
zusammenkommen, daß alle Gegensätze in ihrer Einheit
verbunden sein mögen. Die Botschaft für mich lautet:
Berührung soll stattfinden. Aber sie findet eben nicht statt.
Parsifal widersteht dem Weiblichen entsprechend der
Ordensregel. Aber Wagner kann das nicht als Ideal gesehen
haben, seine Musik spricht von etwas anderem: von der
Verzweiflung darüber. Am Schluß erscheint das Haupt-
thema, mit dem die Oper begann, fällt aber nun nicht mehr
in die Quinte abwärts wie zu Beginn, sondern geht in einen
neuen Grundton nach oben, seines zweiten Teils beraubt.
Das Orchester spielt banale Oktavläufe abwärts durch alle
Bereiche. Der Widerspruch ist abhanden gekommen: Das
Thema ist bereinigt worden, und mit dieser Reinigung ist
auch das Leben verschwunden.

Das scheint relativ simpel, konventionell. Aber es ist
großartig. Es bedeutet Befreiung, Enthebung von einer Last
und gleichzeitig Verlust einer Utopie, einer Hoffnung. Wir
bekommen unsere begrenzten Möglichkeiten vorgeführt
durch Wagner. Das existentielle Problem bleibt unlösbar.
Da spielt ein gutes Stück Autobiographie Wagners hinein.

Wagner war siebzig, sein Lebenskampf war nicht aus-
gekämpft, er war immer noch nicht jenseits von Gut und
Böse, was die Frauen betrifft. Noch in seiner letzten Lebens-
stunde in Venedig bestand der Kampf um die Bedürftigkeit.
Das scheint manchem absurd und anstößig, und deshalb
wird es weggedrückt. Nehmen wir es zur Kenntnis! Deshalb lautet für mich seine letzte Botschaft, artikuliert im
Parsifal: Schaut mich an, mich armen Sünder, mich verzweifelten Menschen, der diesen anderen Pol liebt und ihn
braucht und nicht weiß, wie er damit leben soll in einer lust-
und körperfeindlichen Sozietät. Schaut mich an; erlöst
mich!

Ich glaube, daß durch diesen Menschen Wagner dieses
19. Jahrhundert auf unbeschreiblich intensive Weise hin-
durchgegangen ist, ihn beherrscht hat. Deshalb sein Engagement gegen Vivisektion, Militarismus, Industrialisierung,
Umweltzerstörung, deshalb sein Revoluzzertum, sein Anti-
semitismus auch. Und wenn wir sagen, daß dieses Werk
Parsifal ganz auf Wagner bezogen ist, meinen wir damit keineswegs, daß es allein diese eine Person Richard Wagner
und sonst niemanden betrifft. Das ist eben das Großartige,
das ist die Jahrhundertfigur Wagner! Mein Weg der
Annäherung ist erstmal, die Person Wagner in seiner Musik
zu erspüren. Und der zweite Schritt ist dann zu sehen: Er
spricht für viele Menschen, für uns alle mehr oder weniger.
Das ist ein Dokument aus diesem Jahr 1882: was da in
Deutschland, in Europa geschehen ist, wie sich das zugespitzt hat.

Am Schluß stirbt Kundry, sinkt entseelt, erlöst zu Boden.
›Erlöst‹? Ist das in Ordnung? Für mich ist das unannehmbar, wenn sie als ein die Männerwelt gefährdendes
Element, als ›Verführerin‹ liquidiert wird. Wie Carmen,
Renata, Marie … Hier tut sich ein antiquierter Aspekt aus
der Interpretationsgeschichte auf: daß das weibliche Element vor allem in unsere politische Geschichte nicht zu
integrieren sei. Wagner ruckt in seiner Musik an dieser

Stelle gewaltsam von Des-Dur nach a-Moll und gleich wieder zurück nach Des-Dur. Ein unüberhörbarer Hinweis darauf, daß unter der Oberfläche, die in Ordnung scheint, ein grauenhafter Abgrund klafft. Es gibt keinen gesungenen Text zu Kundrys Sterben! Aber Wagner hat das mit erschreckender Deutlichkeit, wenn auch in gewisser Weise wieder verschlüsselt, komponiert.

Ich kann mir nicht vorstellen, wie es danach weitergehen soll in der Welt des Gralsordens. Kundry als Opfer wird vergessen, das System funktioniert. Aber um welchen Preis? Ihr Tod, und das heißt: der Verlust alles Weiblichen auf dieser Welt, stellt den Sinn allen männlichen Tuns auf das ärgste in Frage. Das Auto ist repariert, aber wir wissen nicht mehr, wohin wir fahren sollen. Wir kennen das übrigens von uns: Die Dinge funktionieren, aber das Dasein ist langweilig. Der Sinn ist verlorengegangen. Man konstatiert die vergehende Zeit, die Vergänglichkeit. Ich betrachte die allein übrigbleibenden Männer im *Parsifal* mit einem zärtlichen Gefühl von Trauer. Sie sind bedürftig des Trostes, auch wenn ihnen das nicht bewußt sein sollte. Sie nehmen keine Notiz von der toten Frau, sind aber dennoch keine Unmenschen. Sie brauchen ihre Kräfte ausschließlich zum eigenen Überleben. Da hat nichts anderes Raum. Wagner sagt am Schluß mit seiner Musik: Sie haben genug gelitten – Vorhang zu! Aber wir vor dem Vorhang müssen uns weiter auseinandersetzen mit dem Geschehenen. Theater wird zum Politikum, ist ein Angebot für uns.

Louise Otto-Peters
Freiheit und Einheit oder
Die Frauen und das Vergessen

Von Cordula Koepcke

Diese Geschichte beginnt nicht in Leipzig. Mit ›Klein-Paris‹ hat sie wenig zu tun. Dafür ist sie aber bis heute nicht zu Ende. Ihr Ausgangspunkt ist Meißen. Dort wird am 26. März 1819 in einem Biedermeierhaus Louise Otto geboren. Sechs Jahre zuvor wurde Napoleon in der Völkerschlacht bei Leipzig von den verbündeten Preußen, Russen und Österreichern, denen sich England und Schweden anschlossen, geschlagen.

Das Kind, das heranwachsende Mädchen wird von Erzählungen über das große Ereignis geprägt. Es weiß bald, daß seit seinem Geburtsjahr durch die Karlsbader Beschlüsse von Österreich, Preußen und anderen, die doch den Despoten bekämpft hatten, alle demokratischen Bestrebungen unterdrückt werden. Der Vater ist ein liberaler Jurist und damit im Grunde nach damaliger Lesart staatsgefährdend. Aber es denken viele wie er.

Die Tochter nimmt den Freiheitsgedanken, der ihr Leben bestimmen wird, in sich auf. Sie ist 28 Jahre alt, als ihre erste Gedichtsammlung erscheint. Der Titel: *Lieder eines deutschen Mädchens*. Das ist 1847. Ein Jahr später feiert man sie als ›Lerche des Völkerfrühlings‹. Fünf Romane sind schon erschienen, darunter *Schloß und Fabrik*. Wegen ›aufregenden Inhalts‹, nämlich Kritik an den gesellschaftlichen Verhältnissen, wird das Buch verboten.

Aber das nimmt sie nicht einfach hin. Sie erreicht – und das ist erstaunlich genug – eine Audienz beim zuständigen Minister. Noch erstaunlicher aber sind die Worte, mit denen sie dem Allgewaltigen gegenübertritt: »Exzellenz, ich bin prinzipielle Gegnerin der Zensur.«

Das ist bald nach jenem denkwürdigen Besuch bei ihrer in Öderan im Erzgebirge mit einem Fabrikanten verheirateten Schwester, fünf Jahre vor der Revolution von 1848. Hier sieht sie das Elend der Klöpplerinnen, die der Aufkäufer der von ihnen gefertigten Spitzen gegeneinander ausspielt: Hundert andere wären dankbar für die Arbeit, die er ihnen bieten könnte. Und wirklich warten Hunderte darauf, zu klöppeln für einen Verdienst, der zum Sterben zuviel und fürs Leben zu wenig ist. Aber sie haben keine Wahl.

Andere hätten gewehklagt oder einen Basar zu Gunsten der Elenden veranstaltet. Das hieße aber, die Not nur notdürftig zu kaschieren, ohne ihre Ursachen zu erkennen und sie zu bekämpfen. Louise Otto weiß, daß beides nötig ist: Erkenntnis und Handeln. Deshalb gründet sie in diesem kleinen erzgebirgischen Ort drei Frauenberufsvereine, die ersten überhaupt, für Heimarbeiterinnen, für Fabrikarbeiterinnen und für Dienstmädchen. Über 200 ausgebeutete, verängstigte Frauen und Mädchen hat die junge Schriftstellerin davon überzeugt, daß nur, wenn sie zusammenhalten, wenn sie sich solidarisieren, eine Chance besteht, den schier allmächtigen Aufkäufer in die Schranken zu weisen. Damals schreibt sie ihr wohl bestes Gedicht:

> Seht ihr sie sitzen am Klöppelkissen,
> die Wangen bleich und die Augen rot?
> Sie mühen sich ab für einen Bissen,
> für einen Bissen schwarzes Brot!

Übersehen konnte es damals niemand, erst die Zukunft hat erwiesen, daß die drei Vereinsgründungen der Anfang der organisierten Frauenbewegung in Deutschland waren. Und immer noch ist Leipzig nicht im Spiel. Unbeirrt bleibt aber Louise Otto bei ihrem Thema: Freiheit und soziale Gerechtigkeit. Nur für die Frauen? Nein, die Freiheit ist unteilbar, und die Revolution verheißt beides. Louise Otto ist ganz politische Kämpferin.

Als sie 1849 ihre ›Frauen-Zeitung‹ gründet, zieht sie die Konsequenz aus ihrer Analyse der sich verändernden Zeitsituation und fordert zur Solidarität auf – mit allen, nicht nur mit den Frauen: »... wir wollen unsere Kräfte aufbieten, das Werk der Welt-Erlösung zu fördern, zunächst dadurch, daß wir den großen Gedanken der Zukunft: Freiheit und Humanität (was im Grunde zwei gleichbedeutende Worte sind) auszubreiten suchen in allen Kreisen, welche uns zugänglich sind ...«

Wenn jedoch Freiheit allen zuteil werden soll, heißt das, auch den Frauen. Die aber haben keine wirklichen Fürsprecher, und so nimmt sich Louise Otto ihrer an: eine Frau, die dichtet, Romane schreibt und der man zujubelt: die Lerche des Völkerfrühlings.

Schon sechs Jahre zuvor hatte sie in den ›Sächsischen Vaterlandsblättern‹ auf die Frage des demokratischen Politikers und Publizisten Robert Blum nach der »Teilnahme der weiblichen Welt am Staatsleben« geantwortet: »Die Teilnahme der Frauen an den Interessen des Staates ist nicht ein Recht, sondern eine Pflicht.« »Selbständig müssen die deutschen Frauen werden«, forderte sie damals, »nur dann werden sie auch fähig sein, ihrer Pflicht, teilzunehmen an den Interessen des Staates, immer und auf die rechte Weise nachzukommen.« Möglich aber sei das nur durch »individuelle Bildung«.

Bildung ist für Louise Otto nicht etwa das Privileg höherer Stände, sondern geradezu eine Notwendigkeit für die Arbeiterschaft, das Proletariat. Deshalb richtet sie 1848 an die von der damaligen liberalen sächsischen Regierung eingesetzte Kommission ›zur Erörterung der Gewerbe- und Arbeitsverhältnisse‹ ihre berühmte *Adresse eines Mädchens*. Darin verlangt sie, daß bei einer allgemeinen Neuordnung der Arbeitsverhältnisse auch die Arbeit der Frauen berücksichtigt werden müsse, die Arbeitsbedingungen verbessert und die Löhne in angemessener Höhe festgesetzt werden sollten, nicht zuletzt, um die Hinwendung zu geistigen Interessen zu ermöglichen.

Was treibt diese Frau an, die sich als Dichterin versteht, sich für die »Ärmsten der Armen«, für ihre »armen Schwestern«, wie sie immer wieder – im Stil der Zeit – betont, mit ihrem ganzen Ansehen, das mit ihrem hohen Bekanntheitsgrad verbunden ist, einzusetzen? Dabei sind ihre Gedichte für unser heutiges Empfinden pathetisch, überschwenglich, formal meistens unzulänglich. Aber auch für sie selbst gilt, was sie wiederholt festgestellt hat: daß nämlich zuerst die politische Poesie die Frauen wachgerüttelt habe. Dann erst folgte die klare, nüchterne Analyse mit den sich daraus ergebenden Forderungen. Von der Welterlösung ist da die Rede, und das liegt gleichsam in der Luft. Schließlich ist in Frankreich Revolution, und das *Kommunistische Manifest* von Karl Marx und Friedrich Engels dröhnt wie ein Trompetensignal in die deutsche Wirklichkeit hinein. Auf ihre Weise antwortet Louise Otto wenig später mit dem Motto ihrer Frauen-Zeitung: »Dem Reich der Freiheit werb' ich Bürgerinnen«.

Schon in der ersten Nummer redet sie ihren Leserinnen auf sehr eigene Weise ins Gewissen: »Mitten in den großen Umwälzungen, in denen wir uns alle befinden, werden sich die Frauen vergessen sehen, wenn sie selbst an sich zu denken vergessen.« Das ist ein Appell zum Handeln.

Aber mit dem, was man dazumal unter Frauenemanzipation versteht, mit den exzentrischen Vorstellungen einer Louise Aston oder den freigeistigen Ideen von Mathilde Franziska Anneke, will Louise Otto nichts zu tun haben. Doch den Reichtum an Begabung, der sich oft hinter solchen Verhaltensweisen verbirgt, verkennt sie nicht.

Man kann sie leicht unterschätzen, vermuten, daß es ihr an Entschlußkraft und vielleicht sogar, daß es ihr an Entscheidungs- und Urteilsfähigkeit fehle. Doch das ist ein Irrtum. Als sie in der ›Frauen-Zeitung‹ die Regierung immer schärfer kritisiert und schließlich ein Gesetz erlassen wird, das man weithin als ›Lex Louise Otto‹ bezeichnet, weil es für politische Zeitschriften ausschließlich männliche

Redaktionsleitung verlangt, ist sie nicht bereit, sich zu unterwerfen: »Scheinbar nur in die alte Unmündigkeit zurückgeworfen, sind die Frauen nie für mündiger in den Dingen des Staates erklärt worden als durch diesen Gesetzesparagraphen. Sie werden an Selbstbewußtsein und Selbstvertrauen gewinnen, was man ihnen jetzt durch Entziehung eines Rechts geraubt hat.« Mit einem männlichen Redakteur die Arbeit fortzusetzen, fände sie geradezu erbärmlich: »Wir weichen lieber der Gewalt, als daß wir als unmündige Kinder unsere Zuflucht zu einem Schirmherrn nehmen, dessen wir nicht bedürfen.«

Sie hoffte so viel von der Revolution – nicht mehr und nicht weniger als Deutschlands Freiheit und Einheit – und muß nun mitansehen, daß nichts davon gelingt. Als Vierundzwanzigjährige hatte sie allein, ohne Begleitung, was damals äußerst ungewöhnlich, ja unschicklich war, eine Reise unternommen: in den Teutoburger Wald, wo Armin der Cherusker die Römer besiegte; an Schillers, des idealistischen Dichters, Grab und zur Wartburg, wo Luther als Junker Jörg das Neue Testament übersetzte und 1817 die Jugend den Gedanken der deutschen Einheit erneuerte.

Jetzt aber scheint alles umsonst. Die Revolution, für die sie gedichtet, geschrieben, Opfer gebracht hat, ist gescheitert. Ihr Verlobter, der Publizist August Peters, hat an den sächsischen und badischen Aufständen teilgenommen und entkommt nur durch schwere Krankheit der Hinrichtung. Schließlich wird er zu sechs Jahren Zuchthaus begnadigt. Die Briefe von Louise Otto an den Gefangenen sind erst vor kurzem vollständig und im Zusammenhang veröffentlicht worden. Sie zeugen von tiefer Zuneigung, von Mut und Tapferkeit. In Baden ist Peters begnadigt worden, in Sachsen wird er erneut verurteilt und erst im Juli 1856 aus dem Zuchthaus entlassen. Aber noch können sie nicht heiraten. Erst muß eine Anstellung gefunden werden. 1858 wird August Peters politischer Redakteur der ›Leipziger Volkszeitung‹. Nach neunjährigem Verlöbnis kann nun endlich die Ehe geschlossen werden. Louise Otto-Peters – sie behält ihren Namen, und das ist damals etwas völlig Neues – leitet das Feuilleton der liberal-demokratischen Zeitung.

Sie ist 39 Jahre alt, als Leipzig die bestimmende Stadt für sie und damit für die Frauenbewegung wird. Fast vier Jahrzehnte bleiben ihr noch. Schon jetzt, am Anfang der Leipziger Zeit, zeichnet sich das Wirken des Ehepaares Peters in die Geschichte von Stadt und Land ein. August Bebel, der spätere langjährige erste Vorsitzende der Sozialdemokratischen Partei Deutschlands, berichtet in seinen Erinnerungen *Aus meinem Leben,* daß er 1861 mit der sich entwickelnden Arbeiterbildungsbewegung über die ›Mitteldeutsche Volkszeitung‹ in Berührung gekommen sei, »die der Achtundvierziger Dr. August Peters redigierte, der Ehemann der bekannten verstorbenen Vorkämpferin für die Frauenrechte Louise Otto-Peters«. Durch die harten Haftbedingungen gesundheitlich schwer geschädigt, stirbt August Peters 1864 nach langer Krankheit.

Ein Jahr zuvor gründete in Leipzig Ferdinand Lassalle den Allgemeinen Deutschen Arbeiterverein, die Keimzelle der deutschen Sozialdemokratie. Die Arbeiterbewegung hat nun einen politischen, parteipolitischen Arm. Der andere Arm ist die Arbeiterbildungsbewegung. ›Wissen ist Macht‹, lautet einer ihrer Wahlsprüche.

Und was ist mit den Frauen? Sie sind die andere große Bevölkerungsgruppe – unterdrückt, unfrei. August Bebel meint in seinem Buch *Die Frau und der Sozialismus,* daß die Frauen nur an der Seite der Arbeiterklasse und mit ihr gemeinsam ihre Befreiung erkämpfen könnten.

Louise Otto-Peters sieht andere Horizonte. Unverändert hält sie an ihrer schon im Vormärz vertretenen Auffassung fest, daß die Frauenbewegung parteipolitisch neutral sein müsse, um für alle Frauen eintreten zu können. Sie ist überzeugt, daß nur Bildung den Weg zu qualifizierter Arbeit und zur unabhängigen Meinungsbildung ebnen kann.

Der Theorie folgt die Tat. Ein Jahr nach dem Tode des

Louise Otto-Peters
(1819–1895)

Gatten gründet Louise Otto-Peters zusammen mit der Lehrerin Auguste Schmidt den ersten Frauenbildungsverein. August Bebel stellt die Räume des Arbeiterbildungsvereins, dessen Vorsitzender er ist, unentgeltlich zur Verfügung. Sogenannte ›Abendunterhaltungen‹ sollen dem Ziel dienen, den ›weiblichen Gesichtskreis‹ zu erweitern, ›Erhebung und Anregung für stille Arbeitsstunden‹ zu geben sowie ›Erweckung und Stärkung zu freudiger Berufstätigkeit‹.

Doch das ist nur die eine Seite, die mehr der Allgemeinbildung dient durch Vorträge über Themen aus dem Bereich der klassischen Bildung, musikalische Darbietungen, Theateraufführungen, Rezitationen. Aber ein knappes Jahr nach seiner Gründung eröffnet der Frauenbildungsverein eine Sonntagsschule mit Unterricht in den Elementarfächern und Französisch. Ein weiteres Jahr später werden Abendkurse eingeführt mit Stunden für Deutsch, Französisch, Englisch, Geographie, Rechnen, Handelskunde, Zeichnen, Singen und Handarbeiten. Später werden diese Kurse zu einer Fortbildungsschule ausgebaut, die achtzehn Wochenstunden Unterricht anbietet.

Alle diese Veranstaltungen sind vor allem für die Arbeiterinnen gedacht, um ihre Bildung zu verbessern und ihr Bewußtsein, ihr Selbstvertrauen zu stärken. Louise Otto-Peters empfindet nicht nur die soziale Situation als unerträglich. Sie erkennt vor allem, daß die Arbeitswelt sich grundsätzlich verändert und schreibt in ihrer Schrift *Das Recht der Frauen auf Erwerb,* es sei nicht mehr möglich, »daß zwei Hände allein genug arbeiten und verdienen können, um ein ganzes Leben lang eine Familie zu ernähren. Von diesem Druck ... der Nahrungssorgen ... wollen wir die Männer ... erlösen, wie wir uns selbst von dem Druck der Abhängigkeit erlösen wollen ...«

Als sie das schreibt und damit die Gedanken, die sie bereits zwanzig Jahre zuvor dachte, weiterführt, hat sie bereits einen weiteren entscheidenden Schritt gewagt: Zum 16. Oktober 1865 hatte sie die Erste deutsche Frauenkon-

ferenz nach Leipzig einberufen. Teilnehmerinnen aus ganz
Deutschland fanden sich ein. Das Datum war bewußt gewählt: Es ist der Jahrestag der Völkerschlacht bei Leipzig.
Freiheit, Befreiung – das stand groß und klar über diesen
Tagen in der sächsischen Metropole. Die Erste deutsche
Frauenkonferenz forderte das Recht der Arbeit für die Frau
und die Beseitigung aller dem entgegenstehenden Vorurteile. Empfohlen wurden unter anderem Industrieausstel-
lungen für Arbeitserzeugnisse von Frauen, die Gründung
von Industrieschulen für Mädchen und die Pflege höherer
wissenschaftlicher Bildung.

Aber das alles hätte nicht gereicht, um die soziale Situation der Öffentlichkeit wirklich bewußt werden zu lassen:
das Elend der Arbeiterinnen, den Konkurrenzkampf mit
den Arbeitern, die noch längere Zeit in alten Positionen verharren und Frauenarbeit in Fabriken ablehnen, und nicht zu
vergessen den Zwang zur Versorgungsehe, der viele Töchter des kleinen und mittleren Bürgertums in unwürdige Verhältnisse führt. Wirkliche Klarheit, worum es geht, wird
erst erreicht, als während der Frauenkonferenz der Allgemeine Deutsche Frauenverein (ADF) gegründet wird mit
Louise Otto-Peters als erste Vorsitzende. Anfangs wagen
nicht viele den Anschluß: 34 sind es bei der Gründung, 75
im ersten Jahr. Aber fünf Jahre später hat der Verein bereits
10.000 Mitglieder, und zwar vor allem im Osten und Norden Deutschlands. Die ersten Ortsvereine gründen sich im
Anschluß an die Konferenz in Leipzig, Zwickau, Krems,
Lissa und Hamburg. Bis nach Danzig, Königsberg, Tilsit
reichen bald die Beziehungen des ADF. Überall entstehen
Zweigvereine, in Breslau so gut wie in Stettin. Im Westen
und im Süden geht es viel langsamer voran. Vielleicht, weil
das im Paragraphen 1 der Satzung festgelegte Ziel dort, im
reicheren Teil Deutschlands, noch nicht ganz verstanden
wird und auch konfessionelle Bedenken der neuen Gründung entgegenstehen, die ihre Aufgabe so sieht: »Der Allgemeine Deutsche Frauenverein«, heißt es in der Satzung,

»hat die Aufgabe, für die erhöhte Bildung des weiblichen Geschlechts und die Befreiung der weiblichen Arbeit von allen ihrer Entfaltung entgegenstehenden Hindernissen mit vereinten Kräften zu wirken.« Das ist, in einem Satz zusammengefaßt, alles, was Louise Otto-Peters seit dem Vormärz erstrebt. Auf den meisten Generalversammlungen des ADF werden Existenzfragen der Arbeiterinnen verhandelt wie Frauenlöhne oder die Gründung von Rechtsschutzvereinen für Arbeiterinnen, um sie vor Ausbeutung zu schützen. Versicherungsfragen werden erörtert und Petitionen an das Parlament gerichtet, was zum Beispiel 1869 die Gleichstellung von Männern und Frauen in der Gewerbeordnung zur Folge hat. Auf nahezu allen Gebieten erweisen sich Programm und Aktivitäten des Allgemeinen Deutschen Frauenvereins als grundlegend für die Entwicklung der Frauenbewegung in Deutschland. Von Leipzig gehen die Ideen aus und werden von Ortsvereinen in ganz Deutschland aufgenommen und kopiert. Ideengeberinnen aber sind vor allem Louise Otto-Peters und Auguste Schmidt. Schließlich entsteht der Plan, Mädchen auf das Abitur vorzubereiten und das Frauenstudium durchzusetzen, und hier treffen sich die Leipziger Bestrebungen mit denen der Berliner Lehrerin Helene Lange.

Die finanzielle Basis für das gesamte Projekt geht auf die Schenkung von insgesamt 130.000 Goldmark durch Ferdinand und Louise Lenz aus dem Jahr 1885 zurück. Ein Jahr zuvor hatte das Ehepaar anonym der Universität Heidelberg eine Stiftung von 100.000 Mark angeboten, deren Zinsen als Stipendien für Studentinnen der Naturwissenschaften verwendet werden sollten. Das Angebot wurde abgelehnt. Frauenbildung und Frauenstudium stehen zu jener Zeit noch ganz niedrig im Kurs. Im deutschsprachigen Raum erlaubt einzig die Universität Zürich Frauen, unter normalen Bedingungen ein Studium zu absolvieren. So unterschiedliche Persönlichkeiten wie Lou (Andreas-) Salomé, Ricarda Huch und Rosa Luxemburg studieren dort in den achtziger und neunziger Jahren des vorigen Jahrhunderts.

Rund 30 Jahre lang ist Leipzig der Mittelpunkt der soziokulturellen Bewegung der Frauen, die neben der Arbeiterbewegung in der zweiten Hälfte des vorigen und Anfang unseres Jahrhunderts die gesellschaftliche Entwicklung mitbestimmt. Kaum eine Ausgabe des ›Kladderadatsch‹, der bekannten satirischen Zeitschrift, erscheint ohne eine Karikatur der ›Blaustrümpfe‹, wie die studierenden, emanzipierten Frauen genannt werden. Das ist Ablehnung, Hohn, Verkennung. Aber es ist auch ein Zeichen, das ihre Bedeutung signalisiert.

Doch das alles schützt nicht vor Rückschlägen. Um 1890 gelingt es Clara Zetkin, die Arbeiterinnen von der Frauenbewegung zu lösen und um ihre Zeitschrift ›Die Gleichheit‹ zu sammeln. Das ist der Beginn der proletarischen Frauenbewegung. Der nichtproletarische Teil wird künftig als ›bürgerlich‹ bezeichnet. Das war die erste Spaltung. 1899 löst sich für acht Jahre der radikale Flügel von dem gemäßigten und größten Teil der bürgerlichen Bewegung und sorgt damit für die zweite Spaltung. Als sich 1894 in Berlin der Bund Deutscher Frauenvereine als Dachorganisation gründet, wird aus dem Auditorium die Frage nach der Aufnahme sozialdemokratischer Arbeiterinnenvereine gestellt. Das damalige Vereinsgesetz verbietet solche parteipolitisch ausgerichteten Vereinigungen. Das ist zu bedenken, wenn nicht der eben erst entstehende Bund sofort aufgelöst werden soll. Arbeiterinnenvereine ohne solchen ausgesprochen politischen Akzent aber sind willkommen. Lilly Braun, eine führende Vertreterin der proletarischen Frauenbewegung, hat in ihren *Memoiren einer Sozialistin* den Vorgang als einen bewußten Affront gegen die Arbeiterinnen dargestellt. Seitdem geistert diese Version durch die einschlägige Literatur und hat inzwischen auch schon das Fernsehen erreicht, ohne doch deswegen wahrer zu werden. Aber der Vorfall und seine Folgen zeigen, daß das Klima in der Frauenbewegung inzwischen kälter geworden ist. Ein Jahr später, am 13. März 1895, stirbt Louise Otto-Peters in Leipzig.

Bis zuletzt hat sie sich als Dichterin gefühlt und ihr Verständnis von Humanität, das den Begriff der Freiheit mit umfaßte, ohne Einengungen durch Klassenschranken gelebt. Ebenso fremd war ihr Geschlechterkampf, so sehr sie sich auch kritisch mit ungerechten, vorurteilsvollen Verhaltens- und Denkweisen von Männern auseinandersetzte. Emanzipation und Frauenwahlrecht hielt sie für selbstverständliche Konsequenzen der Freiheit, wenn sie auch nach der gescheiterten Revolution vorsichtiger mit Forderungen war, um nicht steigende Gegnerschaft zu provozieren. Wie auf eine »geistige Stamm-Mutter« (Gertrud Bäumer) lassen sich die Arbeitsgebiete, Aufgaben, Errungenschaften der Frauenbewegung auf Gedanken, Forderungen und Arbeitsergebnisse von Louise Otto-Peters zurückverfolgen. Ernst Bloch hat sie eine »rote Demokratin« genannt, und wirklich war für sie Demokratie nur ein anderes Wort für Freiheit. Wenn man dann sozial für ›rot‹ setzt, wäre sie wohl mit dieser Charakterisierung einverstanden gewesen.

Was aber hätte sie zur Entwicklung der Frauenbewegung bis heute gesagt? Auf das Verhalten des Bundes Deutscher Frauenvereine, der sich zu Beginn des Dritten Reiches lieber selbst auflöste, als seine jüdischen Mitglieder auszuschließen, sein Vermögen den NS-Frauenorganisationen zu überlassen und die geforderte Erklärung abzugeben, sich bedingungslos den Befehlen Adolf Hitlers unterzuordnen, wäre sie zweifellos stolz gewesen. Hier konkretisierte sich in bitterer Stunde Geist aus ihrem Geist.

Sonst würde sie, die es ganz richtig fand, daß Mädchen vor der Ehe möglichst wenig ›Biographie‹ haben sollten, wohl manchmal etwas verwundert sein.

Ganz nahe aber ist sie uns, wo sie die Situation der Frauen in engem Zusammenhang mit der Geschichte sah. Wie es für sie Freiheit nur für alle gab, war ihr die Einheit

Deutschlands nicht nur ein geographisch-politischer Begriff, sondern fast noch mehr ein menschlicher, ein geistiger Prozeß. Wie eine Zeitgenossin redet sie uns an, wie eine von uns, und obwohl sie auf den meisten Bildern eine Art Spitzenhäubchen trägt, war sie unglaublich modern, mehr als sie es je ahnen konnte, als sie während *ihrer* Revolution schrieb: »Mitten in den großen Umwälzungen, in denen wir uns alle befinden, werden sich die Frauen vergessen sehen, wenn sie selbst an sich zu denken vergessen«.

Damit dürfte klar sein, daß die Geschichte, von der hier die Rede war, nicht zu Ende ist. Nein, sie geht weiter, in Leipzig wie anderswo. Wie lange? So lange, wie menschliche Gemeinschaften, wie Staaten Anstoß brauchen, um sich immer wieder zu reformieren. Das Ende ist nicht absehbar.

Clara Schumann in Leipzig
Zwischen Aufgabe und Hingabe

Von Brigitte Fassbaender

Clara Schumann in Leipzig – 1819 bis 1844 –, das ist zunächst noch Clara Wieck, die kleine Clara, die seit dem fünften Lebensjahr ohne Mutter aufwächst. Marianne Wieck, die lebenslustige Frau des Klavierpädagogen Friedrich Wieck, entzieht sich der Ehe mit dem harten, ehrgeizigen Mann und baut sich in Berlin ein neues Leben auf. Friedrich Wieck hat sich schon früh in den Kopf gesetzt, aus seiner Tochter Clara eine große Pianistin zu machen und stiehlt ihr nun die Kindheit, indem er sie mit stundenlangen, konzentrierten Übungen, tagaus, tagein ans Klavier fesselt, sie mit einer von ihm entwickelten Methode traktiert. Clara gehorcht und kultiviert die tatsächlich vorhandene Begabung, die sich sogar in eigenen Komponierversuchen ausdrückt.

Der stolze Vater reicht – zuerst noch zögernd – sein Wunderkind herum, die Wirkung im kleinen, exklusiven Leipziger Freundes- und Gönnerkreis quasi ausprobierend. Der Erfolg gibt ihm recht. Konzerttourneen bringen frühen Ruhm und Anerkennung. Von Gleichaltrigen ferngehalten, ganz der Arbeit, dem Wachsen und Werden einer künstlerischen Persönlichkeit ausgeliefert, wird Clara frühreif und altklug gewesen sein; ohne Mutterbindung – die Stiefmutter bleibt ungeliebt – kühl und beherrscht nach außen, vereinsamt und verschlossen, mehr und mehr der einzigen Freundin dieser unfrohen Jugend hingegeben: der Musik.

Als Robert Schumann, der weiche, scheue Jüngling das Haus betritt, um Friedrich Wiecks Schüler zu werden – er wird die harte, fordernde Methode Wieckscher Fingerfertigkeit nicht so klaglos und unbeschadet überstehen wie Clara – da ist es mit deren Einsamkeit vorbei. 1832 schreibt

Clara Schumann
(1819–1896)

der Zweiundzwanzigjährige an die dreizehnjährige Clara:
»… Ich weiss, Sie sind ein denkender Kopf und verstehen
Ihren alten mondsüchtigen Charadenaufgeber – also liebe
Clara! Ich denke oft an Sie, nicht wie der Bruder an seine
Schwester, oder der Freund an die Freundin, sondern etwa
wie ein Pilgrim an das ferne Altarbild; ich war während
Ihrer Abwesenheit in Arabien, um alle Märchen zu erzählen, die Ihnen gefallen könnten – sechs neue Doppel-
gängergeschichten, 101 Charaden, 8 spasshafte Rätsel und
dann die entsetzlich schönen Räubergeschichten und die
vom weissen Geist – hu, huh! wie's mich schüttelt!..«
    Ihr Herz fliegt dem genialischen Menschen zu, der ihr die
Zartheit und liebevolle Aufmerksamkeit entgegenbringt,
nach der sie sich sehnt. Der neun Jahre ältere Schumann
verliebt sich sterblich in die aparte Kindfrau, die ihm im
Klavierspiel zwar überlegen ist, seine Genialität aber intui-
tiv erfaßt und als gegeben akzeptiert. »… Liebe und gute
Clara! Ob und wie Sie leben will ich wissen – weiter steht
im Briefe nichts. Kaum wünschte ich, dass Sie sich meiner
noch erinnern, da ich alle Tage sichtbar mehr einfalle und
zur dürren Bohnenstange ohne Blätter in die Höhe schiesse.
Der Doktor hat sogar verboten, mich zu stark zu sehnen,
nach Ihnen nämlich, weil es zu stark angriffe.« Clara antwortet vertrauensvoll, lächelnd, kokett: »… Sie wollen wissen, ob ich lebe? nun das könnten Sie doch schon wissen,
da ich Ihnen schon so viele Komplimente geschickt habe!
ob sie ausgerichtet worden sind, das weiss ich freilich nicht,
doch hoffe ich es. Wie ich lebe, das können Sie sich doch
auch denken! wie kann ich denn gut leben, wenn Sie uns gar
nicht mehr besuchen!«
    Seine künstlerische Tiefe, sein Schaffensdrang brechen
sich Bahn im Zeichen der zuerst heimlichen, dann immer
sicherer werdenden Liebe zwischen diesen beiden hochbegabten Menschen. ».. Er hat mir heute viele seiner Lieder
gezeigt – so hatte ich sie nicht erwartet! Mit der Liebe
wächst auch meine Verehrung für ihn. Es ist keiner unter
den jetzt Lebenden, der so begabt mit Musik ..«

Nach außen bleibt die Beziehung kameradschaftlich. Man begegnet sich im Wieckschen Hause zu gemeinsamen Studien und Unternehmungen. Clara ahnt die Eifersucht des Vaters – »... sprechen Sie nicht mit Vater eher von dem, was uns betrifft, als bis Sie zu meinem Geburtstag schreiben. Er ist sehr gut auf Sie, doch muss alles mit Ruhe geschehen. Meine Sehnsucht Sie zu sehen, zu sprechen, ist unbeschreiblich – findet sich Gelegenheit, tue ich es Ihnen kund..«, schreibt sie am 19. August 1837, drei Tage, nachdem sie Robert ihr Jawort gegeben hat: Seine schriftliche Werbung war fordernd und eindeutig: »..... Sind Sie noch treu und fest? So unerschütterlich ich an Sie glaube, so wird doch auch der stärkste Mut an sich irre, wenn man gar nichts von dem hört, was einem das Liebste auf der Welt. Und das sind Sie mir: Tausendmal habe ich mir alles überlegt und alles sagt mir: Es muss werden, wenn wir wollen und handeln. Schreiben Sie mir nur ein einfaches Ja ...« Claras Antwort ist überströmend und bewußt zugleich: »Nur ein einfaches »Ja« verlangen Sie? So ein kleines Wörtchen – so wichtig! Doch – wollte nicht ein Herz so voll unaussprechlicher Liebe, wie das meine, dies kleine Wörtchen von ganzer Seele aussprechen können? Ich tue es und mein Innerstes flüstert es Ihnen ewig zu.«

Schon im September weiß der Vater, wie es um Robert und Clara steht, er macht ihnen das Leben zur Hölle. Er wehrt sich: Clara ist sein Besitz, sein Kleinod, das er gezüchtet, veredelt, kreiert hat – er will sie nicht hergeben an den hergelaufenen Compositeur, der sich die Liebe seiner Tochter erschlichen hat. Mit allen Mitteln bekämpft er die Verbindung zwischen Robert und Clara, verbietet Robert das Haus, schickt Clara auf weite Konzertreisen. Briefe und Tagebücher zeugen von inneren und äußeren Kämpfen aller Beteiligten an diesem Seelendrama.

Robert an Clara, am 18. September 1837 »Die Unterhaltung mit Ihrem Vater war fürchterlich. Diese Kälte, dieser böse Wille, diese Verworrenheit, diese Widersprüche –

er hat eine neue Art zu vernichten, stösst einem das Messer mit dem Griff in das Herz. Was denn nun, meine liebe Clara? Ich weiss nicht, was ich anfangen soll. Gar nicht. Mein Verstand geht hier zunichte und mit dem Gefühl ist ja vollendes nichts anzufangen bei Ihrem Vater. Was denn nun, was denn nun?..« Wie soll Clara die Verzweiflung, die Verunsicherung auffangen? Schumann ist von Wiecks Abwehr gegen die Beziehung tief getroffen: ».. Ich bin heute so tot, so erniedrigt, dass ich kaum einen schönen guten Gedanken fassen kann; selbst Ihr Bild ist mir zerflossen, dass ich mir kaum Ihr Auge denken kann. Kleinmütig, dass ich Sie aufgäbe, bin ich nicht worden; aber so erbittert, so gekränkt in meinen heiligsten Gefühlen, so über einen Leisten geschlagen mit dem gewöhnlichsten.«

Und weiter im Oktober: »... Soll ich Dir und deinem Vater auf der Reise manchmal schreiben? Ich weiss kaum mehr, wie ich mich zu benehmen habe. Du wirst noch manches von diesem harten Manne dulden müssen.. Es könnte kommen, dass wir einmal eine Zeit lang gar nichts voneinander hörten, dass unsere Briefe von Deinem Vater aufgefangen würden – dass man mich vielleicht sogar bei Dir anschwärzt. Dass man Dir dann sagte, ich hätte Dich vergessen. Glaube niemals daran. Die Welt ist böse, wir wollen aber rein hervorgehen..«

Es kommt, wie Robert es fürchtet. Die Liebenden sind monatelang getrennt, der Vater verbietet jeden Kontakt, doch Clara findet Mittel und Wege, Schumann zu trösten, zu schreiben, ihn ihrer Liebe zu versichern: ».. Zweifeln Sie noch an mir? Ich verzeih es Ihnen, bin ich doch ein schwaches Mädchen! ja schwach: aber eine starke Seele hab ich – ein Herz, das fest und unveränderlich ist. Dies sei Ihnen genug, um jeden Zweifel zu unterdrücken.«

Die Notwendigkeit, ihrer künstlerischen Berufung nachzugehen, wird Clara sicher fragwürdig vorgekommen sein in den hektischen Monaten nach dem Entschluß, sich mit Schumann für immer zu verbinden! Und dabei reist sie rastlos konzertierend durch die Welt. Hamburg, Wien, Graz, München, Paris sind die Städte, die sie mit ihrem Können, ihrer starken Ausstrahlung erobert. Das Reisen soll ihr über die Trennungen von Robert hinweghelfen, Ablenkungen und all die neuen Eindrücke die Sehnsucht lindern helfen. »... Ich bin so bewegt heute, dass ich keinen Gedanken fassen kann. Auch mir hat der Schmerz die Wurzel meines Lebens angegriffen, doch bist Du ruhig, so bin ich glücklich.. Schreibe nur an mich und Vater ganz ungeniert (und recht oft) als Freund – Freund? Ach, welch kaltes Wort! Sind wir uns doch beide mehr und das ist genug! Ich bin gefasst auf alles, auf das Schlimmste. Jetzt bin ich stark geworden durch Dich – Dein Herz, Dein edler Stolz hat auch mir ein Selbstgefühl gegeben«

Er apostrophiert sie als seine »Muse«. Durch sie wird er fähig, sich seines außerordentlichen Künstlertums ganz bewußt zu werden. Und er verlangt totale Hingabe an seine Bedürfnisse, während Clara von seiner künstlerischen Kompetenz und Eindringlichkeit profitiert. Der »Liebessturm« gebiert den »Liebesfrühling«. – Eine erste Lieder-Sammlung nach Texten von Friedrich Rückert entsteht. Auch Clara vertont vier Gedichte, die Robert anerkennend in die Sammlung aufnimmt.

Drei Jahre dauert die Zeit der Trennungen, der Entfremdungen, und immer wieder leidenschaftlicher Beteuerungen, bis Clara und Robert, nach einem Verleumdungsprozeß, der – von Wieck angestrengt – aber zu Gunsten Schumanns ausgeht, endlich am 12. September 1840 heiraten können. Der Vater zieht nach Dresden, weil er die Nähe des verheirateten Paares nicht erträgt.

Aus Clara Wieck, der jungen, schönen, hoffnungsvollen Pianistin wird Clara Schumann, Hausfrau, Mutter und nicht zuletzt Betreuerin und Beschützerin ihres melancholischen, depressiven, gefährdeten Mannes, der minutiös den Alltag auf die Seiten des gemeinsamen Tagebuchs bannt und sich oft als kleinkrämerischer, wehleidig

moralisierender Pedant gebärdet. Clara schweigt, um
Verständnis bemüht, Stimmungsschwankungen geduldig
ertragend.

Auch das Klavier schweigt – ihr Üben stört Robert beim
Komponieren. Sie findet sich vorübergehend mit dem
Brachliegen ihrer Fähigkeiten ab; Gehorchen hat sie gelernt
– noch überwiegt das Glück der jungen Ehe, der Stolz auf
diesen Mann, von dem als Komponist Großes erwartet wird
und neben dessen großer künstlerischer Bedeutung sie sich
oft klein und mittelmäßig vorkommt. Außerdem wird das
erste Kind geboren – Marie kommt 1841 auf die Welt. Zeit
zum Konzertieren, Reisen bleibt sowieso nicht. Der Haushalt, die Pflichten und Sorgen fordern sie ganz. Denn Sorgen, vor allem finanzielle, gibt es genug. Clara, die Stärkere,
Eindeutigere, dem Leben und seiner Bewältigung Zuge-
wandtere, erkennt mehr und mehr, daß der Ehealltag, das
Kinderkriegen nicht das Resultat all der vorbereitenden
Opfer ihrer Jugend sein kann: »Wenn ich so recht regel-
mässig studieren kann, fühle ich mich doch eigentlich erst
wieder in meinem Element; es ist, als ob eine ganz andere
Stimmung über mich käme, viel leichter und freier, und alles
erscheint mir heiterer und erfreulicher. Die Musik ist doch
ein gutes Stück von meinem Leben, fehlt sie mir, so ist es,
als wäre alle körperliche und geistige Elastizität von mir ge-
wichen.«

Sie erobert sich ihre künstlerische Freiheit zurück, soweit
ihr die Schwangerschaften Zeit dazu lassen. Sie reist, gibt
wieder Konzerte in aller Welt, verstärkt und festigt Anerkennung und Ruhm der frühen Jahre, wird eine europäische
Berühmtheit. Und trägt nicht zuletzt zum Unterhalt der
wachsenden Familie maßgeblich bei. Ihre Auftrittsgagen
übersteigen bald Roberts Einnahmen – und er führt das
Haushaltsbuch mit buchhalterischer Akribie.

Claras Leben scheint wie in ein Korsett gepreßt – zwischen ehelicher und künstlerischer Pflichterfüllung schwan-
kend, zusammengenommen; diszipliniert die eigenen

Träume, Erwartungen und schöpferischen Möglichkeiten immer wieder zugunsten Schumanns verdrängend.

So jedenfalls erscheint sie mir auf den frühen Porträts: Immer ernst, oder besser »unheiter« – die Weichheit und Wärme, die aus dem anziehenden Gesicht spricht, zurückgenommen in Haltung, in Tadellosigkeit, in dienende Aktivität.

Ob diese Ehe ein Äquivalent war für soviel Selbstaufgabe? Ob die künstlerische Befriedigung der späten Jahre, die rastlose Tätigkeit für Schumanns Werk, das sie verbreitet und anpreist, sie endlich zu den Quellen ihrer Persönlichkeit führten?

Die späteren Bildnisse zeigen eine gelöstere, die Weichheit erlaubende Clara Schumann. Eine gewisse Behäbigkeit stellte sich ein, eine Ruhe, zu der sie erst findet, als Robert Schumann aus ihrem Leben geht, das wohl in seine entscheidende Krise nicht durch ihn, sondern durch die Leidenschaft zu Johannes Brahms geraten ist.

Die Leipziger Jahre jedenfalls sind die voll Hingabe an den Andern mit mühsam versuchter Selbstbehauptung. Im Zwiespalt zwischen Rollenspiel und Eigenanspruch, zwischen Erprobung der Liebesfähigkeit und künstlerischer Egozentrik. Was auf der Strecke bleibt ist unwiederbringlich und gerinnt zu bürgerlicher Frustration. Denn in Clara und Robert Schumann sind nicht nur zwei hochkünstlerische Existenzen zur Gemeinsamkeit verdammt, sondern zwei Menschen, deren Leiden aneinander den Freuden sicher ebenbürtig ist.

Clara und Robert verlassen Leipzig Ende 1844. »Sturm und Drang« sind vorüber. Die Aussöhnung mit dem Vater und neue Erwerbsquellen für Robert führen sie nach Dresden. Der Versuch, das gemeinsame Leben zu bewältigen, geht weiter. Er wird scheitern, die durch die krankhafte Geistesstruktur geförderte Lebensunfähigkeit Schumanns beweisen und Clara die Selbständigkeit zurückgeben, die sie so dringend braucht, um ganz sie selbst zu werden.

Wilhelm Wundt
Der Gründer
des ersten Psychologischen Instituts der Welt

Von Jürgen Guthke

Fast jeder Leipziger kennt wohl die Wundtstraße, ältere Leipziger werden sich vielleicht an die Wundt-Schule erinnern, und manch einer hat auch schon vor dem Wundt-Grab auf dem Leipziger Südfriedhof gestanden, ›bekannt‹ aber, im Vergleich zu anderen berühmten Leipzigern, ist Wilhelm Wundt den Sachsen und speziell den Leipzigern kaum. Mich erinnert dieses Phänomen an die Situation in Wien, wo Sigmund Freud die Psychoanalyse begründete. Dort waren es aber nicht die ›gebildeten Laien‹, die die Bedeutung Sigmund Freuds unterschätzten, sondern eher die ›Fachleute‹ – also Mediziner und Psychologen –, für die er lange Zeit ein umstrittener Außenseiter blieb und die auch heute noch gelegentlich etwas abschätzig sagen, daß nur die Touristen die als Museum hergerichtete Bergstraße 18 besuchen, in der Freuds Wohnung lag. Wilhelm Wundt ist in der allgemeinen Öffentlichkeit niemals so populär gewesen wie Sigmund Freud, unter den Fachpsychologen aller Länder und Richtungen aber war er stets außerordentlich ›populär‹: als Begründer des ersten Psychologischen Instituts der Welt an der Leipziger Universität. Jeder Psychologiestudent (und jede Psychologiestudentin) in der ganzen Welt kannte und kennt ihn auch heute noch, während Sigmund Freud und die Psychoanalyse an nicht wenigen Psychologischen Instituten nahezu keine Beachtung findet.

Ich erinnere mich, daß ich 1957 als Studienanfänger mein erstes Referat an der Universität Leipzig in einem Einführungsseminar über Wundt hielt, aber wir kaum etwas über Freud hörten. Als Leipziger Studenten pilgerten wir im

Sommer mit unserer Bibliothekarin, Frau Thömel, die noch mit der Tochter Wundts eng befreundet war, zum Sommerdomizil und Alterswohnsitz Wilhelm Wundts nach Großbothen bei Leipzig, wo auch der mit ihm gut bekannte Chemiker und Nobelpreisträger Wilhelm Ostwald einst sein Haus (heute ein Museum) hatte. Ansonsten aber wurde der ›bürgerliche Gelehrte‹ und Ehrenbürger der Stadt, den Lenin in seinen philosophischen Werken wegen idealistischer philosophischer Auffassungen kritisiert und gleichzeitig respektvoll als ›schlauen Fuchs‹ tituliert hatte, an der Leipziger Universität und auch in der Stadt wenig beachtet. Das änderte sich erst kurz vor 1980, als anläßlich der 100. Wiederkehr der Gründung des ersten Psychologischen Instituts der Welt der 22. Internationale Weltkongreß der Psychologen nach Leipzig vergeben wurde. Der sehr gut besuchte und gut organisierte Kongreß – allerdings auch unter Einschluß der Stasi, die die ›Überschwemmung‹ Leipzigs mit so vielen ausländischen, vor allem auch US-amerikanischen Vertretern einer an sich schon suspekten Wissenschaft wohl als politisch brisant ansah – brachte für die nicht so recht ins vulgär-materialistische Weltbild vieler Funktionäre passende Psychologie etwas mehr an allgemeiner und wissenschaftspolitischer Öffentlichkeit. Das bevorstehende Jubiläum wurde außerdem zum Anlaß genommen, eine selbständige Sektion Psychologie zu konstituieren (das alte Psychologische Institut war im Rahmen der III. Hochschulreform aufgelöst und in einer Zwangsehe Sektion Pädagogik/Psychologie auf- bzw. untergegangen). Im Jahre 1975 bekamen die Leipziger Psychologen dann auch ein eigenes Gebäude, sie durften wieder Direktstudenten immatrikulieren, erhielten mehr Mitarbeiter, Forschungsgelder usw. Und all diese Gaben verdankten die bisherigen Stiefkinder der Universität dem ›alten Wundt‹, der, nachdem er 1875 als ordentlicher Professor für Philosophie an die Leipziger Universität berufen worden war, dort im Wintersemester 1879/80 – zunächst aus seinem eigenen Gehalt finanziert –

ein experimentalpsychologisches Institut eingerichtet hatte.
Der Psychologiehistoriker Murphy kennzeichnete (1949)
die Situation der Psychologie vor Wundt wie folgt: »Bevor
Wundt seine *Grundzüge der physiologischen Psychologie*
herausgegeben hatte, war die Psychologie kaum mehr als
ein verwahrlostes Kind, das an der Tür der Physiologie,
dann an die der Ethik, dann wieder an die der Erkenntnistheorie klopfte. 1879 wurde sie zu einer experimentellen
Wissenschaft mit eigener Unterbringung und eigenem
Namen«. Anfänglich hatte das Institut nur einen Raum zur
Verfügung, seit etwa 1884 vier Räume, in den 90er Jahren
acht Räume. Das Wintersemester 1879/80 wird international als Begründungsjahr der Psychologie – vor allem der
experimentellen – als eigenständiger Wissenschaftsdisziplin
angesehen, sozusagen als Geburtsstunde der Psychologie als
selbständiges akademisches Fach.

Heute sind die vielen Besucher unseres Wundt-Archivs in
der Tieckstraße enttäuscht, daß wir zwar noch einige alte
Geräte aus diesem ersten Labor zeigen können, die Institutsräume selbst aber nicht mehr existieren. Sie befanden
sich zunächst im sogenannten alten Konviktgebäude der
Universität in der Ritterstraße und später in deren Hauptgebäude auf dem Augustusplatz, das im Zweiten Weltkrieg
stark beschädigt und dann von den SED-Machthabern
zusammen mit der historischen Universitätskirche gesprengt wurde.

Aus den sehr bescheidenen Anfängen – mich erinnern
Bilder aus dieser Zeit mit den kleinen Laborräumen und
einfachen Experimentalapparaturen immer wieder an die
berühmteren Fotoaufnahmen des ebenfalls sehr ›primitiv‹
wirkenden Experimentaltisches von Otto Hahn und Fritz
Strassmann, an dem in den 30er Jahren die Kernspaltung
entdeckt wurde – entwickelte sich in der Folgezeit Leipzig
zum Mekka für die Anhänger der neuen Wissenschaft.
Unter Wundts Anleitung wurden die weltweit ersten Studenten in der neuen Disziplin ›Experimentelle Psychologie‹

Wilhelm Wundt (1832–1920)
im Kreis seiner Mitarbeiter

ausgebildet, die dann wiederum erste psychologische Institute in ihren Herkunftsländern gründen sollten. So waren die Begründer der amerikanischen Psychologie Stanley Hall und McKeen Cattell Schüler bzw. Assistenten Wilhelm Wundts, wie auch der russische Arzt Wladimir M. Bechterew. 1979 hat der amerikanische Psychologe Hillix am Beispiel seiner Universität San Diego nachgewiesen und dann auch für die anderen großen amerikanischen Universitäten geschlußfolgert, daß über die Hälfte der lebenden amerikanischen Universitätspsychologen Wilhelm Wundt als ihren ›wissenschaftlichen Groß- bzw. Urgroßvater‹ betrachten. Ihre Doktorväter haben noch direkt bei Wundt studiert und promoviert.

Natürlich gab es schon vor Wundt psychologisches Denken vor allem im Sinne eines philosophischen Spekulierens über die Seele, und es gab auch Abhandlungen über psychologische Probleme in philosophischen, medizinischen und theologischen Büchern. Die ersten bedeutsamen An-

fänge und wichtigen psychologischen Erkenntnisse im
abendländischen Denken gehen schon auf Aristoteles
zurück, auch in Indien und China gibt es eine in Europa
zunächst wenig beachtete, aber sehr lange psychologische
Tradition. Kurz ist allein die Geschichte der eigenständigen
Wissenschaftsdisziplin ›Psychologie‹. Diese begann erst
1879 in Leipzig. Damit verbunden war deren Herauslösung
aus der Philosophie (manchmal wurde die Psychologie
auch als Magd der Philosophie bezeichnet) einerseits und
der Physiologie/Medizin andererseits. Wilhelm Wundt, ursprünglich ›gelernter Mediziner‹, vor allem experimentell
arbeitender Physiologe mit philosophischen Interessen,
wurde in Leipzig als *Philosophie*-Professor berufen. Psy-
chologie-Professuren gab es zu seiner Zeit noch nicht, und
Wundt hätte vermutlich eine solche auch gar nicht angestrebt, da er sich auf seinem Philosophie-Lehrstuhl sehr
wohl fühlte. Sein Lehrer und Chef in der Heidelberger
Assistentenzeit, der Physiologe Herrmann von Helmholtz,
hatte Wundt auch ausdrücklich für diesen empfohlen (Brief
an Adolf Fick vom 16. 12. 1872): »Sie fragen mich über
meine Meinung über die Berufung von Prof. Wundt zu einer
Professur der Philosophie ... Die Philosophie ist unverkennbar deshalb ins Stocken gekommen, weil sie ausschließlich in der Hand philologisch und theologisch gebil-
deter Männer geblieben ist und von der kräftigen Entwicklung der Naturwissenschaften noch kein neues Leben
in sich aufgenommen hat ... Ich glaube, daß die deutsche
Universität, welche zuerst das Wagnis unternähme, einen
der Philosophie zugewandten Naturforscher zum Philosophen zu berufen, sich ein dauerndes Verdienst um die deutsche Wissenschaft erwerben könnte.« Die Philosophische
Fakultät der Alma mater Lipsiensis – die größte deutsche
Universität zu jener Zeit mit ca. 4.000 Studenten – unternahm dieses ›Wagnis‹, das sich im nachhinein als ein
Glücksfall für ihr weltweites Ansehen herausstellen sollte.
Der Naturforscher Ernst Haeckel hatte gleich am 7. Juni

1875 an Wilhelm Wundt geschrieben: »Ihre Berufung nach Leipzig, zu der ich Ihnen von Herzen Glück wünsche, hat mich in doppelter Beziehung sehr gefreut; erstens wegen der Verbesserung Ihrer Stellung und zweitens, weil Sie sicher in den stagnierenden Mehlbrei der Leipziger Gelehrsamkeit einen frischen Sauerteig hineinbringen werden.«

Wilhelm Wundt wird in der Psychologiegeschichte oft zu einseitig als derjenige Gelehrte angesehen, der die Psychologie aus ihrer Umklammerung durch Philosophie und Theologie löste und der statt des philosophischen Spekulierens über die Seele das exakte psychologische Experiment eingeführt hat und damit die philosophische Teil-Disziplin ›Psychologie‹ zu einer experimentellen und messenden Naturwissenschaft umwandelte. Dabei wird vergessen, daß er stets Philosoph blieb (übrigens auch viele rein philosophische Werke verfaßte) und sich in seiner letzten Schaffensperiode, als er die zehnbändige *Völkerpsychologie* schrieb, wieder intensiv auf die philosophisch-geisteswissenschaftlichen Ursprünge der Psychologie besann. In seiner späten Schaffensperiode hielt er die vornehmlich durch ihn mitgeprägte und durch ihn auch popularisierte naturwissenschaftlich und mathematisch orientierte Experimentalpsychologie nur für das Studium der »niederen psychischen Erscheinungen« (z. B. von Wahrnehmungsprozessen, von denen wir heute allerdings wissen, daß sie hochkomplex sind) für eine angemessene Untersuchungsmethode. Die moderne Psychologie hat diese These des alten Wundt – als junger Mann hatte er dem Experiment eine wichtigere Rolle zugeschrieben – widerlegt, da sie erfolgreich auch höhere psychische Prozesse experimentell untersuchen kann. Allerdings beklagen in der zeitgenössischen Diskussion einige Vertreter unseres Faches, daß sich die Psychologie in den letzten Jahrzehnten – zumindest an den Universitäten, weniger in der Praxis – zu einseitig als experimentelle Naturwissenschaft verstand. Diesen Vertretern dürfte die Auffassung Wundts sehr entsprechen, nach der ein Psychologe keinesfalls nur ein geschickter Experimentator sein darf (dann sei er eben nur ein ›Handwerker‹), sondern ein psychologisch wie philosophisch gründlich durchgebildeter und von philosophischen Interessen erfüllter Mann sein müsse.

Die in den letzten Schaffensjahren Wundts wieder deutlich werdende Hinwendung zu den geisteswissenschaftlichen Aspekten der Psychologie erinnert mich an eine scherzhafte Bemerkung des Physikers und Nobelpreisträgers Bertrand Russell: er habe als junger Mann Physik und Mathematik betrieben, im Alter aber sei er dann, mit nachlassender Geisteskraft, zum Philosophen geworden. Man könnte natürlich auch für den Berufsstand der Philosophen freundlicher und damit alten und neuerdings auch empirisch abgesicherten Erkenntnissen der Psychologie Rechnung tragend formulieren, daß erst die mit fortschreitendem Alter forcierte Weisheitsentwicklung, die »Altersweisheit« also, die echte Reife für das Philosophieren bringt. Wundt selbst hat sich zeitlebens, wie viele bedeutende Naturwissenschaftler vor und nach ihm, zugleich als Philosoph und Naturwissenschaftler verstanden. Seine Bemühungen um die Befreiung der Psychologie aus ihrer Magdposition in den etablierten Wissenschaften sind zum Teil gründlich mißverstanden worden. Er mußte beim Kampf um die Verselbständigung der Psychologie – 1913 schreibt er den berühmten Aufsatz »Die Psychologie im Kampf ums Dasein« – gleichzeitig an verschiedenen Fronten kämpfen.

Die Vulgärmaterialisten, die im 19. Jahrhundert viele Anhänger vor allem unter den Medizinern und Naturwissenschaftlern hatten, betrachteten psychische Vorgänge als einfache Ausflüsse der Hirntätigkeit und folglich die sich im 19. Jahrhundert stürmisch zu einer experimentellen Wissenschaft entwickelnde Physiologie als die einzig legitime Wissenschaft zur Untersuchung psychischer Phänomene.

Später wird der russische Physiologe und Nobelpreisträger Iwan P. Pawlow eine ähnliche These vertreten (um so verwunderlicher war es, daß vor allem in den 50er Jahren DDR-Psychologen alles »im Lichte der Lehre Pawlows« betrachten sollten). Für diese vulgärmaterialistisch denkenden Ärzte und Naturwissenschaftler war Wundt ein abtrünniger Naturwissenschaftler, der sich auf das »schwammige« und der Spekulation zugehörige Gebiet der Psychologie begeben hatte. Immerhin war Wundt während seiner Heidelberger Zeit Assistent bei dem Physiologen Herrmann von Helmholtz gewesen und hatte bei dem Chemiker Robert Bunsen (dessen ›Bunsenbrenner‹ wir kennen) sowie bei dem Physiker Philipp von Jolly Vorlesungen gehört und das exakte Experimentieren gelernt.

Die Philosophen dagegen entrüsteten sich darüber, daß Wundt einen Zweig der Philosophie zu einem Zweig der Biologie ›degradiert‹ habe. Dazu muß man wissen, daß zu Wundts Zeiten die Naturwissenschaften zwar ihren Siegeszug begannen, aber die Philosophie immer noch als die ›Königin der Wissenschaften‹ und einzig ›reine Wissenschaft‹ betrachtet wurde. Die Inhaber der hochangesehenen philosophischen Lehrstühle sahen mit einer gewissen Herablassung auf die ›Handwerker‹ und ›Apotheker‹ herab, wie selbst später sehr berühmt gewordene Vertreter der Naturwissenschaft an den Fakultäten – z. B. Bunsen und Kirchhoff – gelegentlich bezeichnet wurden. So erinnert sich jedenfalls Wundt. Die Philosophen betrachteten nach seinen Erfahrungen das Experiment als »banausische Kunst; demnach ist der experimentelle Psychologe bestenfalls ein wissenschaftlicher Handwerker. Ein Handwerker paßt aber nicht unter die Philosophen«. Den Philosophen waren neben dem Experiment vor allem die Messung und die Statistik ein Graus, die Wundt für die Psychologie propagierte, wobei er auch hierin Vorläufer hatte, wie z. B. den Philosophen und Pädagogen Johann F. Herbart und vor allem den Leipziger Physiker Fechner und den Leipziger Professor für

Anatomie Weber (dessen Wohnung in der Goethestraße Wundt später bezog). Die letzteren hatten noch vor ihm in Leipzig die Psychophysik begründet und mit dem psychophysischen Gesetz eine mathematische Beschreibung der Beziehungen zwischen Reiz- und Empfindungsstärke gegeben.

Insbesondere der junge Wundt war noch dem Wort des Galileo Galilei verpflichtet, der den Wissenschaftlern aufgetragen hatte: »Messen, was meßbar ist und meßbar machen, was noch nicht meßbar ist«. Wundt berichtet, wie der damals sehr berühmte Philosophiehistoriker Eduard Zeller das »völlig Eitle jener Bestrebungen« zur Messung psychischer Phänomene verspottete, indem er es mit der Berechnung Platos verglich, nach der ein guter König 729mal angenehmer lebe als ein Tyrann. Dieser alte Streit über Gegenstand, Hauptaufgaben und Methoden der Psychologie ist heute wieder voll entbrannt. Den Vertretern der mehr geisteswissenschaftlich orientierten Psychologie mit Betonung der Hermeneutik, der Phänomenologie und der sogenannten qualitativen (auch historisch-vergleichenden) Forschungsmethoden stehen die Vertreter der naturwissenschaftlich-experimentellen, quantifizierenden Sichtweise gegenüber.

In der Synthese beider Sichtweisen, die abhängig vom jeweiligen Forschungsgegenstand, der Fragestellung und unserem gegenwärtigen Erkenntnis- und Methodenniveau unterschiedlich zu favorisieren sind, liegt aber wohl die Zukunft der Psychologie – wie auch vieler anderer Wissenschaften, die mit der traditionellen und eigentlich überholten Einteilung in Natur- und Geisteswissenschaften nicht recht zu greifen sind.

Der junge Wundt hatte in seiner Heidelberger Zeit eine methodologische Grundposition ausgearbeitet, die uns heute sehr modern und zukunftweisend anmutet und die auf einer Verflechtung der geisteswissenschaftlichen und naturwissenschaftlich-messenden Betrachtungsweisen in der Psychologie basiert. Er postulierte, daß für die Untersuchung psychischer Phänomene stets drei Methoden anzuwenden seien, nämlich 1. das Experiment, 2. die statistische Methode und 3. die historisch-vergleichende Methode. Die ›Streithähne‹ aller Richtungen der Psychologie fänden bei ihm also Munition für ihre Kämpfe, sollten sich aber wohl besser auf sein Gesamtwerk beziehen.

Übrigens war Wundt selbst ein recht leidenschaftlicher und unerbittlicher Verfechter seiner Auffassungen, der ähnlich wie Freud oft mit Schülern und Assistenten haderte, die eigene Wege in Absetzung vom ›Meister‹ gingen. Bekannt geworden ist z. B. seine harsche Kritik an den ›Ausfrageexperimenten‹ der ›Würzburger Schule‹, die einer seiner ersten Assistenten, Oswald Külpe, als spezielle Richtung der Denkpsychologie begründet hatte. Die spätere pragmatisch-praktizistische Orientierung seines amerikanischen Lieblingsassistenten McKeen Cattell, der als typischer Amerikaner die zunächst allein für die Grundlagenforschung entwickelten psychologischen Experimente des Leipziger Labors in die mehr praktischen Zwecken dienenden psychodiagnostischen Tests (auf Cattell geht die erste Verwendung des Testbegriffs in der Psychologie zurück) verwandelte, paßte dem alten Wundt, der Psychologie zunächst nur aus reinem Erkenntnisinteresse und ohne praktische Anwendung betreiben wollte, überhaupt nicht. Bemerkenswert ist auch, daß fast alle späteren Anwendungsrichtungen der Psychologie – also vor allem die Klinische Psychologie, die Arbeits- und Eignungspsychologie, die Pädagogische Psychologie – von Schülern Wundts begründet, von ihm selbst aber nie besonders gewürdigt, sondern eher skeptisch betrachtet wurden.

Mit dem wohl berühmtesten älteren deutschen Psychiater, Emil Kraepelin (1856-1926), von dem die Einteilung der Psychosen in Schizophrenien und manisch-depressive Erkrankungen stammt, der auch als Mitbegründer der Klinischen Psychologie und speziell auch der Klinischen Psy-

chodiagnostik gelten kann, hat ihn allerdings zeitlebens ein freundschaftliches und nicht durch fachliche Zerwürfnisse belastetes Verhältnis verbunden. Zur Ehre Wilhelm Wundts und als nachahmenswertes Vorbild für manche hitzigen Teilnehmer im Professorenstreit der Vergangenheit und Gegenwart ist hinzuzufügen, daß die fachlichen Zerwürfnisse Wundts mit einigen seiner bedeutenden Schüler und Assistenten nicht etwa dazu führten, daß er kollegiale Beziehungen abbrach oder ›Kontrahenten‹ in ihrer wissenschaftlichen Karriere behinderte. Mit dem bereits erwähnten Oswald Külpe stand er trotz fachlicher Divergenzen in freundschaftlichem Briefverkehr. Obwohl er die Versuche seines Assistenten Erich Meumann (später Professor an der Hallenser Universität), die experimentelle Psychologie im Kinderbereich und in der Pädagogik anzuwenden, kritisch betrachtete, holte er ihn nach Leipzig, damit er ein kleines Neben-Institut für Kinderpsychologie und experimentelle Pädagogik aufbauen konnte. Mit seinem ehemaligen Assistenten Felix Krueger, dem Begründer der in direkter Anti-These zu Wundts Grundauffassungen stehenden sogenannten Leipziger ganzheitspsychologischen Schule der 20er und 30er Jahre, führte er heftige Auseinandersetzungen über dessen Entwicklungspsychologie und seine eigene *Völkerpsychologie*, schlug ihn aber, überraschend für die gesamte Universität und Psychologenwelt, zu seinem Lehrstuhlnachfolger vor. Die Wendung seines Lieblingsassistenten James McKeen Cattell von der experimentellen Psychologie zur Testpsychologie sah er mit großer Skepsis, trotzdem blieben sich beide Männer bis zum Tode freundschaftlich verbunden. (Der im Alter immer schlechter sehende Wundt erhielt übrigens von McKeen Cattell eine damals in Deutschland noch sehr seltene Schreibmaschine geschenkt, nach Avenarius' spaßiger Bemerkung »an evil gift«, da es ihn befähigte, zweimal soviel Bücher zu schreiben als es ihm ansonsten möglich gewesen wäre.)
Offenbar war Wundt also bei aller Schärfe in der wissen-

schaftlichen Auseinandersetzung gleichzeitig ein sehr menschlicher, toleranter Lehrer und Kollege, der über den wissenschaftlichen Streit nicht die Qualitäten seines ›Gegners‹ vergaß.

Wer heute vor dem gewaltigen Werk Wilhelm Wundts steht und die zehnbändige *Völkerpsychologie* oder seine dreibändigen *Grundzüge der physiologischen Psychologie* (die für die ersten Psychologen über Jahrzehnte hinweg *das* grundlegende Lehrbuch darstellte) oder die vielen Bücher zu medizinischen, philosophischen und psychologischen Themen in die Hand nimmt, im Wundt-Gedenkzimmer die zahlreichen Ehrenurkunden durchblättert (z. B. die Ernennung zum Ehrenmitglied zahlreicher Akademien, darunter der Petersburger und New Yorker, die Ehrenpromotionen, Ehrenbürgerschaften usw.), fragt sich natürlich auch: was war das für ein Mensch, und welchen Lebensweg nahm er, der einen so hohen Grad an Gelehrsamkeit erreichte und eine so gewaltige wissenschaftliche Lebensleistung vollbrachte, als offenbar auch taktisch gewiefter Wissenschaftsorganisator in einem etablierten Wissenschaftsbetrieb gegen nicht wenige Widerstände eine neue selbständige Disziplin begründete und als Hochschullehrer bis zu seinem 85. Lebensjahr Generationen von Studenten faszinierte. Sein Schüler und letzter Assistent Fr. Sander schreibt in seinen Lebenserinnerungen (1972): »Wenn die alte Exzellenz, der Wirkliche Geheime Rat Wundt, das immer überfüllte Auditorium maximum betrat, herrschte sofort eindrucksvolle Stille. Sein druckreifer, schlichter Vortrag zog alle Hörer, darunter viele Ausländer, in seinen Bann; die von den Assistenten durchgeführten Experimente mit den ausschließlich für Demonstrationszwecke in erheblicher Größe konstruierten Apparaten hatten volle Überzeugungskraft.«

Seine Vorlesungen zur Völkerpsychologie zogen Hörer aller Fakultäten und viele Literaten an, da er die psychischen Prozesse erläuterte, die der Entstehung von Sprache, Sitte, Recht, Märchen oder Mythen zugrunde liegen. Seine

Sicht war wahrhaft interdisziplinär (so würden wir heute sagen), sie berücksichtigte Erkenntnisse vieler Wissenschaften.

Wundt ist für mich der Inbegriff des Gelehrten, der noch die unterschiedlichsten Bereiche der Geistes- und Naturwissenschaften *beherrschte* und der den Titel ›Polyhistor‹ in Anspruch nehmen konnte.

Wie viele bedeutende Künstler und Gelehrte des 19. Jahrhunderts – so der Psychologe Theodor Fechner – entstammte Wilhelm Wundt einem protestantischen Pfarrhaus. Sein Vater wirkte als Pfarrer zunächst in Neckarau bei Mannheim, wo Wilhelm Wundt im Todesjahr Goethes, am 16. August 1832, geboren wurde, und später in Heidelsheim. In seinen Lebenserinnerungen (*Erlebtes und Erkanntes*) berichtet Wundt, daß er einsam aufwuchs (da sein älterer Bruder auswärts erzogen wurde), und daß er ein phantasiereicher, aber oft auch ein etwas zerstreuter und unkonzentrierter Schüler war. (Wieder einmal ein Beispiel, daß große Gelehrte nicht immer auch gute Schüler gewesen sind!) Eine seiner frühesten Erinnerungen ist die an eine Ohrfeige, die er von seinem auch als Schulinspektor ab und zu die Schule besuchenden, an sich sehr milden Vater erhielt, als dieser ihn im Unterricht der Volksschule als ›unaufmerksam‹ erlebte. Wundt schreibt: »als für viele Jahre verhängnisvoll sollte sich eine Neigung zu Tagträumereien und Phantasiespielen auswirken«. Heute würden wir unter dem Einfluß der psychologischen Kreativitätsforschung diese Zerstreutheit und Phantasiegeneigtheit eher positiv bewerten, denn es ist inzwischen bekannt geworden, daß beides Kennzeichen hochbegabter und kreativer Kinder sein können. Wundt wurde zeitweise von einem von ihm sehr geliebten Hilfsgeistlichen (Vikar) privat unterrichtet und hatte danach auf dem Gymnasium zunächst erhebliche Schwierigkeiten. Erst nach Versetzung auf das Heidelberger Gymnasium fing sich der Schüler Wilhelm Wundt und erzielte vor allem in den Sprachen, in Deutsch und Geschichte sehr gute Zensuren, während er in Mathematik schwach blieb. In der Gymnasialzeit erwachte sein ›Lesetrieb‹, der ihn wohl mehr auf das Universitätsstudium vorbereitete als der unzureichende Gymnasialunterricht, unter dessen mangelnder pädagogischer Qualität bekanntlich auch andere Hochbegabte litten. Er begeisterte sich an den revolutionären Gedichten Georg Herweghs, die die bürgerliche Revolution 1848 vorbereiteten. Spätestens jetzt entwickelte sich das politische Interesse, das er am Ende seines Lebens als das »zentrale Motiv« seines Lebens bezeichnen wird. Eine Zeitlang ist er sogar Landtagsabgeordneter der Fortschrittspartei, legt aber das Mandat resigniert nieder. In seiner Heidelberger Assistentenzeit war er als Vorsitzender des Heidelberger Arbeiterbildungsvereins sehr aktiv. Sein ganzes Leben lang blieb er gegenüber sozialreformerischen Ideen, bei einer insgesamt mehr liberal-bürgerlichen Gesinnung, außerordentlich aufgeschlossen. Er bekannte sich zeitweise zum ›Staatssozialismus‹ Lassallescher Prägung (Wundt, 1916), las interessiert das *Kommunistische Manifest,* lehnte aber den ›internationalen Kommunismus‹ ab, »der den Staat vernichten wollte, um das Phantom einer auf den Egoismus gegründeten Gesellschaft an seine Stelle zu setzen«. Wie viele Künstler und Gelehrte Deutschlands hielt er es für seine patriotische Pflicht, als das ›Vaterland in Gefahr‹ war, zu dessen ›Verteidigung‹ im Ersten Weltkrieg aufzurufen. Er unterschrieb mit anderen Intellektuellen und Künstlern, den national orientierten Aufruf »An die Kulturwelt« und hielt am 10. September 1914 vor einem großen Publikum in der Leipziger Alberthalle eine vielbeachtete Rede mit dem Titel »Über den wahrhaften Krieg«. Andererseits bemühte sich der Wissenschaftler Wundt auch im Kriege um Neutralität in wissenschaftlichen Fragen, wovon in gewisser Weise auch das 1915 publizierte Buch *Die Nationen und ihre Philosophie* zeugt. In der Einleitung bekennt er sich zum deutschen Idealismus, bemerkt aber gleichzeitig, daß die Schrift ›sine ira et studio‹ geschrieben wurde und er »ehrlich bemüht war, nicht bloß die Schwächen der philosophischen Leistungen anderer Nationen aufzuzeigen [die ja Kriegsgegner waren], sondern auch ihren Vorzügen gerecht zu werden«.

Zurück zum Abiturienten Wilhelm Wundt, der sich nach einigem Zögern für ein Medizinstudium entschließt, vor allem deswegen, weil sein Oheim als anerkannter Anatom an der Universität Tübingen lehrte. Er wollte aber von Anfang an nicht den Brotberuf des praktischen Arztes ergreifen, sondern fühlte sich zur wissenschaftlichen Forschung hingezogen. Das Studium beendete er mit einer mit ›summa cum laude‹ bewerteten neurologischen Arbeit. (Wieder einmal ein Beispiel, daß nicht alle berühmten Gelehrten schlechte Studenten waren!) Bereits als Student hatte er mit der Studie *Versuche über den Einfluß der Durchschneidung der Lungenmagennerven auf die Respirationsorgane* einen Preis der medizinischen Fakultät gewonnen. Schon mit fünfundzwanzig Jahren habilitierte er sich. Sein erstes Hochschullehrbuch verfaßte er noch zur medizinischen Physik, das ihn unter den Medizinern bekannt machte, von ihm selbst aber vor allem als Mittel zum Broterwerb angesehen wurde.

Durch die immense Lehr-, Forschungs- und Publikationstätigkeit überarbeitet, erleidet Wundt, der eine eher schwächliche Konstitution besitzt (die ihn aber nicht daran hindert, ein immenses Lebenswerk zu hinterlassen und 88 Jahre alt zu werden!), als sehr junger Mann einen Blutsturz, der ihn an den Rand des Todes bringt. Diese Todesnähe führte ihn zu verstärktem philosophisch-religiösem Reflektieren und dann wohl auch zur Psychologie. 1864 wird er außerordentlicher Professor für Anthropologie und medizinische Psychologie an der Universität Heidelberg, später übernimmt er eine Professur für induktive Philosophie an der Universität Zürich, bevor er dann 1875 die entscheidende Berufung auf eine ordentliche Professur nach Leipzig bekommt. Kurz zuvor (1872) hatte er als nunmehr schon Vierzigjähriger die Tochter eines Theologieprofessors, Sophie Mau, geheiratet, mit der er viele Jahrzehnte sehr glücklich zusammenlebte und die ihm zwei Töchter (Eleonore und Lilli) und einen Sohn (Max) schenkte.

Nach dem Tod seiner Frau (1912) führte ihm seine Tochter Eleonore den Haushalt und half ihm bei der Sammlung von Materialien für seine völkerpsychologischen Studien. Den 5. Band seiner *Völkerpsychologie* widmete er ihr mit den Worten »Meiner treuen Gefährtin im Urwald der Mythen und Märchen zugeeignet«.

Wundt war zweifellos ein außerordentlich fleißiger Mann (über 500 Publikationen mit 53.753 Druckseiten zeugen von seiner enormen wissenschaftlichen Produktivität), aber wohl kein workaholic, der über seiner Arbeit alle anderen Bereiche des Lebens vernachlässigte. Er wird als ein sehr liebevoller und besorgter Familienvater und Großvater geschildert. Sein letzter Assistent Sander beschreibt die häufigen geselligen Abende im Hause Wundt, wo der Hausherr »nach gutem Mahl, seine Zigarre rauchend, mit feinem Humor gern erzählte«. Im Hause Wundt verkehrten regelmäßig der Universalhistoriker Lamprecht, der Jurist Binding (der Vater des bekannten Dichters), der Psychiater Emil Kraepelin und der Maler und Bildhauer Max Klinger, von dem auch eine eindrucksvolle Wundt-Büste stammt. Nach den frühen gesundheitlichen Krisen achtete Wundt wohl besonders auf seine Gesundheit. Seine täglichen Mittagsspaziergänge müssen fast so regelmäßig gewesen sein wie die von Kant in Königsberg. Tagungen außerhalb Leipzigs und im Ausland hat er weitgehend gemieden (auch hierin dem sehr ortsverbundenen Kant ähnlich). Der heutige ›Wissenschaftstourismus‹ mancher Kollegen und Kolleginnen hätte ihn gewiß sehr befremdet.

Als Wundt hochbetagt 1920 in Großbothen stirbt – sein Grab befindet sich auf dem Leipziger Südfriedhof in der ›Professorenecke‹ –, ist er der weithin anerkannte Nestor der Psychologie in der Welt, obwohl es auch damals schon

Kritiker an der Person und am Werk Wundts gab (vor allem zählt zu diesen sein ›Konkurrent‹ Stumpf, der Berliner Psychologe, den Wundt selbst etwas unfreundlich kritisiert hatte). Später wird in Leipzig eine Richtung dominieren, die bereits erwähnte Leipziger Schule der Ganzheitspsychologie, die sich gegen den angeblichen ›Atomismus‹ der Wundtschen Psychologie stark abgrenzte, jedoch niemals die Ausstrahlung der Wundtschen Schule erreichte. Manche Fachvertreter meinen heute, daß Wundt ›nur‹ ein immens fleißiger ›Synthetisierer‹ des bis dahin verfügbaren psychologischen Wissens und ›cleverer Wissenschaftsorganisator‹ und ›Wissenschaftsverbreiter‹ (er gründete die erste psychologische Fachzeitschrift) war, selbst aber kaum kreative Leistungen für die Psychologie vollbracht habe. Dem ist entgegenzuhalten, daß er zwar nicht wie Fechner ein Gesetz entdeckte oder wie Ebbinghaus originelle Gedächtnisexperimente kreierte, aber in seinen Werken durchaus zur Weiterentwicklung des psychologischen Wissens und der psychologischen Methodologie beigetragen hat. Später erst in der Emotionslehre und bei Freud auftauchende Erkenntnisse wurden von ihm bereits ›vorgedacht‹, obwohl sein Forschungsschwerpunkt auf anderen Gebieten lag.

Wundt hat in seinen Vorlesungen über die *Menschen und Tierseele* die moderne Verhaltensbiologie vorbereitet, hat in seinen Abhandlungen über die Sprache viele Erkenntnisse formuliert, die für die moderne Sprachwissenschaft und Psycholinguistik ein reicher Schatz sind. Er hat erstmalig und konsequent den Strukturbegriff und – basierend auf Darwin – den Entwicklungsgedanken in die Psychologie eingeführt, hat vor allem im Rahmen seiner *Völkerpsychologie* das Psychische im gesellschaftlichen und kulturellen Kontext betrachtet. Alles bedeutsame Erkenntnisse, auf denen die zeitgenössische Psychologie aufbaut. Auch war er keinesfalls der ›atomistisch‹ und rein ›elementaristisch‹ denkende Psychologe, zu dem ihn seine Gegner stempeln wollten.

Ich weiß noch, welche Probleme es mir als Student bereitete, als ich Wundt in einem Referat als Vertreter der elementaristischen Psychologie vorstellen wollte, in seinen Schriften auch viele Hinweise dafür fand, bei näherem Hinsehen aber auf sein »Prinzip der schöpferischen Synthese« stieß, das die Hauptgedanken späterer, sich (scheinbar) stark von Wundt absetzender Psychologie-Schulen vorwegnahm. Seinem letzten Assistenten, Sander, ging es ähnlich. Er wies Wundt darauf hin, daß er in seiner *Völkerpsychologie* Bd. 1 (Die Sprache) die Auffassung von Wörtern und Sätzen als »einheitliches Ganzes« beschreibt, bei der Wahrnehmung von Gegenständen aber eine elementaristische Betrachtungsweise favorisiert. Wundt verwirrt also den Leser gelegentlich, da er zu verschiedenen Zeitpunkten und in verschiedenen Publikationen auch einander Widersprechendes äußert. Man kann dies als Inkonsequenz bezeichnen, aber ebensogut auch als Entwicklung.

Als ›angewandter Psychologe‹ habe ich nur wenig Sympathie für Wundts ausschließliche Orientierung auf die reine Grundlagenwissenschaft Psychologie. Die Psychologie würde heute nicht zu den beliebtesten Studienfächern bei jungen Leuten gehören, wenn sie immer nur als Psychologie im streng Wundtschen Sinne betrieben worden wäre. Aber als angewandter Psychologe und vor allem Psychodiagnostiker weiß ich zugleich sehr wohl, daß ohne Wundts energische Hinwendung zum Experiment und zur exakten Meßmethodik die Standards der modernen angewandten Psychologie nicht hätten entstehen und der Beruf des Psychologen sich nicht hätte vom ebenfalls psychologisierenden Philosophen, Arzt, Pädagogen oder Theologen abheben können. (Wundt selbst hat diese Professionalisierung des Psychologen wahrscheinlich gar nicht so sehr beabsichtigt, aber eben doch bewirkt.)

Ganz gleich, ob Wundt ›nur‹ ein hervorragender und vielseitiger ›Gelehrter‹ oder auch ein ›Kreativer‹ war, er ist aus der Geschichte der Psychologie nicht wegzudenken und gehört zweifellos zu den größten Persönlichkeiten, die an der Alma mater Lipsiensis je gelehrt haben. Er hat im Laufe seines Lebens immer engere Bindungen an Leipzig entwickelt – in seinen Lebenserinnerungen spricht er davon, wie bedrückend für ihn beim ersten Kennenlernen das Erlebnis der im Vergleich zu Zürich und Heidelberg reizlosen Landschaft um Leipzig war. Er hat dann trotzdem über 40 Jahre in Leipzig gearbeitet und gelebt, sein für den Ruhestand in Heidelberg erbautes Haus kaum nutzend, sondern in Großbothen bei Leipzig seine letzten Lebensjahre verbringend. Ein Kompliment auch für Leipzig, das als gastfreundliche und weltoffene Stadt nach dem Zeugnis vieler ›Eingewanderter‹ wie kaum eine andere deutsche Großstadt ›Zugereiste‹ schnell und weitgehend problemlos integriert.

Wilhelm Ostwald
»Gute Theorie
muß alsbald zur Praxis führen«

Von Margarete Brauer

Etwa 30 Kilometer südöstlich von Leipzig liegt die malerische Ortschaft Großbothen, noch vor Jahrzehnten beliebte Sommerfrische der Leipziger Bürger und Wohnort namhafter Persönlichkeiten Leipzigs. Hier befindet sich der einzige unverändert erhalten gebliebene Gelehrtensitz aus der Zeit der Jahrhundertwende in Deutschland – der Landsitz ›Energie‹, angelegt von dem Chemiker Wilhelm Ostwald, der 1909 den Nobelpreis für Chemie erhielt, »als Anerkennung für seine Arbeiten über Katalyse und seine dafür grundlegenden Untersuchungen über chemische Gleichgewichtsverhältnisse und Reaktionsgeschwindigkeiten«.

Wer nach Großbothen kommt und angesichts der Gelehrtenbibliothek mit über 20.000 Bänden von Ostwalds eigenem umfangreichen Lebenswerk erfährt, der fragt zwangsläufig, wer dieser Mann war, von dem Henricus van't Hoff 1905, als er ihn für den Nobelpreis vorschlug, sagte: »Unter den jetzigen Chemikern ist Ostwald unbedingt eine der meist hervorragenden Figuren in allen Weltteilen, deren Summe von Arbeit auch von den Vorgängern nur selten erreicht ist«.

Wilhelm Ostwald war ein ›Feuergeist‹. Seine mitreißende Beredsamkeit in Wort und Schrift verschaffte ihm begeisterte Anhänger in aller Welt. Ebenso trug ihm die Kühnheit seiner Gedanken auch Mißverstehen und Mißgunst ein. Der Physiker W. Volkmann findet dafür die Worte: »Niemand außer ihm vermochte mit so wenig Griffmöglichkeiten den Felsen zu erklimmen. Es gehörten die Unbekümmertheit seines kindlichen Gemütes, der Reichtum seines unerschöpflichen Gedächtnisses, sein Organisations- und Ordnungstalent und seine Findigkeit für Zusammenhänge und Ähnlichkeiten weit auseinanderliegender Dinge dazu, um sich an so gewagte Aufgaben heranzumachen und ein gut Teil davon wirklich zu Ende zu bringen. Gerade seine kindliche Unbefangenheit ist seine Stärke. Man kann nicht immer seinen Weg gehen, aber man kann immer von ihm lernen«.

Kindheit, Studium, erste Professur

Wilhelm Ostwald wurde als zweiter von drei Brüdern am 2. September 1853 in Riga geboren. Sein Vater war ein dort seßhaft gewordener Böttcher, seine Mutter eine hessische Bäckerstochter. Es war eine arbeitsame, von Freimut und innerer Heiterkeit geprägte Familienatmosphäre, in die er hineinwuchs. In seiner Autobiographie *Lebenslinien* erinnert er sich an sein frühestes Kindheitserlebnis: Er habe als Vorschulkind mit Rute und Bindfaden am streng verbotenen Bach hinter des Vaters Holzplatz gespielt und sei dabei vom Gesellen erwischt worden, der ihn in guter Absicht warnte: »Geh' da lieber weg, da sind Blutegel drin, die ziehen dich rein und fressen dich auf!« Er habe überlegt, er könne ja, wenn das unbekannte Untier wirklich so stark sei und er hineinzufallen drohe, die Rute einfach loslassen. »Das war«, so schlußfolgerte er später, »das erste Mal, daß ich logisch gedacht habe und seitdem hat mir nichts mehr Vergnügen bereitet, als logisch zu denken.«

Wilhelm wird mit fünf Jahren eingeschult, weil der Wissensdurstige etwas zu tun bekommen muß. Sein erster Lehrer versteht es, Neugier zu wecken und wachzuhalten, und er fördert zugleich den gesunden Stolz auf etwas Erreichtes. Der Zehnjährige entdeckt, daß man aus Büchern (Mitschüler aus vermögenderen Elternhäusern leihen sie ihm) viel einfacher lernt als vom Lehrer, denn man kann das Tempo selbst bestimmen; und man kann mit Hilfe von Büchern Herrlichkeiten wie Abziehbilder, Knallerbsen,

Feuerwerk und sogar einen Fotoapparat selbst herstellen. Er
fertigt seinen ersten aus einer Zigarrenkiste und Linsen aus
dem Opernglas der Mutter. Ein zerbrochener silberner
Teelöffel ergibt mit anderen, mühsam erworbenen Materialien eine lichtempfindliche Schicht. Es gelingt ihm das Bildnis eines Gleichaltrigen! Dieser behält das freche Grinsen
30 Sekunden lang bei, und Ostwald bedauert im Alter, daß
das schöne Dokument und auch die Kamera verlorengegangen seien, aber er habe etwas Entscheidendes gelernt:
das »moralische Schwungrad« zu benutzen.

Die Schulzeit haben ihm die Lehrer trotz seiner leichten
Auffassungsgabe um zwei Jahre verlängert, weil sie nicht
durchgehen lassen wollten, daß ein intelligenter Junge seine
Nebeninteressen (›Allotria‹) wichtiger nimmt, als die seiner
Meinung nach ›unnützen‹ Fächer, vor allem die Fremdspra-
chen. Und wenn er sich später für eine Zweitsprache für
jedermann, eine Welthilfssprache, einsetzt, so mag dies hier
seinen Ursprung haben.

Achtzehnjährig wird er Student der Landes-Universität
Dorpat (Tartu). In den ersten Semestern widmet er sich der
Geselligkeit, er pflegt die studentischen ›Tugenden‹, treibt
alles und jedes, dichtet, musiziert, diskutiert und meidet das
Studieren. In die Studentenbibel schreibt ein Kommilitone:
»Wenn Du nur nicht so gräßlich vielseitig sein wolltest!«

Schließlich begreift er, daß vergeudete Zeit unwiderruf-
lich verloren ist und stürmt los. Er erobert neben dem
Bücherschrank und einer Analysenwaage einen Arbeits-
platz am Fenster und versteigt sich in einer feuchtfröh-
lichen Runde zu der Behauptung, alle Pflichten nunmehr
mit Schwung erledigen zu wollen. Ein Kommilitone setzt
einen Korb Sekt dagegen. Ostwald hat sich das »moralische
Schwungrad« wieder zunutze gemacht und schildert, wie er
gebüffelt habe, alles wie Kraut und Rüben durcheinander.
Aber ein wissenschaftliches Gehirn sei in der Lage, das Auf-
genommene zu großen Wissensinseln gerinnen zu lassen,
die dann im Prüfungsfalle genutzt werden könnten. Er be-

steht, dank der Großzügigkeit der Professoren, auch wirklich die Prüfungen, sieht seine erste Arbeit *Über die chemische Massenwirkung des Wassers* im ›Journal für praktische Chemie‹, herausgegeben in Leipzig, gedruckt und wird 1875 mit 22 Jahren ›cand. chemiae‹. 1877 folgen die *Volumchemischen Studien über Affinität* – er ist Magister! Er schreibt nach Hause: »Mein Herz schlug bis zum Halse und ich kostete zum ersten Mal das Schöpferglück des Entdeckers ... ich fühlte mich für alle Zukunft der reinen Forschung geweiht.« 1878 promoviert er zum Doktor der Chemie. Als 28jähriger wird er 1881 in seiner Vaterstadt Riga als Ordentlicher Professor an das Baltische Polytechnikum berufen, eine deutschsprachige Hochschule mit Studenten aus vielen Nationen und Ländern und mit guten Kontakten nach Deutschland. Im Januar 1883 fährt er erstmals nach Deutschland, in Leipzig lernt er seinen Verleger Rudolf Engelmann persönlich kennen.

Ostwald hatte kurz zuvor geheiratet und diesen Entschluß seinen Freunden gegenüber begründet: »Ich mußte dieses Mädchen heiraten, es störte mich. Nun habe ich den Kopf wieder frei für die Wissenschaft.« In den Brautbriefen wird Helene von ihm gewarnt: »Überlege Dir, ob Du mich heiratest, Du wirst ein Opfer der Wissenschaft werden.« Die Wissenschaft in Lehre und Forschung bestimmt fortan sein Leben. Das Laboratorium rüstet er überwiegend mit selbstgebauten Apparaten aus. Es entstehen in den sechs Rigaer Jahren 30 Publikationen, und er beginnt sein erstes großes Lehrbuch. 1884 erscheint Band 1 und 1886 Band 2 seines *Lehrbuchs der allgemeinen Chemie* bei dem Verleger Engelmann in Leipzig.

Ein denkwürdiger Tag, der 19. Juni 1884, bringt mit der Post die Schrift über *Leitfähigkeit von Elektrolyten* eines jungen Schweden ins Haus. Ostwald liest sie mit wachsender Begeisterung und schreibt später in seiner Autobiographie: »Ich hatte gleichzeitig ein böses Zahngeschwür, ein niedliches Töchterchen und eine Abhandlung von Svante

Arrhenius bekommen. Das war zuviel, um auf einmal damit fertig zu werden.« Der Zahnschmerz war bald vorüber, das Kind bedurfte vorläufig nur der Mutter Pflege, aber die Abhandlung hatte weitreichende Folgen. Auf ihr gründet sich eine lebenslange Freundes- und Arbeitsgemeinschaft mit Svante Arrhenius, der neben Ostwald und dem Niederländer van't Hoff als Begründer der physikalischen Chemie gilt.

Professor in Leipzig

1887 begibt sich Ostwald auf seine vierte Auslandsreise, über Graz, München, Straßburg, Tübingen, Würzburg nach Leipzig. Rückschauend schreibt er: »Nach durchfahrener Nacht traf ich in den Morgenstunden in Leipzig ein … und ging so früh als zulässig war zu Wislicenus [dem Inhaber der ersten Professur für Chemie an der Universität Leipzig und mit Suche nach einem geeigneten Kollegen für das zweite chemische Laboratorium beauftragt] … Wislicenus trat mir entgegen, eine imponierende Gestalt, groß, mit breiter Brust, fast weißem, gewelltem Haar und starkem Bart: ein Zeuskopf. Doch war er sehr herzlich und behielt mich alsbald zu einer langen Aussprache da … Er gab mir einen Überblick über meine künftige Tätigkeit. Unterm Sprechen wurde er wärmer und wärmer, und als wir schieden, war er herzlich wie ein alter Freund.« Wenig später erscheint er unerwartet im Gasthof bei Ostwald: »Sie sind Leipziger Professor!« Er hatte telegraphisch vom Ministerium die Nachricht erhalten, daß das Berufungsschreiben bereits nach Riga auf dem Weg sei – Ostwald ist taumelig vor Glück, geheimste Wünsche wurden wahr, schneller als erhofft. Am 22. Juli 1887 im Dresdner Ministerium befragt, ob er die Berufung annehmen wolle, antwortet Ostwald: »Es ist, als ob Sie einen Unteroffizier fragen, ob er General werden will. Ja!« Und in seinen Memoiren kommentiert er:

»So war ich Leipziger Professor geworden, bevor ich mein 34. Lebensjahr erreicht hatte, und sah einen Wirkungskreis vor mir, der über die ganze Kulturwelt reichen konnte, wenn ich ihn auszufüllen fähig war.«

1887 war nicht nur dadurch in Ostwalds Leben ein ›ausgezeichnetes‹, hervorzuhebendes Jahr. Ostwald betont, daß nur durch das glückliche Zusammentreffen der Forschungen van't Hoffs und Arrhenius' mit seinen eigenen Messungen ein ›Dreierbund‹ entstehen konnte. Er wertet die Arbeit der beiden Freunde als die bessere kreative Leistung, nimmt aber für sich in Anspruch, den notwendigen organisatorischen Faktor verkörpert zu haben, ohne den eine schnelle und weitreichende Ausbreitung des neuen Wissensgebietes nicht möglich gewesen wäre. Einer späteren Arbeit gibt er dann auch den Titel: *Organisation als Kunst und als Wissenschaft.*

Erste Assistenten am Institut in der Brüderstraße sind Walter Nernst, Ernst Beckmann und Julius Wagner, später dann auch Arrhenius gewesen.

In den *Lebenslinien* schildert Ostwald die Leipziger Zeitgenossen äußerst anschaulich. An erster Stelle steht der 71jährige Carl Ludwig, der verehrte Physiologe, dessen Menschlichkeit, aufopferungsvolle Lehrtätigkeit und Tiefe der umfassenden Gedankenwelt er sich zum Vorbild nimmt. Ludwig war zugleich Präsident der Königlich Sächsischen Akademie der Wissenschaften und nahm Ostwald noch im Dezember 1887 als Ordentliches Mitglied in diese Gesellschaft auf.

An zweiter Stelle wird über den Psychologen Wilhelm Wundt berichtet, der im Zenit seiner wissenschaftlichen Laufbahn stand. Der junge Ostwald hatte ihn brieflich um Rat für sein erstes Lehrbuch gebeten. Von daher kannte Wundt ihn bereits und setzte sich nachdrücklich für die Berufung des Rigaers ein, dem man nachsagte: »Schreibt zu viel und schließt zu kühn!«. Wundt wurde zum gütigen Ratgeber in wissenschaftlichen wie persönlichen Dingen –

Wilhelm Ostwald
(1853–1932)

nie verließ Ostwald den väterlichen Freund, »ohne um ein Erhebliches gefördert zu sein.« Selbst beim Finden eines passenden Namens für neue chemische Begriffe half der Nicht-Chemiker: So geht die Bezeichnung ›kolligativ‹ für jene Eigenschaften, die für molekulare Mengen gleiche Beträge haben, auf ihn zurück. Ein glücklicher Zufall führte auch Wundt am Ende seines Lebens nach Großbothen, wo sich Ostwald nach seinem vorzeitigen Ausscheiden aus der Leipziger Universität 1906 bereits angesiedelt hat. Die ›Geheimräte‹ pflegten einen regen Gedankenaustausch auf langen Spaziergängen, bis der Tod des 88jährigen Wundt die beiden Freunde trennte.

Als nächsten Kollegen nennt Ostwald den ausgezeichneten Botaniker Wilhelm Pfeffer, dem er »mancherlei Anregung und Belehrung«, auch hinsichtlich der Gepflogenheiten an der Universität, verdankt.

Über diese drei wichtigsten Persönlichkeiten hinaus müssen weitere Namen genannt werden, die das Bild der Leipziger Verhältnisse dieser Zeit prägten und von Ostwald zu den »erfreulicheren Männern« gezählt werden: H. Bruns, der Leiter der Sternwarte, der Geograph Friedrich Ratzel, der greise Begründer der messenden Psychologie, Theodor Fechner, der Zoologe Leuckart sowie der Geschichtswissenschaftler Karl Lamprecht. Ein besonders vertrauter Gefährte wird ihm der norwegische Mathematiker Sophus Lie, der nur wenige Jahre in Leipzig weilte, jedoch in seiner Genialität und leidenschaftlichen Hingabe an die Wissenschaft und in seiner Ausschließlichkeit Ostwald sehr verwandt war.

Sie alle treffen sich über Jahre hinweg einmal wöchentlich abends im Theatercafé und haben ihre Freude am Debattieren. ›Professorenkränzchen‹ nennt sich die disputierende, freundschaftlich verbundene Runde erlesenster Gelehrter, in welcher der lebhafte, fast jugendliche Ostwald einer der Eifrigsten ist. Ihre Namen machen die Leipziger Universität zu einem Magneten für Studenten aus aller Welt.

Wilhelm Ostwald hatte den einzigen Lehrstuhl für physikalische Chemie der Welt inne. Zunächst gehörte es zu seinen Pflichten, auch Anorganische Chemie zu lehren, dazu Praktika für Pharmazeuten und Lehrer sowie Vorlesungen für Anfänger abzuhalten. Das änderte sich bald. Mit dem Erscheinen seines Lehrbuchs erwies er sich als Systematiker des chemischen Wissens, und als Mitbegründer der ›Zeitschrift für physikalische Chemie‹ sorgte er für internationale Verbreitung der neuen Forschungen. Die Leitfähigkeit von Säuren, Fragen der Ionentheorie, der chemischen Verwandtschaft, der Elektrochemie, der Theorie der Lösungen und der Geschwindigkeit chemischer Umsetzung wurden unter Ostwalds Leitung untersucht und die Ergebnisse in der Zeitschrift veröffentlicht.

Die anfänglichen Institutsräume in der Brüderstraße 34 wurden schon bald für den zunehmenden Strom in- und ausländischer Studenten zu eng. ›Das wissenschaftliche Neuland‹ hatte sich zu einem ertragssicheren Forschungsboden entwickelt. Der Umzug, 1898, in das neue Physikalisch-Chemische Institut in der Linnéstraße gab auch Raum für neue Ideen: ›Katalytische Vorgänge‹ versprachen als Untersuchungsobjekt ein Stück ›Urwald‹. Ostwalds Eröffnungsrede, *Die Energie und ihre Wandlungen,* war eine Verlockung für entdeckungshungrige junge Forscher. Eine Fülle guter Arbeiten entstanden.

1905 erhält Ostwald die erste Austauschprofessur nach Amerika, zurückgekehrt nach Leipzig, beendet er 1906 seine Tätigkeit an der Universität. Es waren die neunzehn »arbeitsvollsten Jahre« seines Lebens.

Ostwalds Studenten trugen die Früchte ihres Studiums hinaus in ihre Länder, häufig auch als Übersetzer seiner zahlreichen, erforderlich gewordenen Lehrbücher, die dem *Lehrbuch der allgemeinen Chemie* (mit 3.455 Seiten) noch folgen sollten: *Grundriß der allgemeinen Chemie* (1889, 7 Auflagen), *Grundlagen der analytischen Chemie* (1893, 5 Auflagen), *Geschichte der Elektrochemie* (1893), *Grund-*

linien der anorganischen Chemie (1900, 7 Auflagen),
Schule der Chemie (1903, 6 Auflagen), Prinzipien der Chemie (1907) und Handbuch der allgemeinen Chemie (Band I:
Die chemische Literatur und die Organisation der Wissenschaft, 1919), um nur die wichtigsten zu nennen.

Heute noch weist man in Boston (MASS) stolz auf »den berühmten Noyes, den Schüler des berühmten Ostwald« hin. Oder es besucht der Enkel eines einstigen Chemiestudenten Ostwalds (des späteren Professors in Tokio und Gründers eines großen Chemiebetriebes), Kikuna Ikeda, Großbothen, um den Spuren seines Großvaters nachzugehen.

Einige seiner Studenten sollen selbst zu Wort kommen. Georg Jaffé, sein letzter Schüler (später Professor in Berkeley, Californien) berichtet, Ostwald habe mit erstaunlicher Leichtigkeit neue Ideen entwickelt, sogar in der Unterhaltung, und habe die Kunst beherrscht, auf die Eigenheiten junger Leute einzugehen. Es sei seine Lieblingsidee gewesen, junge Forscher ihre Themen selbst wählen zu lassen. »Nun«, so pflegte er zu sagen, »Sie haben meine Vorlesung gehört, also müssen Ihnen eine Menge Probleme vorgekommen sein«. Georg Jaffé erhält, als die Zeit für seine Abschlußarbeit gekommen ist, den Rat: »Sie müssen Ihre Abhandlung schreiben, wie Beethoven eine Symphonie schrieb. Denken Sie an die Fünfte Symphonie im zweiten Satz, gerade vor dem Ende gibt er dem zweiten Thema eine neue, recht eindrucksvolle Wendung. Das müssen Sie auch tun! Wenn Sie ein Zimmer systematisch untersucht haben – bevor Sie die Beschreibung abschließen, öffnen Sie das Fenster und zeigen Sie den Leuten, in was für eine Landschaft es Ausblick bietet«.

Paul Walden, Ordinarius in Riga und Rostock, schildert, wie Ostwald im Praktikumsunterricht in den Arbeitsräumen der Studenten rasch von Tisch zu Tisch gegangen sei, Anleitung zum Bau der erforderlichen Apparate gegeben, Analysen und Versuche erklärt und neue Verfahren vorgeschlagen habe.

Als Svante Arrhenius sich mit Versuchen der inneren Reibung plagte, erfand Ostwald für ihn sozusagen im Vorübergehen das bekannte Viskosimeter, indem er es eigenhändig aus einem Glasröhrchen blies.

Leipzig wurde unter Ostwald zum Mekka der Physikalischen Chemie. Über 200 Namen umfaßt die Liste der Schüler, die in den 19 Jahren seiner Leipziger Lehrtätigkeit bei ihm promovierten, und wiederum 70 von ihnen wurden Inhaber von Lehrstühlen in aller Welt.

Stickstoff und Nobelpreis

Ostwald machte sich, vom Gedanken beseelt: »Gute Theorie muß alsbald zur Praxis führen«, auch um die Entwicklung der chemischen Großindustrie verdient. Bei einem Festessen des Kaufmännischen Vereins brachte ihn der Zufall ins Gespräch mit dem damaligen Oberbürgermeister Tröndlin, dem Bürgermeister Dietrich und einigen Leipziger Bankherren. Er spricht seine Verwunderung darüber aus, daß im Leipziger Raum die chemische Industrie so ganz fehle, wo doch durch die Universität jährlich eine große Anzahl brauchbarer Chemiker ausgebildet würde und die Chemie eine Art Goldland sei. Pressemeldungen zufolge drohe z. B. der Chile-Salpeter, das einzige Stickstoffvorkommen der Welt, in sieben Jahren erschöpft zu sein. Ein in der Nähe sitzender Professor der Landwirtschaft bestätigt, daß von den drei Düngemitteln (Kalium, Phosphor und Stickstoff) letzteres am teuersten sei. Ostwald wirft ein, Stickstoff aus der Luft zu gewinnen, sei einzig ein chemisches Problem. Die Runde zweifelt und meint, wenn das gelänge, wäre damit so etwas wie der Stein der Weisen gefunden. »Ich aber war der Ausführbarkeit gewiß.«

Das katalytische Hochdruckverfahren zur Ammoniaksynthese wird dann zwar zum ›Haber-Bosch-Verfahren‹, doch auch Ostwald kommt mit Hilfe von Platin-Katalysa-

toren über Ammoniakoxidation zur Salpetersäure und
damit zum Stickstoff. Er überführt das Verfahren mit
seinem Assistenten Eberhard Brauer in eine technisch
brauchbare Form.

Ostwald gelingt die Definition: »Katalyse ist die Be-
schleunigung eines langsam verlaufenden Vorgangs durch
die Gegenwart eines fremden Stoffes«. Was jahrzehntelang
als statischer Vorgang beschrieben wurde, ist damit schlag-
artig als dynamischer Prozeß erklärt. Die wissenschaftliche
Welt verlieh ihm dafür 1909 den Nobelpreis für Chemie.
Die Industrie erkannte sofort den Wert dieser Erkenntnis.

Nach der Jahrhundertwende denkt Ostwald mehr und
mehr in umfassenderen Kategorien. Seine ›Pyramide der
Wissenschaften‹ zeigt, daß die Energie nicht nur in Physik
und Chemie eine große Rolle spielt, sondern daß sie der
Schlüssel für viele Gedankenräume ist. Aus anfänglichen
Gesprächen werden ›Vorlesungen über Naturphilosophie‹.
Ostwalds Hörsaal reicht nicht mehr aus – das Auditorium
maximum am Augustusplatz muß genutzt werden. 1902 begründet er die Zeitschrift ›Annalen der Naturphilosophie‹.
Sein ›Energetischer Imperativ‹ – bewußt nach dem Kantschen formuliert –: »Vergeude keine Energie – verwerte und
veredle sie«, reicht vom verantwortungsvollen Umgang mit
unserer einzigen natürlichen Energiequelle, der Sonne, bis
zur Forderung nach »sozialer Energetik«. In dieser Zeit erwirbt er seine ›Energie‹, ein Jahr für Jahr vergrößertes
Stückchen Erde, auf dem er ab 1906 als freier Forscher lebt,
nachdem ihm die ›Freie Lehre‹ an der Leipziger Universität
durch Eiferer und Neider so vergällt wurde, daß ein Verbleiben in Amtspflichten nur Energievergeudung bedeutet
hätte.

Großbothen und die Welt

Die Ungebundenheit des 54jährigen läßt ihn von Großbothen aus weite Horizonte umfassen. Er regt eine Welt-
sprache an, plädiert für ein Weltformat, für ein Weltgeld, er
will einen Weltkalender einführen, gründet mit dem Geld
des Nobelpreises ein ›Internationales Institut zur Organi-
sierung der geistigen Arbeit, DIE BRÜCKE‹. Längst hat er
die nationalen Chemikerverbände zur Internationalen Chemiker Assoziation zusammengeführt. Die Deutsche Atom-
gewichtskommission erweiterte sich durch sein Wirken zu
einer internationalen. Er besucht Tagungen, hält Vorträge,
schreibt Briefe. Die Friedensbewegung mit Bertha von Sutt-
ner findet in ihm einen Mitstreiter. Er hält überzeugende
Reden auf internationalen Konferenzen und erklärt den
Krieg zur schlimmsten Energievergeudung, zur Kultur-
schande. Pädagogen, Frauenrechtlerinnen und Politiker
(P. Georg Münch, Otto Ernst und Henriette Goldschmidt
in Leipzig, Helene Stöckel und Ellen Key, Rathenau und
Poincaré und viele andere), Ernst Haeckels Monistenbund
und Agrarreformer, der Elektrotechnische Verein: Alle
suchen die Unterstützung Wilhelm Ostwalds.

Er legt in Streitschriften und Vorträgen seine Gedanken
zur Mittelschulreform, zur Duellfrage, zu Ländergrenzen
und unzähligen weiteren Problemen dar. Selbst bei der
gerichtlichen Entscheidung, ob eine angezapfte elektrische
Leitung nun ›Diebstahl‹ sei oder nicht, ist sein fachmänni-
sches Urteil gefragt. Zusätzlich zu den 15 großen chemischen Lehrwerken, der 1887 begründeten und bis 1921 von
ihm herausgegebenen ›Zeitschrift für physikalische Chemie‹
und der 1889 eröffneten Reihe ›Ostwald's Klassiker der exakten Wissenschaften‹, in der bis in die Gegenwart Arbeiten
bedeutender Wissenschaftler veröffentlicht werden, entstehen noch 20 weitere Bücher zu philosophischen, organisatorischen und Kulturfragen. Gleich drei wissenschaftliche
Institutionen wählen ihn gleichzeitig zum Präsidenten.

Da kommt – für Ostwald völlig überraschend – der
Erste Weltkrieg. Die vielfältigen internationalen Verbindungen sind abgeschnitten. Was tun?»Krieg und Kultur
sind Feinde, die nicht ablassen werden, bis einer von
beiden besiegt und vernichtet ist.« Er muß eine ›vernünftige‹
Arbeit anfangen und beginnt, eine Ordnung im bunten
Urwald der Farben aufzustellen. Alle bisher erworbenen
Fähigkeiten und Erfahrungen, seine chemischen und physikalischen Kenntnisse, die organisatorische Logik, technische Talente sowie Einblicke in biologische wie psychologische Vorgänge beim Erfassen des Begriffs ›Farbe‹ kann er
nun verwerten. Auf Arbeiten von Goethe, Schopenhauer,
Philipp O. Runge, Tobias Mayer, J. Lambert und Hering
aufbauend, gelingt ihm der geniale Wurf einer auf Messung
der Körperfarben beruhenden Farbordnung. Neben der
experimentellen Arbeit schreibt er 16 Bücher. Er stellt
Anschauungsmaterial her, hält Vorträge und prüft seine
Ergebnisse. Eine Arbeitsgemeinschaft wird gebildet, der
künstlerische Leiter der Meißner Porzellanmanufaktur,
Achterhagen, nützt die wohlgeordneten Farbskalen, den
Chemnitzer Oberbürgermeister interessiert die Möglichkeit, Straßenzüge in harmonischer Farbigkeit zu gestalten,
das Bauhaus unter Gropius sichert sich Ostwald als Vortra-
genden. Weit über 65 Jahre alt leistet er noch einmal eine
ihn beglückende ›Bahnbrecherarbeit‹ und hält die Farbenlehre für das Beste, was ihm im Leben gelungen ist. Sie ist
sein liebstes wissenschaftliches Kind.

Zu Ostwalds Interessen gehört auch sein Mitwirken am
neuen Medium Radio, sowohl als Vortragender als auch als
Berater bei Ausschußsitzungen der MIRAG, die in der Alten
Waage am Markt in Leipzig ihre Räume hat. Aus einem Sit-
zungsprotokoll geht hervor, daß er und Professor Schaxel
die Aktionäre von ihrer Pflicht zur Volksbildung zu überzeugen suchten. Sie forderten feste Sendezeiten für Vor-
tragszyklen technischer, wissenschaftlicher oder weltan-
schaulicher Art, deren Texte, auf Wunsch für drei Pfennige

dem Programmheft beigelegt, bald ein individuelles Nach-
schlagwerk ergeben könnten. Ostwald selbst hält Radio-
vorträge zu den Themen: »Von der Kunst zur Wissenschaft«, »Friedensgedanken«, »30 Jahre Nobelpreis«, Wissenschaft und Leben«, »Vom Propheten zum Professor«,
»Weihnachtsgedanken«.

Im Frühjahr 1932 bittet der Verleger Jolowicz ihn, für
den Leipziger Bibliophilen Verein zum Goethejahr eine
Schrift zu verfassen. Die Aufgabe reizt ihn. Er stürzt sich in
diese große, schöne Arbeit. Er braucht viele Zitate und freut
sich, wie selten ihn sein Gedächtnis im Stich läßt. *Goethe
der Prophete* hat er die Schrift genannt, die seine letzte vollendete Arbeit bleiben sollte. Am 19. März signiert er alle
Exemplare, zehn Tage später muß der Arzt gerufen werden,
der ihn nach Leipzig zu Geheimrat Payr in die Klinik bringt.
Wie schon so häufig in seinem Leben, sagt noch einmal einer
der ganz großen Leipziger zu ihm: »Aus Ihren Büchern habe
ich viel gelernt«. Ostwald fällt in einen Schlaf, aus dem er
nicht wieder erwacht. Es war der 4. April 1932.

Max Klinger
Malerfürst und Musikerfreund

Von Herwig Guratzsch

Im Mai 1902 rüstete man in der Sezession (Wien) zu einer intimen Feier für Max Klinger. Die Maler der Sezession hatten in der selbstlosesten Weise Fresken an die Wand gemalt, von denen nur die von Gustav Klimt gerettet wurden. Man hat sie mit ungeheuren Kosten von der Wand abgelöst. Alle Wände waren also geschmückt mit allegorischen Fresken, die sich auf Beethoven bezogen, und in der Mitte sollte zum ersten Mal das Beethoven-Denkmal von Max Klinger zur Auf- und Ausstellung gelangen. Da kam Moll mit der Bitte zu Mahler, bei dieser Eröffnung zu dirigieren, und er hat diese Idee liebe-voll ausgeführt. Er setzte den Chor aus der Neunten: ›Ihr stürzt nieder Millionen? ...‹ für Bläser allein, studierte es mit den Bläsern der Hofoper ein und dirigierte den Chor, der, auf solche Art uminstrumentiert, granitstark klang. Der scheue Klinger betrat den Saal. Wie angewurzelt blieb er stehen, als von oben her diese Klänge einsetzten. Er konnte sich vor Rührung nicht halten, und Tränen rannen ihm langsam über das Gesicht herab.«

So erinnert sich Alma Mahler-Werfel an die Inthronisation des *Beethoven* und seines Schöpfers in Wien. Der europaweit bekannte Max Klinger, der den Zenit seiner Resonanz damals fast schon überschritten hatte, war 45 Jahre alt. Sein passioniertes Verhältnis zur Musik bestand weniger darin, daß er sie als Stimulanz fürs Malen nutzte, indem er sich wie El Greco und Marc Chagall während des kreativen Prozesses aufspielen ließ. Nein, Klinger benötigte den Bezug zur Musik für die Überschreitung des Bildes in seinen optischen Kategorien, für den sichtbar gemachten Reflex von Musik im Bild. Als er 1894 den

Zyklus *Brahmsphantasie* vollendet hatte, formulierte der von ihm bewunderte Komponist seinen Dank: »Ich sehe die Musik, die schönen Worte dazu und nun tragen mich ganz unvermerkt ihre herrlichen Zeichnungen weiter. Sie ansehend, ist es, als ob die Musik ins Unendliche weitertöne und alles aussprächen, was ich hätte sagen mögen, deutlicher, als es die Musik vermag und dennoch ebenso geheimnisreich und ahnungsvoll«.

Wie Klinger die Musik suchte, erkennt man auch an den Reaktionen seiner Zeitgenossen. Zum Beispiel schrieb Johannes Hartmann, der die Witwe Klingers geheiratet hatte, 1937: »Man muß die musikalischen Abende in Klingers Atelier miterlebt haben! Das berühmte Leipziger Gewandhausquartett mit Felix Berber und Julius Klengel war stets dabei. Und Max Reger, der Freund Klingers, saß am Flügel und bot seine neuen Kom-positionen, oder er spielte Wagner. Alle großen Komponisten und Virtuosen, die Leipzig besuchten, waren seine Gäste.« – Dieser Künstler, der selbst hervorragend Klavier spielte, fühlte sich zunächst von Robert Schumann gefangengenommen. Ein persönliches Verhältnis gewann er u. a., neben Max Reger und Johannes Brahms, zu Franz Liszt, Richard Wagner, Sergej Rachmaninoff und Richard Strauß. Über alle stellte er aber Ludwig van Beethoven, dessen polychromes Monument seine magische Wirkung nie verloren hat.

Den Leipzigern war es gelungen, trotz der intensiven Bemühungen der Österreicher in jenem Jahre 1902 den *Beethoven* auf der 14. Ausstellung der Wiener Sezession zu erwerben. Die eigenwillige Verschmelzung unterschiedlichster Motive, ihre symbolträchtige Verschränkung und der Anspruch, diesen Titanen der Musik mit tiefem Ernst, mit entschlossenem Wollen in einem polylithen Bildwerk aus Marmor, Bronze, Elfenbein und farbigen Steinen, die teilweise von Klinger an entlegenen Orten selbst gesammelt worden waren, festzuhalten, wirkt wie eine Krönung seines Verhältnisses zur Musik.

Dieses Verhältnis, das zum Genius loci lipsiensis gehört, hat vielleicht mitbewirkt, daß der am 18. Februar 1857 in der Petersstraße 48 als Sohn eines Seifenfabrikanten in Leipzig geborene Künstler bereits 1893 für immer in seine Vaterstadt zurückgekehrt war. Er hatte hier die Volks- und Realschule durchlaufen, in Karlsruhe und Berlin war er künstlerisch ausgebildet worden, und es führte ihn seit 1879 der Weg unter anderem nach Brüssel, München, Berlin, Paris und Rom. Auf Grund seiner Beteiligung an Ausstellungen und der Publikation graphischer Zyklen *Opus I - XI* verschnellte sich sein Bekanntheitsgrad, so daß er interessante Angebote aus Wien, Weimar und Dresden erhielt, die er aber zugunsten Leipzigs ausschlug. Im Falle Weimars war es Richard Voß, der den erst dreißigjährigen Klinger dem Großherzog von Sachsen-Weimar, Karl Alexander, als Lehrer für die dortige Kunstschule mit bescheidenen Konditionen vorgeschlagen hatte. Damals wäre Klinger bereit gewesen. Als dann seine Reputation größer war und sich der Großherzog seinerseits um ihn bemühte, winkte der Leipziger ab.

Was fesselte ihn an dieser sächsischen Stadt? Gilt in seinem Falle die Umkehrung des geflügelten Wortes, daß der Prophet im eigenen Lande doch etwas bedeutet? Hofierte man ihn mehr als woanders? Banden ihn die Annehmlichkeiten, der Bau seines großzügigen Ateliers auf dem väterlichen Grundstück in Plagwitz und später der Erwerb des wunderbaren Weinbergs in Großjena bei Naumburg? Verdichteten die Freundschaft zu Julius Vogel, dem Direktor des Leipziger Museums, und die dadurch in Gang gekommenen Akquisitionen Klingerscher Bildwerke, Gemälde und Zeichnungen seine Zuneigung zu dieser Stadt? Immerhin war der Erwerb des *Beethoven* für die hohe Kaufsumme von 250.000 Mark nicht die einzige spektakuläre Anschaffung, die durch Leipziger Bürger glückte. 1904 erstand man für 60.000 Mark die berühmte *Blaue Stunde*. Der Grundstock war durch einzelne Spenden von

Bürgern der Stadt zusammengekommen. Bereits 1894 war es gelungen, die *Neue Salome* für 15.000 Mark zu erwerben, nachdem es im Stadtrat darüber zu einer hitzigen Kontroverse gekommen war. 1918 schenkten 63 Leipziger Kunstfreunde das große Ölbild *Kreuzigung Christi* dem Museum. Aber auch umgekehrt wurde Klinger animiert durch diese Einsatzfreude. So stiftete er von sich aus für die *Salome* den Sockel und stellte ein Fünftel der Ankaufssumme des *Beethoven* zur Verfügung, um an der Südseite des Museums am Augustusplatz, dort, wo heute das Gewandhaus steht, einen angemessenen Anbau zu ermöglichen, in dem der *Beethoven* zur würdigen Aufstellung gelangen konnte.

Natürlich mischten sich in die gegenseitige Begeisterung und Anteilnahme auch Neid und Mißgunst einiger Leipziger gegenüber dem erfolgreichen Künstler, zumal, als er die Universitätsaula mit jenem großen, im letzten Krieg zerstörten Wandbild *Die Blüte Griechenlands* geschmückt hatte (1906). Satirische Gedichte machten die Runde, wie zum Beispiel 1910 jenes mit der Überschrift *Der Übermeister. Ein Wink für seine blinden Verehrer,* das mit der ersten Strophe hier zitiert sei: »Herunterreißen will den Lorbeer ich vom Haupte, / Dem nimmermehr die Meisterkrone ziemt, / Der Kennerschar, die blind an seine Sendung glaubte, / Im Lichte zeigen, wen sie hoch gerühmt ...«

Klingers Akzeptanz aber wurde davon nicht in Frage gestellt. Seine lokale Bindung vertiefte sich, und sein unverfälschter sächsischer Akzent trug bei aller Weltgewandtheit mit zur bleibenden Beheimatung bei.

Wenn wir uns der Kunst von Max Klinger nähern, so entsteht ein Dreivierteljahrhundert nach seinem Tode ein zwiespältiger Eindruck. Die große Faszination, die er bis in die Zeit des Höhepunktes seines Schaffens erlebte, deren Strahlkraft weit über Deutschland hinausging, wich einer herben Kritik, einem schrillen Unverständnis in den zwanziger und Anfang der dreißiger Jahre des 20. Jahrhunderts.

Für die enorme Idealisierung fanden sich Ovationen wie: »Der Einzelne, der originalste Künstler, den Deutschland zu besitzen die Ehre hat, Max Klinger zu Leipzig« so Hugo von Hofmannsthal 1894, »eine der größten Gestalten der Kunstgeschichte« so Franz Hermann Meissner 1899, »Tempelkunst« Karl Kraus 1902, »das ist das Große an Klinger, das er mit Leonardo, Michelangelo, Dürer, Beethoven und Wagner teilt« Paul Kühn 1907, »seit Goethe und Beethoven hat die deutsche Kunst nichts Gewichtigeres aus den Tiefen und nichts höher zum Äther hingehoben« Ferdinand Avenarius 1917. Gern sei in diesem Zusammenhang auch an eine Standardfrage erinnert, die sich in der Kunstabteilung des Königlich Preußischen Kultusministeriums gegenüber Neulingen abspielte: Sie wurden im Hinblick auf Wilhelm II. gefragt: »Wie stehen Sie zu Klingers ›Beethoven‹?«.

Eindrucksvoll hat die hohe Wertschätzung Käthe Kollwitz vor 75 Jahren am Grabe Max Klingers in Großjena zum Ausdruck gebracht: »Wir drängten uns, um Klingers Radierungen zu sehen. Was uns fortriß, was wir liebten an diesen Blättern war nicht die technische Meisterschaft. Der ungeheure Lebensdrang, die Energie des Ausdrucks waren es, was uns daran packte. Wir wußten, Max Klinger bleibt nicht an der Oberfläche der Dinge haften, er drängt in die dunkle Lebenstiefe.« Die große Verehrung Käthe Kollwitz' hat während der DDR-Zeit viel zum Schutz des Künstlers im Sozialismus beigetragen. Und es ist gewiß auch dem passionierten Lokalpatriotismus der Leipziger zu danken – seine Werke sind im Bildermuseum nie abgehängt worden –, daß seine Rezeption unangefochten blieb.

Sein Stern war aber schon viel früher gesunken. Bereits Richard Hamann hatte 1914 in seinem Buch *Die deutsche Malerei im 19. Jahrhundert* eine Menge einschränkende, die wirkungsvolle Potenz Klingers stutzende Bemerkungen gemacht. Im Gefolge seiner Sicht kam es schon bald zu deutlichen Verunglimpfungen. Bis Julius Meier-Graefe

1920, also im Sterbejahr Klingers, argumentierte: »Nichts
fehlte Klinger so unbarmherzig als die Fähigkeit, mit einem
Strich zu tanzen, zu lachen und zu weinen ... Es gibt Kup-
ferstichkabinette, die den ganzen Klinger besitzen in allen
Zuständen. Verbrennt das Zeug. Es ist Makulatur. Es kann
uns nicht nur nicht helfen, sondern schädigt uns über alle
Maßen!«

Als aus Anlaß des 75. Todestages das Leipziger Museum
1995 eine Ausstellung veranstaltete, verfolgte man nicht die
Absicht, eine neue Klinger-Ideologie mit gedämpftem oder
dominantem Pathos aufzulegen. Vielmehr fragte man kritisch, ob jene Bewunderung der Kunst Klingers, die immerhin bei keinem geringeren als bei Giorgio De Chirico 1920
zu dem Ausruf geführt hatte: »Der moderne Künstler
schlechthin!« auch heute noch Überzeugungskraft besitzt
oder ob noch ganz andere Aspekte des Schaffens positiv
beleuchtet werden müssen.

Zu den Hauptanliegen Klingers zählt neben seiner Bedeutung für den Surrealismus, wie sie De Chirico besonders
aus der symbolistischen Folge *Ein Handschuh* herausge-
lesen hatte, Klingers Ringen um ein Gesamtkunstwerk.
Seine Intention war es, zusammenfassend, umschließend
und aussöhnend die unterschiedlichen Facetten der Kunst
zu einen. Ihm schwebte, angeregt von Richard Wagner, die
Gemeinschaftswirkung von Malerei, Plastik (farbig), Graphik und Architektur vor, zu denen er am liebsten auch
noch die Musik zählte. Sie zu einer harmonischen Einheit
zu verschmelzen, wie in der Villa Albers zu Berlin-Steglitz,
wirkte beispielhaft auf die Künstler seiner Zeit, so nachge-
wiesenermaßen auf Edvard Munch. Er überschritt dabei die
Grenzen des Einzelbildes, das allein wie verloren bleibt,
aber in der Konstellation einer umgreifenden Kunst als
weitgefaßte Synthese zu blühen beginnt.

Zu den vertrauten Standards seiner Ikonographie gehört
ein drittes: die große Offenheit und Freizügigkeit, nicht nur
mit dem nackten Körper von Mann und Frau umzugehen,

sondern sie in einem tabulosen Geschlechterkampf zu verstricken, und dabei die Ambivalenz von Schönheit und Liebe erotisch spürbar zu machen. Auch wenn die Provokation, die in dieser Liberalität lag und die zum Beispiel bei der Kreuzigungsdarstellung dazu geführt hatte, daß man bei der Ausstellung in München einen Vorhang über die Unterpartie des nackten Christus gezogen hatte, nicht mehr auffällt, weil wir in einer Zeit leben, die längst darüber hinausgegangen ist, bleibt Klingers Beitrag diesbezüglich deutungswürdig. Indem wir heute homoerotische Bekenntnisse und eine sehr anschauliche Pornographie zu Markte tragen, kann die Interpretation auf die Psychologie seiner Erotik neu zugehen und Klingers Rolle diesbezüglich neu einschätzen.

Wer neben diesen vielbewunderten Standards, Surrealismus, Gesamtkunstwerk und – verschärft ausgedrückt – Exhibitionismus seinen eigenen Weg zur Wahrnehmung Klingerscher Kunst finden möchte, sollte sich vielleicht von der Beobachtung leiten lassen, wie Klinger selbst um die Kunst rang, wie er sich mit sich im Verhältnis zur Kunst auseinandersetzte und wie er dabei eine Herangehensweise dokumentiert, die sich auch im Abstand von Zeit wegen ihres existentiellen Charakters für das Verständnis seiner Kunst eignet.

Dieser sächsische Künstler hat wenige Selbstbildnisse hinterlassen. Aber er zeigt fast durchgängig ein Selbstdarstellungsverlangen, das den Betrachter, hat er es einmal aufgespürt, nicht mehr recht losläßt. Mit dem an Karl Gussow und Adolph Menzel geübten Realismus und dank der schweren Phantasie und graphischen Technik von Francisco de Goya und Gustave Doré, wie sie sie existentiell und formal für ihn erschlossen hatten, hat er die eigene Verwirklichung zuweilen bis an die Grenze der Egomanie mit selbstironischer Brechung gesucht. Schon in den ersten Anfängen seines Zeichnens, möglicherweise angeregt durch seinen Leipziger Lehrer Brauer, beobachten wir die Übergewalt

Max Klinger
(1857–1920)

schwerlastender Vorstellungen und zugleich Klingers Traumverlorenheit: Da liegt ein Mensch tot am Strand, vom Meer ausgeworfen. Oder es findet eine rettungslose Auseinandersetzung eines schwangeren Mädchens mit dem Tode statt. Das sind Blätter des 18jährigen. Ein Jahrzehnt später hatte er dann im Exlibris für Fritz Gurlitt einen nackten jungen Mann gezeigt, der den Wanderstab in der Rechten hält und auf eine im Hintergrund liegende Burg zuschreitet. Dabei läßt er sich von der links, auf einer Kugel im Meer stehenden Fortuna nicht ablenken. Trotz Versuchung, zielbewußtes, festes Vorwärtsschreiten ohne Abweichung vom Weg, wie in Albrecht Dürers *Ritter, Tod und Teufel,* läßt er den schwankenden Boden des Meeres mit der Schönen links liegen. Darunter kann man lesen: »Fuß aufs Feste, Aug aufs Beste«. Eine ähnliche Versuchung wird drei Jahre später im Zyklus *Vom Tode II* sehr viel vitaler, animalischer und verführerischer dargestellt. Lockend drängt sich hier die Frau an den Mann, mit sinnlichem Verlangen versucht sie, ihn zu gewinnen. Im Exlibris *Elsa Asenijeff* von 1899 geht der Künstler noch weiter: Hier bildet das Meer den Hintergrund, das im Glanz der Sonne schimmert und über dessen glatten Spiegel Möwen fliegen. Im Vordergrund steht eine selbstbewußte, nackte schöne Frau, die mit triumphierender Miene den am Boden liegenden Mann mit dem Knie niederhält. Dieser Mann ist nicht anonym, sondern er trägt die Züge des Künstlers. Mit verzehrender Leidenschaft hatte er die 11 Jahre jüngere Schriftstellerin und Frauenrechtlerin Asenijeff geliebt, die ihm 1900 das einzige Kind, die Tochter Desiree, gebar. Mit der Unterschrift ›Belta Vince‹ (Schönheit siegt) visualisiert er seine widerstreitende eigene Situation.

Viele seiner künstlerischen Zeugnisse spiegeln seine Problematik wider, meinen die Auseinandersetzung des Künstlers mit sich selbst. Selten wirken sie mühelos dahingeworfen, überwiegend haftet ihnen gedankliche Konstruktion und tapfere Konzentration an.

Wie so oft bei bedeutenden Künstlern läßt sich im Frühwerk beobachten, was später nacheinander stärker ins Licht tritt und für den Künstler grundsätzlich konstatiert werden kann. Der kaum bekannte Zeichnungszyklus *Leben und Taten des Herkules* von 1874 – Klinger war damals 17 Jahre alt – liefert nicht nur einen frühen Beleg für das Fähigsein zur Persiflage, zur eigenwilligen Interpretation eines griechisch-römischen Themas, das zu den ausgeschmücktesten der Antike zählt, sondern macht beispielhaft, daß den jungen Klinger, der den knappen Bildungsstand eines Realschülers hinter sich gelassen hat, dieser Kampf des klein abgebildeten, scharf gezeichneten, detailliert entwickelten, mit gewaltiger Kraft Begabten magisch anzieht. Daß Herkules am Scheideweg steht, den entbehrungsreicheren Weg der Tugend wählt und nicht den der Laster, mithin die wohl schwersten Arbeiten auf Erden vollführen muß, dabei die Welt von Übeln und allerlei Unheil reinigt und dann, nachdem er gerungen und gekämpft, gedient, geduldet, gefehlt und gebüßt hat, in den Olymp kommt und an einer Tafel mit Jupiter und Juno sitzt, – das ist in Wahrheit der heroische Weg, den sich Klinger selbst etappenweise durchs Leben erstreitet. Mit diesem kopfverbissenen Willen liegt er in einer merkwürdigen Parallele zu dem, was die Leipziger Kunst und auch die Sammlung des Museums bestätigen kann, daß mehr die rationale Erarbeitung als die emotionale Erschließung den Ausschlag gibt. Bei Max Beckmann ist es so, aber auch später bei Werner Tübke und Wolfgang Mattheuer, und sogar bei dem expressiven Bernhard Heisig begegnet einem der damit verwandte Duktus.

Der Herkules-Zyklus des 17jährigen ist ein Vorblick auf die geballte Kraft seiner Konzentrationsanstrengung, die sich der eher als schweigsam beschriebene Künstler von Anfang an sukzessive auferlegt hat. Das heißt nicht, daß man hier nicht Witz und parodistische Schärfe spüren könnte. Wenn im ersten Blatt der Jüngling die Schlangen der

Juno erdrückt und dabei ein Babytuch auf dem Kopf gebunden zeigt, und wenn er sich am Schluß mit seiner Frau
Hebe in rustikaler Adriaen Brouwer-Atmosphäre im Olymp
präsentiert, dann ist das Satire. Die Qualität der zeichneri-
schen Form wird spätestens im 19. Blatt der Folge unüber-
sehbar, in dem Herkules gleich Atlas die Erdkugel auf den
Schultern trägt. Klein, pyknisch, kraftstrotzend versinn-
bildlicht er die Intention des energisch fordernden und mit
sich selbst hart umgehenden Künstlers.

Wenn wir seine Persönlichkeit aus der Vergegenwärti-
gung seiner Arbeitshaltung heraus betrachten, wenn wir die
kopfbetonte Strenge und unerbittliche Konsequenz beobachten, dann gibt uns das die Chance, Form und Inhalt seiner ins Große gegangenen Werke, die manchmal durch die
Großspurigkeit der Zeit zur Übersteigerung verführt wurden, neu und womöglich nah zu sehen. Wir begreifen dann
auch die Errungenschaften seiner Kunst, die Wirkung auf
den Surrealismus, auf das Gesamtkunstwerk und auf die
Offenheit, Nacktheit zur Schau zu bringen, weniger abge-
hoben, sondern als Ergebnisse eines rationalen Prozesses,
der sich von Gefühlen nicht bezwingen lassen, sondern ver-
standesbewußt formulieren will. Daß Klinger darüber hinaus mit seinem Versuch, Antike und Christentum auszu-
söhnen – das gewaltige, raumgreifende Werk *Christus im
Olymp* signalisiert diese Tendenz – eine humanistische Botschaft aufruft, in der ein sehr unterschiedliches Denken aufeinander bezogen wird, das charakterisiert ihn als einen, der
die optische Seite des Begriffs ›bildende‹ Kunst transzendiert
im Sinne des pädagogischen ›Bildens‹. Auch dies verkörpert
einen symptomatischen Zug dieser im gründerzeitlichen
Aufschwung begriffenen Stadt, die nach 100 Jahren abermals als Kulturstadt aufzublühen beginnt. Klinger könnte
im Zuge solcher Entwicklung einer neuen Renaissance ent-
gegengehen.

Anton Kippenberg
»Den besten unserer Zeit genugthun«

Von Siegfried Unseld

Uns Verlegern«, schrieb Anton Kippenberg an Rilke 1922, »geht es wie den Mimen: die Nachwelt flicht uns keine Kränze, aber indem wir den besten unserer Zeit genugthun, dürfen auch wir unseres Namens Dauer vorwegnehmen.« Das durfte Kippenberg, 1905 in die Insel eingetreten und bis 1950 ihr Verleger. Er hat den Besten der Literatur »genug«getan.

1894 kam Anton Kippenberg nach Leipzig, von 1896 an blieb er endgültig in dieser Stadt, sie wurde zu seiner ›zweiten Heimat‹, und Kippenberg ist von ihr durch seine vielfältige Tätigkeit nicht wegzudenken. Er war seit 1919 Vorstandsmitglied der Goethe-Gesellschaft und in schwieriger Zeit, von 1938-1950, ihr Präsident. Er wirkte lange Jahre als Vorsitzender des Verwaltungsrats ›Deutscher Verein für Buchwesen und Schrifttum‹ (der in der Deutschen Bücherei Leipzig domizilierte) und seit 1926 als Mitglied im Direktorium des Leipziger Gewandhauses, seit 1932 als Vorsitzender. Er war ein großzügiger Förderer des Thomanerchors Leipzig, Freund der Thomaskantoren Karl Straube und Günther Ramin. Die Universität Leipzig zeichnete ihn als Ehrensenator aus.

Sein Haus in der Richterstraße in Leipzig-Gohlis war schon durch seine Goethe-Sammlung Anziehungspunkt für viele Persönlichkeiten des In- und Auslandes; Autoren, Musiker, Gelehrte, Buchhändler und Bücherfreunde aus der ganzen Welt waren Gäste. Die Chronik dieses Hauses – des ›Palazzo Chippi‹, wie die Freunde es nannten – ist auch ein Stück Kulturgeschichte der Stadt Leipzig.

Am 23. Januar 1938 wurden neue Räume für die Goethe-Sammlung eingeweiht. In seiner Ansprache beschwor

Kippenberg »Buch und graphische Kunst«, in denen sich der »Kultur- und Lebenswillen unserer Tage« spiegele. Das Haus sei Goethe gewidmet, bewußt als Stätte neben dem Haus am Hirschgraben und neben dem Haus am Frauenplan. »Auch die Goethe-Stätte, die hier geworden ist, hat einen Zusammenhang mit Goethes irdischem Dasein ... durch die Stadt, die sie umschließt. Denn als dritte Goethe-Stadt dürfen wir ... Leipzig wohl rühmen ... Als die höchste Tugend hat Goethe die Ehrfurcht gepriesen, die den drei Kardinaltugenden des Korinther-Briefes zugrunde liegt. Ehrfurcht hat geholfen, dieses Haus zu gestalten und was es birgt zu vereinigen. Möge es Ehrfurcht vor geistiger und menschlicher Größe wecken und lebendig halten.«

Das Haus in der Richterstraße wurde beim Luftangriff am 27. Februar 1945 völlig zerstört; die Sammlung war jedoch vorher in Sicherheit gebracht worden. Nach der Zerstörung des Verlagshauses in der Kurze Straße war über der Haustür der Spruch lesbar geblieben: »In deo spes mea«.

Anton Hermann Friedrich Kippenberg wurde am 22. Mai 1874 in Bremen als Sohn eines Gründers bekannter großer Schulanstalten geboren. Immer wieder erwähnte er sein »untadeliges« Elternhaus und die prägenden Eindrücke, die er von daher erhalten hatte. Und wesentlich war für ihn auch seine Heimatstadt, die ›Stadt am Strom‹.

In seinem *Dank an die Hansestadt* sprach er 1949: »Vor sechsundvierzig Jahren habe ich in meinem Bürgereide gelobt, daß ich dem Freistaat Bremen treu und hold sein wolle. Ich darf bekennen, daß ich dieses Versprechen gehalten habe ... Nahe verbunden blieb ich unserer Stadt auch durch den Insel-Verlag, der von zwei jungen Bremern einst gegründet und dann von einem Bremer geleitet wurde und dessen Kommanditisten Bremer gewesen sind bis zum heutigen Tag.«

›Anton wird Buchhändler‹, das stand etwa seit seinem 14. Lebensjahr fest. Buchhändler und nicht Verleger, denn zum Verlegen braucht man Kapital, und daran war in einer Familie mit neun Kindern nicht zu denken. Und doch träumte der Knabe, »einmal eine Art Brockhaus« zu werden, ein leuchtender Name im damaligen Buchhandel. So war es selbstverständlich, daß er nicht bis zum Abitur in der Schule blieb, sondern nach absolvierter Untersekunda das Gymnasium verließ; nach dem Tod des Vaters trat er am 1. April 1890 in die Buchhandlung Eduard Hampe für eine dreijährige Lehrzeit ein; sie ging 1893 ohne besondere Lichtblicke zu Ende. Wieder folgte er einem Traum, sich im Ausland ausbilden zu lassen und fand für eineinviertel Jahre eine Anstellung bei der Buchhandlung Benda in Lausanne.

Die nächste Station war dann schon Leipzig. 1894 zunächst ein Vierteljahr Volontär im Kommissionsgeschäft K. F. Koehler, leistete Kippenberg anschließend seine Dienstpflicht als einjährig Freiwilliger in Bremen, um dann endgültig 1896 nach Leipzig in »meine zweite Heimat« überzusiedeln. Er erhielt ein Angebot, als Gehilfe im wissenschaftlichen Verlag Wilhelm Engelmann zu arbeiten. Die Arbeit in diesem Verlag war einerseits befriedigend, andererseits wurden ihm mehr und mehr die Grenzen seiner Möglichkeiten deutlich. Er wollte sein Denken schulen und sich eine »tiefere humanistische Bildung« erarbeiten. Es zog ihn zur Universität, doch wie sollte ein Nichtabiturient die Immatrikulation schaffen? Er wollte schon wieder zum Buchhandel zurück, als sich ihm eine ungeahnte Möglichkeit auftat: Er erfuhr, daß man sich als stud. cam., ›Student der Kameralien‹, mit dem Einjährigen-Schein eines Gymnasiums immatrikulieren lassen und den Doktorhut erwerben konnte, wenn zwei Ordinarien dem Kandidaten das Zeugnis ausstellten, daß er auf der Bildungshöhe eines Abiturienten stehe, die Dissertation mit summa cum laude benotet und der Kandidat in drei mündlichen Prüfungen die Note 1 erhalte. Mit diesem Ziel schied Kippenberg aus dem Verlag Engelmann aus, bezog die Universität, noch nicht wissend, was dieser Schritt ins Ungewisse bedeuten würde. Über-

raschend erhielt er während des Studiums wieder ein Angebot des Engelmann Verlages, diesmal sollte er als Prokurist
mitwirken; er nahm es an und damit die doppelte Last von
Beruf und Studium auf sich, die nur die tragen können, die
mit eisernem Willen, mit Disziplin, mit Energie für Tag- und
Nachtarbeit und mit dem Glauben an eine Berufung begabt
sind.

Die Germanistik war an der Leipziger Universität nicht
stark vertreten, doch »mit einem Schlage änderte sich
alles«, als Albert Köster im Wintersemester 1899/1900 den
Lehrstuhl für neue deutsche Literatur übernahm. Köster
wurde Kippenbergs Lehrer, sein Mentor, sein väterlicher
Freund; später sollte er sein Berater und Herausgeber zahlreicher Werke im Insel Verlag werden. Kippenberg besuchte
seine Vorlesungen und Seminare, er erhielt Privatissima und
entwickelte mit ihm seine Doktorarbeit, ein Thema aus dem
Goethe-Umkreis: *Die Sage vom Herzog von Luxemburg
und die geschichtliche Persönlichkeit ihres Trägers.* Er promovierte mit summa cum laude, erhielt auch für seine Prü-
fungsarbeiten die Note 1 und wurde so im Spätsommer
1901 Doctor philosophiae. Sein »Glücksgefühl war groß«,
er lebte auf in Leipzig, von 1901 bis 1905 konnte er »im
ganzen glückliche Jahre« verbringen. Er empfing zahlreiche
geistige und musikalische Anregungen, spielte Schach und
Tennis mit Freunden, trat der Gesellschaft der Bibliophilen
bei, die damals in Blüte stand, und besuchte die Hauptver-
sammlungen der Goethe-Gesellschaft in Weimar, bei denen
er auch Katharina von Düring traf, die er 1905 heiratete.
Zwei Töchter, Jutta und Bettina, wurden 1906 und 1910
geboren. 1902 begegnete Kippenberg Carl Ernst Poeschel,
dem berühmten Verleger und Buchgestalter; dieser wollte
seinen eigenen Sachbuchverlag ins Schöngeistige erweitern,
und Kippenberg schlug ihm eine Gesamtausgabe der Briefe
der Frau Rath Goethe vor, die es bis dahin noch nicht gab,
und er wußte sogleich einen kundigen Herausgeber: Albert
Köster. Die Ausgabe erschien 1904 bei Poeschel in Leipzig

(*Die Briefe der Frau Rath Goethe, gesammelt und herausgegeben von Albert Köster*). Die Arbeit an dieser Edition begründete die Freundschaft zwischen Poeschel und Kippenberg, dem sich damit eine »neue Welt auf dem Gebiet des Druck- und Buchwesens« erschloß.

Am 14. Februar 1905 starb der Geschäftsführer des Insel Verlages, Rudolf von Poellnitz. Poeschel hatte ihn während seiner Krankheit vertreten und leitete nach seinem Tod interimistisch den Insel Verlag; er war es, der dem Inhaber, Alfred Walter Heymel, den Vorschlag machte, Kippenberg solle mit ihm den Verlag leiten; am 1. Juli 1905 traten beide als Gesellschafter in den Insel Verlag ein, dreißig Jahre jung. Doch schon ein Jahr später trennten sich die beiden; Kippenberg schied aus der Firma Poeschel und Kippenberg aus und Poeschel aus dem Insel Verlag. Von dieser Zeit an bestimmte Kippenberg allein die Linie des Verlages nach der für ihn zutreffenden Weise: »Nur einer kann entscheiden.«

Kippenberg selbst hat rückblickend die ersten Jahre der Insel geschildert: Die Zukunft des Verlages sei ganz ungewiß gewesen. Von Künstlern gegründet, von Heymel, Schröder und Bierbaum, von Künstlern gedacht, die schöne, ja schönste Bücher veröffentlichten; aber weder Organisation, noch Administration waren vorhanden, und diese Büchermacher haben nicht gefragt, wie und ob der Markt, Buchhändler wie Leser, diese Bücher aufnahm. Man brachte Werke von Rainer Maria Rilke, Ricarda Huch, Hugo von Hofmannsthal, Adalbert Stifter, Autoren der Romantik, aber das alles war nicht organisiert, nicht programmatisch, eher punktuell und zufällig. »Die geschäftliche Lage des Verlages ... war trostlos«, kommentierte Kippenberg den Beginn. Nun wurden, statt vereinzelte Bücher zu publizieren, Programme entworfen und Verbindungen zu den Autoren wieder hergestellt. Die nach Goethes Romanen und Novellen und Schillers Dramatischen Dichtungen ins Stocken geratene Großherzog-Wilhelm-Ernst-Ausgabe deutscher Klassiker wurde weitergeführt; der neue Buchtyp für Klassiker-Ausgaben – flexible Dünndruckbände im Taschenformat – fand Anerkennung. Von den zeitgenössischen Autoren erschien als erstes Rilkes *Das Stunden-Buch,* enthaltend die drei Bücher »Vom moenchischen Leben/Von der Pilgerschaft/ Von der Armuth und vom Tode«. Dann nahm Kippenberg eine Übung der Insel-Gründer auf, die zu Beginn des Verlages einen ›Almanach der Insel für 1900‹ herausgegeben hatten.

Dieser Almanach hatte Folgen, es gibt ihn im Insel Verlag Jahr für Jahr, durch zwei Weltkriege hindurch bis heute. Im Oktober 1995 erschien der ›Insel-Almanach auf das Jahr 1996‹. Seine Autoren haben verständlicherweise nichts mehr mit denen des ersten Almanachs zu tun: u. a. Antonia S. Byatt, Erhard Eppler, Georg Hensel, Stanisław Lem (um nur einige zu nennen).

Wie auch immer das Programm des Insel Verlages sich änderte und ändern mußte, das Motto, das Kippenberg 1905 dem ersten Almanach voranstellte, galt für die gesamten 90 Jahre: »Ältestes bewahrt mit Treue,/Freundlich aufgefaßtes Neue.«

Die Perspektiven, die er im Brief an Hofmannsthal vom 1. Dezember 1906 entwickelte, waren für ihn lange, eigentlich sein ganzes Verlegerleben lang, bestimmend: »Über den Weg, den ich in Zukunft zu gehen habe, glaube ich mir aber nun ziemlich im klaren zu sein. Wenn ich recht sehe, weist die Entwicklung, die der Insel Verlag bisher genommen hat, vor allem auf folgende Ziele hin, die zum Theil bei einander liegen: der Weltliteratur im Goethischen Sinne zu dienen, dem Gehalt des Buches die Form anzupassen, den Sinn für Buchkunst und auch für Buchluxus immer mehr zu heben und von der zeitgenössischen Literatur wenig, aber dafür nach Möglichkeit das Dauer Versprechende zu bringen.« Eine wichtige Aussage. Er fügt noch hinzu: »Der Insel Verlag hat gewiß an seinem bescheidenen Theil eine Kulturmission zu erfüllen, aber letzten Endes ist er ein Geschäft, und wie der Theaterdirektor Goethe, um die Kassen zu fül-

len, vieles zur Aufführung brachte, was dem Dichter und
Kenner nicht genug thun konnte, so wird auch der Verleger
Bücher drucken, die den Tag, der sie hervorbrachte, nicht
allzu lange überdauern. Vor allem minderwerthigen und
schlechten freilich müssen wir uns hüten.«

Fassen wir Kippenbergs Vorstellungen zusammen, die zu
Kriterien seines Verlagsprogramms wurden, so sind es drei
Komplexe:
1. Weltliteratur mit Goethe und im Goetheschen Sinn.
2. Von zeitgenössischer Literatur *wenig,* aber dafür das
Dauer Versprechende.
3. Das gut ausgestattete und das schöne Buch.

Es war von vornherein klar, daß Kippenberg mit seinem
Verlag ein Goethe-Imperium errichten wollte, freilich
wußte er genau, daß er mit Goethe allein zwar Verleger werden, aber nicht bleiben konnte. So galt es, ein Programm zu
entwickeln, das dem Geist wie dem Geschäft genügte.

Doch Goethe zuerst. Der Fortführung von Goethes *Sämtlichen Werken* im Rahmen der Großherzog-Wilhelm-Ernst-
Ausgabe folgte der berühmt gewordene ›Volksgoethe‹ in
sechs Bänden.

Mit großer Aufmerksamkeit wurden die sechs Bände *Der
junge Goethe* aufgenommen und die vielen folgenden Ein-
zelausgaben, von denen nur erwähnt seien: *Westöstlicher
Divan, Italienische Reise, Gedichte in zeitlicher Folge,
Faust, Farbenlehre* und die vielen, zum Teil erstmals edier-
ten Briefsammlungen und Gespräche, darunter zum ersten
Mal herausgegeben: *Bettinas Leben und Briefwechsel mit
Goethe.* Daneben Faksimileausgaben, Zeichnungen, Chro-
niken und die beiden maßstabsetzenden Bildbände *Goethe
und seine Welt* und *Goethe im Bildnis.*

Er nahm auch Goethes Zeitgenossen in sein Programm
auf. Die vom Insel Verlag 1902 begonnene Ausgabe der
Sämmtlichen Werke von Wilhelm Heinse wurde fortgeführt
und auch die von Albert Köster 1905 begonnene Ausgabe

der *Sämtlichen Werke* von Schiller; einen neuen Blick auf Schiller vermittelte die von Max Hecker edierte Auswahl *Die Briefe des jungen Schiller*. Auf seine Hölderlin-Ausgabe war Kippenberg besonders stolz. Wenn er ein Exemplar verschenkte, so merkte er an, er verleihe hiermit den Pour le mérite. Weitere Werkausgaben erschienen: von Kant, Theodor Körner, Kleist, Lenau und Schopenhauer.

Das Feld des Zeitgenössischen war für Kippenberg weit weniger reich. Die Arbeiten der alten Gründer der Insel, Alfred Walter Heymel, Rudolf Alexander Schröder, Otto Julius Bierbaum, dann Rudolf Borchardt und Rudolf Kassner, wurden mit mäßigem Tempo veröffentlicht.

Zu den ersten Publikationen neuer Autoren zählte 1906 das Gedichtbuch *Die frühen Kränze* von Stefan Zweig. Kippenberg schätzte den »betriebsamen Zweig« (Rilke) und hörte auf seinen Rat; wie kein anderer begleitete Zweig die Ideen und Programme des Verlages, vieles hat er initiiert.

Über Hofmannsthal und Rudolf Alexander Schröder kam Hans Carossa zu Kippenberg. Carossa, Arzt und Dichter, war ganz so, wie sich Kippenberg seine Autoren wünschte, wahrhaft, aufrichtig, ganz im Leben stehend, durch und durch vom poetischen Geist erfüllt und von den »ewigen Ideen angestreift«. 1910 erschienen bei der Insel Carossas *Gedichte* (mit dem merkwürdigen, aber dann für Kippenberg üblich werdenden Honorarangebot, wonach der ›Reingewinn‹ zwischen Autor und Verlag geteilt werden sollte). Dem Gedichtband folgten all die Werke, die Hans Carossa berühmt machen sollten: *Eine Kindheit, Rumänisches Tagebuch, Verwandlungen einer Jugend, Führung und Geleit, Geheimnisse des reifen Lebens, Das Jahr der schönen Täuschungen, Die Schicksale Dr. Bürgers*. Carossa blieb auch nach Kippenbergs Tod dem Verlag treu und die Insel ihm. Zweimal, zum 50. und zum 70. Geburtstag, hat Kippenberg sich öffentlich über Carossa geäußert und den »Bund« gelobt, der hier »zwischen Dichter, Verleger und Verlegerin … auf tiefem wechselseitigen Vertrauen begrün-

det, von Jahr zu Jahr fester wurde und nie getrübt fortbesteht bis zum heutigen Tag«.

Eine neue Brücke schlug Kippenberg zu Ricarda Huch.
Ihr Roman *Vita somnium breve* hatte große Aufmerksamkeit hervorgerufen, er wurde mit Thomas Manns *Budden-
brooks* verglichen, dort der ›Verfall einer Familie‹, hier der
Ausbruch eines Sohnes in die Freiheit von ›Leben und
Schönheit‹, dort der Abgesang einer Epoche, hier Aufbruch
und Beginn einer kommenden Zeit. Merkwürdigerweise
hatte die Insel diese Autorin bis dahin nicht weitergeführt.
Kippenberg änderte das, er veröffentlichte ihre Gedichte
und Liebesgedichte, den Roman *Michael Unger* (eine Neu-
ausgabe von *Vita somnium breve*) und das umfangreiche
Geschichtswerk *Der große Krieg in Deutschland*. Hofmannsthal schrieb an Katharina Kippenberg, das Werk
»gehört zu den wenigen, wovon mir, daß es entstanden sei,
notwendig erscheint«. R. A. Schröder äußerte sich direkter:
»Sie ist doch ein verteufeltes Frauenzimmer! Für mich mit
die dickste Nummer des Insel-Verlages…«

Drei Autoren hat Kippenberg seine Zuneigung entzogen,
und zwar nicht zufällig, sondern konsequent: Carl Stern-
heim, Heinrich Mann und Jakob Wassermann.

Der Autor des Verlages wurde Rainer Maria Rilke. Er
war ja schon, durch Hofmannsthal protegiert, mit verschiedenen Arbeiten bei der frühen Insel vertreten, dann
aber vernachlässigt worden, so daß er in anderen Verlagen
publizierte. Carl Ernst Poeschel holte ihn mit dem *Stunden-
Buch* wieder zur Insel zurück, am 7. Dezember 1905 unter-
zeichnete Kippenberg seinen ersten Vertrag mit ihm. Zu Rilkes 50. Geburtstag erinnerte Kippenberg sich in »unwan-
delbarer Liebe« der 20 Jahre ihres Zusammenwirkens, er sei
stolz, »Diener dieses Werkes und vor allem Ihr Freund zu
sein«.

Das gut ausgestattete Buch, das schöne Buch wollte Kip-
penberg pflegen. Nun gehörten zur Insel seit den Jahren der
Zeitschrift eine Vielzahl bildender Künstler, unter ihnen
Emil Rudolf Weiß, an ihn wollte sich Kippenberg halten.

Wie sehr er auch später die Bibliophilie pflegte, ihm ging es mehr um das schöne Gebrauchsbuch, und dies auch in bezug auf das Material. Das Papier sollte benutzerfreundlich sein, und für die Klassikerausgaben wählte er Dünndruckpapier. Waren die ersten Bücher mit phantasiereichen, individuellen Schrifttypen gesetzt, bestand Kippenberg auf der Mediäval als lesbarer Satztype; oft entwarf er selbst die Typographie der Seite, den Satzspiegel und legte die Tönung des Drucks fest. Für den Einband wollte er sachliches und zugleich schönes Material, keinen Zierat. Er wollte den gediegenen gebundenen Band, mit echtem Gewebe, mit zurückhaltenden Vorsatzpapieren und bescheidenem Schriftaufdruck. Die Lederbände wünschte er biegsam, mit schön genarbtem oder geglättetem Leder. Diese Buchausstattung zielte auf die Ganzheit des Buches, auf die Einheit von Schrift, Bild und Material. Sie wurde vorbildlich für die Buchherstellung in der ersten Hälfte des Jahrhunderts. Carl Ernst Poeschel hatte Kippenberg auf den Buchgestalter Walter Tiemann aufmerksam gemacht. Mehr noch als in den Jahren zuvor wirkte Tiemann nun auf die Ausstattung der Bücher des Insel Verlages ein. Georg Kurt Schauer nannte ihn in seinem Werk *Deutsche Buchkunst 1890 bis 1960* einen großen Lehrer und Gestalter »in der vordersten Reihe der Pioniere unseres frühen 20. Jahrhunderts«. Tiemann gab Kippenberg auch den Rat, sich nicht auf *eine* künstlerische Richtung festzulegen und empfahl ihm »charakterisierende Elektrizität und das Bündnis mit der Tradition«. So kam es, daß alle künstlerischen Kräfte der Zeit an der Insel-Buchausstattung mitgewirkt haben.

Kippenberg pflegte intensiven Kontakt zu Künstlern und Buchgestaltern, aber auch zu den Meistern der Druckereien und der kleinen graphischen Betriebe. Er war, wie Peter Suhrkamp nach ihm, selbst Handwerksmeister und Architekt des Buches. Seine Frau Katharina gab zu, oft ärgerlich wegen seiner Kleinarbeit zu sein, doch auch sie wußte, »wenn er sich nicht um jeden Strich der Titelblätter kümmert, so entsteht etwas, was unsereiner nicht ertragen kann«.

Es wurde immer mehr zu seinem eigentlichen Metier, sich intensiv um die Buchherstellung zu bemühen, um jeden Strich der Titelblätter. Das war neu für einen Verleger dieser Zeit. Es gab dem Buch ›im Zeitalter seiner technischen Reproduzierbarkeit‹ eine individuelle Note, etwas Einmaliges, Einzigartiges, etwas Privates. Kippenberg liebte Privatdrucke, und irgendwie versuchte er, seine Vorstellung des Gebrauchsbuches an vollkommenen Privatdrucken zu orientieren.

Das galt in besonderer Weise für sein Verlagsprodukt des Jahres 1912: die Insel-Bücherei. »Allein um der Insel-Bücherei willen«, schrieb Stefan Grossmann, »hätte Anton Kippenberg geadelt werden müssen.« Schon 1910 hatte Kippenberg eine ›Insel-Bücherei‹ angekündigt: »Heute, da das Wort ›Buchkunst‹ zum wohlfeilen Schlagwort geworden ist, gilt es zu betonen, daß es der *Geist* ist, der sich den Körper baut, daß es eine ›Innere Buchkunst‹ [gibt], die weit höhere Aufgaben stellt.« Am 1. März 1911 berichtete Kippenberg Heymel, er möchte »30-Pfennig-Bücher des Insel-Verlages« herausgeben und nannte ihm einige Titel; nun habe auch Stefan Zweig einen Titelvorschlag gemacht. »Würdest Du wohl auch Deinerseits sorgfältig prüfen, was Du vorschlägst? Ich will dann als Dritter meinen Senf dazugeben.« Im Juni 1912 erschienen die ersten zwölf Bände. Kippenberg hatte angekündigt, die Bücherei soll »freundlich ausgestattete gebundene Bändchen umfassen«, dann erst, sie »soll unsere gesamte Verlagstätigkeit widerspiegeln«. Der Ladenpreis, ursprünglich 30 Pfennige, wurde in letzter Minute auf 50 Pfennige erhöht. Unter den ersten zwölf Bänden waren zwei zeitgenössische Autoren vertreten, Rilke und Hofmannsthal, sonst das klassische Programm der Insel, mit Goethe, Cervantes, Bismarck, Friedrich dem Großen, Plato, Flaubert.

Es waren also keine Neuerscheinungen, und die Insel-

Bücherei ist nie eine Bibliothek der Neuerscheinungen geworden. Das Neue, was sie gegen die vorhandenen Reihen,
wie etwa Reclams Universalbibliothek, die den reinen Text
in den Vordergrund stellten, unterschied, war eben das
»freundlich Ausgestattete«. Die Bände waren sorgfältig
hergestellt. Die Pappbände waren mit gemusterten Papieren
italienischer Provenienz überzogen; charakteristisch das
aufgeklebte Schild auf der Vorderseite und auf dem Rücken,
sorgfältig die Typographie. Das verlegerische Meisterstück
aber war: Jeder Band gehörte zur Reihe, und jeder Band
war zugleich eigenständig.

Mit dem ersten Band bewies Kippenberg Gespür und
Hellsicht. Rilkes *Cornet* wurde im Lauf der Zeit zu einem
Kultbuch, in Millionenauflage verbreitet; der Autor war
erfreut: »Lieber Freund, was haben Sie diesen guten Christoph Rilke beritten gemacht. Wer hätte das gedacht.«
Nach zwei Jahren hatte der Verlag über eine Million Bände
verkauft. Einen ähnlichen Erfolg hatte Kippenberg nur
noch mit Bindings *Opfergang*. Sieben Jahre nach Gründung
der Reihe waren fünf Millionen Exemplare von etwa
250 Titeln verkauft. »Hier beginnt der Insel-Verlag«,
schrieb Stefan Zweig, »der aristokratisch angefangen und
es im Sinne der Haltung bis heute geblieben ist, durch die
Tat demokratisch zu werden.«

Der Erste Weltkrieg brach aus. Kippenberg und seine Frau
Katharina hielten die Zeit reif für diesen Krieg. Albert
Köster berichtet (in einem Brief an Heymel vom
3. 11. 1914) von einer Unterredung mit Kippenberg: »Und
unsre Gedanken begegneten sich in der Überzeugung: nur
ein Krieg kann unserm Volke helfen.«

Einem seiner Autoren war Kippenbergs deutsch-natio-
nale und konservative Haltung ein Ärgernis, Grund für
Unmut und Erbitterung: Rilke. Kippenberg wußte, Rilke
war sein wichtigster Autor, und er spürte den politischen
Dissens. Während des Krieges gab es deshalb kein Gespräch

Anton Kippenberg
(1874–1950)

über politisches Geschehen, über Kriegsvorgänge, und auch
1918 und 1919 schwiegen beide über die Nachkriegsrevo-
lutionen, die Rilke anfänglich begrüßte. Rilke wollte Veränderungen, und er meinte im November 1918, daß die
Zeit recht hat, »wenn sie große Schritte zu machen
versucht«.

Kippenberg wurde nach dem Krieg in der ›Gesellschaft
zum Wiederaufbau des deutschen Außenbuchhandels‹ als
Präsident aktiv; er warb in einer Rede für das deutsche
Buch und die deutsche Sprache. Dies stand im Widerspruch
zur Haltung seines wichtigsten Autors. Denn zur gleichen
Zeit hatte sich Rilke vom politischen Deutschland abge-
wandt, er empfand Deutschland als ›Gefängnis‹, er rang
verzweifelt um die Elegien, rang und hoffte, im Ausland
einen »Elegienort« zu finden, um dieses Hauptwerk abschließen zu können. Und zu diesem Zeitpunkt hatte er sich
auch eine neue zweite Sprache gewonnen, das Französische,
zunächst für die Übertragung der Werke Valérys, dann für
die eigene Dichtung.

Rilke reiste am 11. Juni 1919 in die Schweiz, er sollte
nicht mehr nach Deutschland zurückkehren. Hier erfuhr er
das »Wunder der Schweizer Gastfreundschaft«. Die Familie Reinhart hatte ihm im Juli 1921 das Château de Muzot
zur Verfügung gestellt. Vom November 1920 bis Mai 1921
bewohnte er das Schlößchen Berg am Irchel. Hier besuchte
ihn Kippenberg im Januar und sprach mit ihm über eine
mögliche Gesamtausgabe seiner Werke. Rilke schien wenig
interessiert, Kippenberg ahnte nichts von Rilkes beginnen-
der Krankheit, von seiner Resignation und Depression.

Doch am 11. Februar 1922 konnte Rilke der Fürstin
Taxis melden: »Endlich, Fürstin, endlich, der gesegnete, wie
gesegnete Tag, da ich Ihnen den Abschluß ... der Elegien
anzeigen kann«.

Im April 1924 fand die letzte Begegnung Kippenbergs mit
Rilke statt; wieder sprach Kippenberg über die Gesamtausgabe, die Rilke nun halbherzig bejaht; Kippenberg ver-

sprach ihm die Herausgabe seiner Übertragungen der Gedichte von Paul Valéry. Zu Kippenbergs 50. Geburtstag am 22. Mai schienen alle Querelen vergessen. Rilke schrieb ihm, »dem lieben steten Freund«, einen hinreißenden Brief, in dem er sich auf alle »Verläßlichkeiten«, auf »Vertrauen und Einvernehmen« berief. Und dann die charakteristischen Zeilen an den »Lieben, Getreuen«: »Soweit das Sagbare; das andere mag zwischen uns in Gebrauch und Schwebe bleiben. In Gebrauch und Schwebe halte sich auch, die mich Ihnen unbeschreiblich verbindet, meine Dankbarkeit.«

Nehmen wir also alles in allem: in Gebrauch und Schwebe; es war eine produktive Beziehung. Wer weiß, ob Rilke unter anderen Umständen sein großes Werk der *Elegien* hätte vollenden können, Anton Kippenberg und seine Frau Katharina haben daran geglaubt und ihm Mut gemacht.

Im Oktober 1919 war, nach vielen Gesprächen in Kippenbergs Haus, die erste Nummer der Zeitschrift ›Das Inselschiff‹ erschienen, sie sollte die Verlagsarbeit bis 1942 begleiten. Wer die Geschichte des Insel Verlages schriebe, was hier nicht beabsichtigt ist, fände hier das grundlegende Material. Und die Geschichte des Verlages ist auch die Geschichte der Literatur dieser Zeit, abzulesen an den Publikationen dieser Jahre: Leonhard Frank, das Zwischenspiel Johannes R. Becher, Rudolf G. Binding, Albrecht Schaeffer, Stefan Zweig, Hugo von Hofmannsthal, Reinhold Schneider, um nur die deutschsprachigen zu nennen, neben denen bedeutende ausländische Autoren zu Wort kamen: Paul Verlaine, Paul Claudel, Romain Rolland, André Gide, Paul Valéry und die Flamen Emile Verhaeren, Felix Timmermans, Stijn Streuvels, Ernest Claes und August Vermeylen.

Was konnten Verleger in ›dürftiger Zeit‹ unternehmen, was Kippenberg, was Peter Suhrkamp im S. Fischer Verlag, um ›das geheime Deutschland‹ zu bewahren? Suhrkamp versuchte, Hesse zu halten, aber es gelang ihm gegen die Nazibürokratie nicht, das *Glasperlenspiel* zu veröffentlichen. Kippenberg hielt sich an Hans Carossa, verständlich, daß er ihn zum Werk drängte, verständlich aber auch, daß der Autor seinen eigenen Gesetzen folgen mußte. In einem bedeutenden Brief vom 5. Februar 1939 versucht Carossa, seinem Verleger, dem »klaren, aktiven und energiegeladenen Geist«, seine Situation zu erklären. Er bemühe sich nach wie vor »um eine große, lebendige Form deutscher Prosa«; er habe hier einen Anspruch an sich, den er nicht mindern möchte, es käme ihm auf seine eigenen Leser an. »Es ist leichter, für 30.000 Leser zu schreiben als für 300«, zitiert Carossa Paul Valéry, dem er es aufs höchste anrechnete, »daß er einmal zehn Jahre lang geschwiegen hat.« Und er fährt fort: »Jenes geheime Deutschland, das Ihre wie meine Hoffnung ist, glaubt auf die Dauer am ehesten dem, der mit dem geschriebenen Wort sparsam umgeht.« Es erschienen noch bis zum Kriegsende Carossas *Geheimnisse des reifen Lebens* und *Das Jahr der schönen Täuschungen*. 1948, zum 70. Geburtstag, ehrte die Insel ihren Autor mit einem Festband, den Kippenberg einleitete mit der Beschwörung des »Bundes zwischen Dichter, Verleger und Verlegerin, der auf tiefem wechselseitigen Vertrauen begründet von Jahr zu Jahr fester wurde und nie getrübt fortbesteht bis zum heutigen Tag«.

Anton Kippenberg der Verleger. Anton Kippenberg der Sammler. Neben der Verlagsarbeit war es die Goethe-Sammlung, die Kippenberg auch in schwieriger Zeit Halt bot. Er hatte ihr das Motto gegeben: »Einen Einzigen verehren!« Sie war keine Liebhaberei, sie war, wie der Verlag, Kippenbergs Existenz. Beide Tätigkeiten durchdrangen einander, vermischten sich und bedingten sich gegenseitig produktiv. Für Katharina Kippenberg, die im eigenen Hause das Wachsen der Sammlung erlebte, wirkten die vielfältig ausgebreiteten Zeugnisse von Goethes Leben und

Werk wie »Gesetzestafeln«: »Angesichts der Goethe-Sammlung spürt man deutlich, wie sehr sie und der Verlag sich ergänzen, wie reichlich die eine Schöpfung die andere speist. Sind die Vorlagen zu vielen schönen Faksimile- und Neudrucken persönlichem Besitz entnommen, so hielt die Lauterkeit der alten Einbände dem Geschmack ständig einen Spiegel vor. Aber die große Gabe einer solchen Sammlung ist die geistige Kraft, die unerschöpflich von ihrem Mittelpunkt her ausströmt.« Kippenberg hatte 1893 mit der französischen Übersetzung des *Faust* eine Grundlage für seine Sammlung geschaffen; seit 1898 ist sie durch »Verkettung von Verdienst und Glück« Stück für Stück gewachsen und zu einem Ganzen geworden, auch zu einem Teil von Kippenbergs Dasein. Er versuchte, verbunden und losgelöst vom Werk, mit Goethes Leben in Verbindung zu treten, die Vergangenheit von einst zur Gegenwart zu machen und für die Zukunft zu sichern, indem er Handschriften, Briefe, Zeichnungen, Plastiken und Bilder, Reliquien des Goetheschen Daseins und Utensilien seines Alltags, wie Trinkbecher und Locke, bewahrte. Und selbstverständlich Manuskripte, Varianten, Fragmente, Erstausgaben, Bücher, die Goethe gelesen hatte, mit denen er umgegangen war, die seine geistige Welt ausgemacht hatten, und Bücher, die ihm gewidmet waren; auf 12.000 Stücke war die Sammlung angewachsen.

Es ist nicht übertrieben, wenn man die weltliterarische Produktion des Insel Verlages aus der Sammlung gespeist erachtet, die Faksimile-Ausgaben von Bachs *Matthäus-Passion* und seiner *Hohen Messe* und den *Codex Manesse*, die Liederhandschrift der Minnesinger, die Literatur des klassischen Altertums mit jeweils *Ilias* und *Odyssee*, die Literatur der Renaissance mit Boccaccio und Cervantes, die orientalischen Literaturen mit der schönsten Ausgabe der *Erzählungen aus den tausendundein Nächten* in der kongenialen Übersetzung von Enno Littmann nach dem arabischen Urtext, dann *Eisherz und Edeljaspis, Kin Ping Meh* und *Der*

Traum der roten Kammer (die Übersetzung von Franz Kuhn
mochte nicht vollkommen dem chinesischen Original entsprechen, aber sie war erfolgreich und setzte diese Werke
beim deutschen Publikum durch). Und wer hat nicht mit Begeisterung Tschuang-tses unter dem Titel *Dichtung und
Weisheit* gesammelten Reden und Gleichnisse und Kakuzo
Okakuras *Buch vom Tee* in der Insel-Bücherei gelesen!

Wie tief Haus und Sammlung die Zeitgenossen beeindruckten, verdeutlicht ein Zeugnis von Peter Suhrkamp.
Peter Suhrkamp hatte Kippenberg im Mai 1935 in der
Richterstraße besucht. Er sprach von einem »Glück der
Begegnung«. Wer Peter Suhrkamps unstete, unbehauste
Existenz kannte, wird sein Wort doppelt ernstnehmen:
»Man kann sich kaum vorstellen, daß heute noch Menschen eine derartige Einheit von Persönlichem und Ausbreitung im Geisthistorischen zu Wege bringen, geschweige
denn, sich ihre Wohnung darin einzurichten. Der Besuch
war mir ein seltenes Ereignis.«

Der Autor Kippenberg hielt sich, für den Verleger Kippenberg selbstverständlich, im Hintergrund. Die Bibliogra-
phie seiner Veröffentlichungen, das Verzeichnis der von
Professor Dr. Anton Kippenberg verfaßten, herausgegebenen und übersetzten Schriften und Aufsätze, zusammenge-
stellt von Julius Rodenberg, zählte im Jahre 1939 189 Nummern. Heinrich Uhlendahl, der Direktor der Deutschen
Bücherei in Leipzig, konnte von Schriften sprechen, »die in
ihrer Vielseitigkeit und ihrem Gehalt jedem Inhaber eines
Lehrstuhls zur Ehre gereichen würden«.

Alle, die ihn kannten, rühmen seine überschäumende
Energie, auch seine List; als Leipziger Nazigrößen ihm eine
parteiliche Kulturzeitschrift aufdrängen wollten, antwor-
tete er, der Insel Verlag sei kein Leipziger, sondern ein Welt-
Verlag. Ernst Rowohlt, der um 1907 Lehrling im Insel Ver-
lag war, erinnert sich ausführlich an »meinen Lehrvater
Anton Kippenberg«: »In meinem ganzen verlegerischen
Leben hat Anton Kippenberg die größte Rolle gespielt« –,

welch eine Äußerung dieses großen Verlegers, dem selbst große Rollen im Leben zugefallen waren. Kippenberg habe ein phänomenales Gedächtnis gehabt, und er sei ein großartiger Anekdotenerzähler gewesen. Hermann Pongs war dabei, als Kippenberg einmal abends im ›Erbprinzen‹ in Weimar eines der *Sonette an Orpheus* auswendig vorgetragen hat. Kippenberg muß auch ein Sprachkünstler gewesen sein. Seine Übertragungen der Werke von Felix Timmermans aus dem Flämischen wurden gelobt, und er war seit den Abenden im ›Palazzo Chippi‹ bekannt als glänzender Erzähler von Bremer Döntjes in reinstem Platt.

Überaus beliebt war Kippenberg als Schüttelreimer, der unter dem Namen Benno Papentrigk – ein Anagramm seines Namens – unermüdlich Reime schüttelte. Er wußte eben: »In Reimes Hut/Geheimes ruht«. Er wurde gedrängt, diese Schüttelreime zu veröffentlichen; zunächst kamen Privatdrucke zustande, »Schüttelreime, wie er sie seiner Freundschaft auf den Ostertisch zu legen pflegte«, dann aber doch ein Band in der Insel-Bücherei 1942: »Ich tät es lang im Selbstverlage wägen – / Nun will ich's auf der Insel Waage legen«. Der große Orientalist Enno Littmann lobte den Band: »Das Buch verfaßt von einem Benno / Fand hohen Anklang bei 'nem Enno«. Am Anfang des Bändchens wird einem Lehrling der Schüttelreim erklärt: »In Zwillingsversen Pärchen von Vokalen dopple; / Daran zwei Konsonanten als Sandalen kopple«.

Kippenberg schüttelte aber auch eine Warnung und Mahnung: »Haltet mir die Insel rein / Lasset kein Gerinnsel ein!« Dieser Vers wird oft (schüttelreimisch inkorrekt) mit »Gesindel« zitiert. Die Insel-Leute hoffen, weder Gerinnsel noch Gesindel früher und heute eingelassen zu haben.

Das Bild Kippenbergs wäre unvollständig, wenn nicht Katharina Kippenbergs gedacht würde. Sie stand dem Haus in der Richterstraße vor und fühlte ebensosehr die Verpflichtung, kein »Gerinnsel« in den Verlag einzulassen.

Im Haus war sie ›die Herrin‹, sie veranstaltete Empfänge, Feste und Feiern. Eine noch lebende Bedienstete sprach davon, der Professor sei immer gütig gewesen, »Frau Professor waren streng«. Carl Goerdeler hat sie als »geistvolle Persönlichkeit« bezeichnet. Ihr eigentliches Arbeitsgebiet war die Lektüre zeitgenössischer Literatur. Hier war sie, wie Reinhard Buchwald berichtet, »oberste Lektorin«. Für Rudolf G. Binding war ein Werk trotz Zusage des Verlages erst angenommen, wenn »die oberste Richterin« ihm dies bestätigt hatte.

Katharina Kippenberg starb nach längerer Krankheit am 7. Juni 1947 in Frankfurt am Main. Hans Carossa schrieb einen Nachruf und sprach von ihrer »außerordentlichen Leistung«. Ein Jahr nach Katharinas Tod sammelte der Insel Verlag ihre Arbeiten und veröffentlichte den Band *Kleine Schriften*. Hans Carossa leitete ihn ein: »Stellen wir uns vor, daß die gleiche Frau, die eine so dichte, so sorgsam durchdachte Prosa schrieb, zugleich das pflichtgebundene Leben, das ihre gesellschaftliche Stellung ihr zuwies, vorbildlich schön erfüllte, daß sie es verstand, diesem Leben Stil zu geben, daß sie als Mutter, als Hausfrau, als Lektorin des Insel-Verlags ihren Platz bewundernswert behauptete, so schließen wir auf die strenge Selbsterziehung, durch die allein ein so vielfältig angewandtes Dasein möglich wurde.«

Vor allem die Bücher jener Autoren, die mit Katharina Kippenberg korrespondierten, konnten in den dreißiger Jahren noch erscheinen, also Arbeiten von Reinhold Schneider, Hans Carossa, Ricarda Huch, Edzard H. Schaper, Karl Heinrich Waggerl, Friedrich Schnack. Von Gerhart Hauptmann erschien 1942 in der Insel-Bücherei *Hanneles Himmelfahrt*. Aber an eine programmatische Verlagsarbeit war nicht mehr zu denken. Bei dem schweren Luftangriff auf Leipzig in der Nacht vom 3. zum 4. Dezember 1943 wurde das Verlagsgebäude bis auf die Grundmauern zerstört, und große Büchervorräte wurden ein Opfer der Flammen. Kippenberg hat von der Zerstörung in einem Schreiben an die

Katharina Kippenberg
(1876–1947)

Gesellschafter des Verlages minuziös berichtet. Nur unter größten Schwierigkeiten ging die verlegerische Arbeit weiter. Die Sammlung wurde ausgelagert und entging der Vernichtung, als das Haus in der Richterstraße im Februar 1945 zerstört wurde. An seinem 70. Geburtstag am 22. Mai 1944 stand der »Siebzigjährige vor einem Trümmerfelde«, wie er rückerinnernd schrieb. »Zerstört ist sein Geburtshaus, sind *alle* Stätten seiner beruflichen Arbeit.«

Kann ein Mann, der sich so intensiv seinem Beruf gewidmet hat, Schlimmeres erfahren? Er brauchte seine ganze Kraft, um diesen Verlag weiter zu denken und den Insel-Geist zu erhalten. Und er konnte stolz sein, daß weder er, noch einer seiner Mitarbeiter Mitglied der NSDAP war. Als er im August 1944 von der Reichskulturkammer und der Reichsschrifttumskammer zu einer persönlichen Treuebekundung für Hitler aufgefordert wurde und ein vorformuliertes Bekenntnis unterschreiben sollte, antwortete er nur mit Goethes Gedicht »Gewohnt, getan«, das so zu lesen war, daß er die Seiten nicht zu wechseln gedenke: »Ich bleibe beim gläubigen Orden.« Er blieb es.

Kippenberg hielt sich nach 1943 nur noch vorübergehend in Leipzig auf, er wohnte teils in Weimar, teils im Harz, in der Umgebung von Stuttgart und schließlich in Marburg. »Ich werde Leipzig treu bleiben«, schrieb Kippenberg aus seinem »Marburger Exil«. Das 50jährige Verlagsjubiläum wurde 1949 in Leipzig begangen. Aus Anton Kippenbergs Rede: »Mein Wunsch, mein einziger Wunsch an diesem Tage ist, daß diese beiden äußerlich getrennten Häuser in einem neu geeinten Deutschland zusammenwirken, daß dieses geeinte Deutschland nicht eine Einheit der Grenzen, sondern nur eine Einheit der Gattung und was das wesentlichste ist, das Goethe noch den Deutschen zugerufen hat: der Liebe.«

Noch einmal, zum 75. Geburtstag, erfuhr er eine breite Zustimmung, und der Verlag überreichte ihm eine Kassette

mit Gedichthandschriften, in denen neben den Verlagsauto-
ren auch Hermann Hesse vertreten war, und Kippenberg
durfte eine wichtige Genugtuung erfahren, daß die drei
größten Verleger des Jahrhunderts, Samuel Fischer, Ernst
Rowohlt und Peter Suhrkamp, ihm Hochschätzung und
Bewunderung entgegenbrachten; Hedwig Fischer hatte ihm
schon früher geschrieben, »wie sehr mein Mann gerade Ihre
Arbeit, Ihren Verlag als vorbildlich und nachahmenswert –
weit über alle anderen deutschen Verlage – bewunderte,
schätzte und auch für sich vorbildlich empfand.«

Die »Anton und Katharina Kippenberg-Stiftung« wurde
zum Grundstock des Goethe-Museums in Düsseldorf; Kippenbergs Sammlung erhielt dort eine zweite Heimat, so
schien ihm sein ›Vermächtnis‹ gesichert.

Unter Aufbietung aller Kräfte, die durch eine aufkommende Krankheit noch geschwächt wurden, organisierte er
von Marburg aus das ›Stammhaus in Leipzig‹ und die ›Insel-
Zweigstelle Wiesbaden‹, die im September 1945 von der
amerikanischen Militärregierung die Verlagslizenz erhielt,
aber die Produktion erst aufnahm, nachdem Kippenberg im
April 1946 die Lizenz auch für Leipzig erhalten hatte. Die
Wiesbadener Produktion umfaßte bald wieder das gesamte
Insel-Programm, während dies in Leipzig durch Zensur-
maßnahmen eingeschränkt wurde. Kippenbergs Freude war
es, daß er zum 200. Todestag von Johann Sebastian Bach
(28. Juli 1950) seine Traumerzählung vom Bach-Fest, bei
dem ihm Bach erschienen war, noch einmal in der von ihm
so geliebten Form des schönen Privatdrucks empfangen
konnte und daß Charles Sanford Terrys Bach-Biographie in
beiden Verlagsteilen neu aufgelegt werden konnte.

Noch einmal also Bach, noch einmal seine geliebte Tradition, das war kein Lebenszufall. Kippenbergs Bedeutung
in der Geschichte der Literatur war es ja, eine Tradition
übernommen, sie als Verleger und Sammler neu geformt
und gleichzeitig dieser Tradition personifiziert Gestalt gegeben zu haben.

Noch vom Krankenbett aus Marburg versicherte er dem Verlag seine Mitarbeit, »für bestimmte Sachen bin ich ja immer noch da«. Dann fuhr er in die Schweiz, nach Luzern, um in einem Sanatorium neue Kräfte zu sammeln. Am 16. September 1950 schrieb er von dort an Friedrich Michael, der den Wiesbadener Verlag leitete. Es sollte sein letzter Brief sein – und er sei in einen besonderen Zusammenhang gerückt. Kippenberg hatte bei seiner gründlichen Lektüre von Goethes Aufsatz »Entoptische Farben« einen Satz angestrichen: »Die letzten Handgriffe haben immer etwas Geistiges, wodurch alles körperlich Greifbare eigentlich belebt und zum Unbegreiflichen erhoben wird.« Sein Brief an Michael betraf das neue Weihnachtsverzeichnis der Insel, und es bedeutete einen solchen ›letzten Handgriff‹. Man solle ihn schonen, schrieb er, und nur bei Wichtigem seine Entscheidung einholen, »abgesehen von der Herstellung, die ich in der Hand behalten muß, denn ich sehe, daß das bei allem guten Willen ohne mich doch nicht geht«.

Kippenberg starb in Luzern am 21. September 1950.

Ernst Bloch
Ein Zuhause für den Philosophen

Von Jürgen Teller

Der Philosoph Anaxagoras aus Klazomenai (in Klein-
asien) kam vor 2457 Jahren nach Athen, also
461 v. Chr. Er kam in die schon lange mächtige, auch durch
ihre Baudenkmale und ihre Geisteskultur berühmte Stadt,
deren Schutzherrin Pallas Athene war, besonders als Göttin
der Weisheit und des Verstandes. Aber erst Anaxagoras trug
die Eulen nach Athen, denn eben in seiner Person begann
hier die herrlichste Philosophenepoche der Weltgeschichte.
Perikles und Aspasia gewann Anaxagoras zu Freunden und
Helfern, Euripides zitierte und bewunderte ihn, Schüler
übernahmen und überlieferten mehrere Sätze dieses letzten
ionischen Naturphilosophen von Rang. Anaxagoras wurde
bekannt, zu bekannt, auch bei den Frommen im alten Geiste, die ihm übelnahmen, daß er von dem strahlenden Gott
Helios, von unserer Sonne, sagte, sie sei wie die anderen
Sterne eine glühende Gesteinsmasse. So viel genügte, selbst
zur Zeit der attischen Demokratie auf ihrem Höhepunkte,
gegen den Gotteslästerer eine todeswürdige Anklage zu erheben, die ihn zum Trunk aus dem Schierlingsbecher oder
zum Zermalmtwerden in einem Mörser womöglich verurteilt hätte. Anaxagoras floh aus Athen, Athen verlor seinen
ersten Philosophen wegen eines kühnen Gedankens.

Der Philosoph Ernst Bloch kam vor 47 Jahren, im Frühjahr
1949, aus dem letzten seiner fünf Exilländer während der
Nazizeit, den USA, nach Leipzig. Er folgte damit einer
Berufung zum Ordinarius des Institutes für Philosophie an
der Leipziger Universität. Formell war das eine zwiespältige
Berufung: Die Kommission der Fakultät, mithin der Fach-
kollegen, hatte in ihrer Mehrheit gegen den Unbekannten,

akademisch ›Inkompetenten‹ aus Amerika votiert; die positive Entscheidung fällte hingegen, im Verein mit den zuständigen Funktionären der sowjetischen Besatzung, das Bildungsministerium von Sachsen, wobei die Universität – wie immer in der deutschen Tradition (bis heute) ihren Autonomieanspruch gegenüber der Regierung hintanstellen mußte. Bloch war unbekannt und hätte es demnach bleiben sollen. Die meisten der Herren Professoren im Fakultätsrat wollten den berühmtesten der ›drei Doktoren der Linken‹ (die beiden anderen waren Georg Lukács und Walter Benjamin) während der Weimarer Zeit offenbar gar nicht zur Kenntnis nehmen. Bloch hatte damals, vor 1933, in der ›Frankfurter Zeitung‹ und anderen wichtigen Periodika wahre Kabinettstücke essayistischer Kritik dargeboten, am Ende des Ersten Weltkrieges sein erstes opus magnum veröffentlicht und drei andere Werke produziert – bis zum Einbruch der Ära des totalen Verdachts und der Furie des Verschwindens, der ihn in die Emigration gezwungen hatte.

So bekleidete Bloch erst im Alter von 64 Jahren ein akademisches Amt (wofür er insgeheim Spinoza und Schopenhauer um Vergebung bat), verwaltete es durchaus penibel, fand oder bildete Studenten, die das Staunen auf griechisch und deutsch lernten, pries anfangs in Briefen an Freunde aus Amerika überschwenglich die Freiheiten von Lehre, Rede und Veröffentlichung sowie alle Privilegien materieller Art während der unmittelbaren Nachkriegszeit. Es waren nicht viele, doch mehr als der Philosoph samt Frau und Kind bisher sich hatten träumen lassen. Das in vielen tausend Manuskriptseiten über Jahrzehnte geschaffene, privat gebliebene Werk wuchs nun weiter unter dem Auspizium, der neue Himmel würde einer neuen Erde entgegenwachsen, die Gebildeten ergreifend und die Betroffenen bildend. Blochs einzigartige Hoffnungskraft, beileibe nicht nur eine Variante in der Vielfalt theoretischer Welt- und Selbsterklärungen, sondern auch eine höchst personhafte Kraft seiner selbst, überblendete mitunter die Risse, Schründe, Abgründe und Ge-

meinheiten der uns umgebenden, auf andere Art scheußlich
entfremdeten Welt. Die alte stoische Forderung, man solle
sich nur in Verhältnissen ansiedeln, die man beherrschen
kann, diese Eremitenvorstellung haben schon die Stoiker
selbst durch ihre entgegengesetzte Forderung ad absurdum
geführt, Gehorsam gegenüber der Natur, ja gegenüber dem
von unverrückbaren Gesetzen durchwalteten Weltall zu
üben. Derart widersprüchliche Weisheiten erwiesen sich als
nachdenkenswert, nützlich und gewiß auch anwendbar für
denjenigen, der sie seinen Studenten vermittelte.

Blochs erste Vorträge, Vorlesungen und Publikationen
wurden in der inzwischen für souverän erklärten DDR hin-
genommen als zwar schwer verständlich, aber deswegen
auch ungefährlich. Das blieb nicht so, wie bekannt. Zum
ziemlich frühen Beispiel: sein Hegel-Buch *Subjekt–Objekt*
von 1951, die schönste Behandlung des Gegenstandes in
unserem Jahrhundert, stieß auf jene offizielle Kritik der Partei, die die Instrumente zeigt. Galt es doch unterdes als in-
opportun, von der »Nachwirkung eines klassischen deutschen Philosophen« zu sprechen. Was revolutionäre Sozia-
listen seit hundert Jahren eine »Quelle des Marxismus« genannt hatten, erschien den institutionellen Marxisten am
Ende der Stalin-Ära nurmehr als »feudal-aristokratische
Reaktion auf die Französische Revolution«. Immerhin blieb
Bloch dennoch nicht nur bis Anfang 1957 in Amt und Würden, es mehrten sich sogar noch die Ämter und Würden:
gewähltes Mitglied der Deutschen Akademie der Wissenschaften, Nationalpreis und andere Hochverbindlichkeiten.
Seine Werke, die seit langem im einzelnen entworfen waren
oder mehr noch: im Manuskript vorlagen, gaben sich seit
Jahrzehnten in Gestalt eines Gesamtwerkes, eines Œuvres
im Sinne von System, zu erkennen.

Jedoch diese Ganzheitsintention, die eine beträchtliche
Anzahl von Zeitgenossen, selbst geistige Weggefährten,
eines längst überholten Idealismus oder eines modernen
Totalitarismus bezichtigte, war am wenigsten der Stein des

Anstoßes für die Parteiideologen – solche Verdächtigungen
lagen über ihrem Horizont. Von Zeit zu Zeit aber brauchten die Machthaber des Realsozialismus den Klassenkampf,
den sie, in ihren hermetischen Staatsgebilden, sich selber
schufen. Denn wenn man den Teufel an die Wand malt,
dann ist er schon da. Selbstverständlich gehören zu solchen
explodierenden Minderwertigkeitskomplexen einer von der
Bevölkerung niemals legitimierten Politbürokratie unmittelbar nicht beeinflußbare Faktoren, wie: miserable Wirt-
schaftslage, das Murren des Volkes, außenpolitische Prozesse, die die kalte Balance erschüttern könnten, und – alles
nur beispielhalber – die naive Erlösungsformel aus des Kai-
sers neuen Kleidern. Wer den morbiden Funktionärsstaat
für die weltgeschichtlich höhere Qualität erklärt und diesen
Sozialismus ohne Demokratie, wesentliche Menschenrechte
und elementare Bedürfnisbefriedigung mit dem Pleonasmus
›real existierend‹ vorführt, wäre nur dümmlich zu nennen,
schändete er nicht den ältesten Menschheitstraum von einer
guten Gesellschaft für alle.

›*Corruptio optimi pessima*‹, die Verluderung des Besten
ist das Schlechteste – Bloch hat diese Mutation spät erkannt. Es begann konkret 1956 mit den ungarischen Studenten, Arbeitern und Intellektuellen, durch welche die
europäischen Volksdemokratien, vor allem nach dem abso-
lut verlogen motivierten Eingreifen der Sowjetarmee, bis
zur Hysterie verstört wurden. Ernst Bloch jedoch wollte
nicht an der ›Rettungsrolle‹ der Sowjetunion, an der Kre-
ditwürdigkeit ›ihrer den Frieden erhaltenden Maßnahmen‹
zweifeln, gar verzweifeln. Es war nicht die Furcht vor der
Zerstörung der eigenen und der Familienexistenz, die von
ihm damals und etwas später Treuebekundungen erpreßte.

Aber das wahre ›*Experimentum crucis*‹ war der Einzel-
fall, kein geringer gewiß, vor dem hier zu bestehen das
Attribut ›anständig‹ unersetzbar ist. Die weder öffentliche
noch amtliche noch private Berichterstattung über den sogenannten konterrevolutionären Putschversuch in Ungarn

hatte Bloch sehr aufgeregt, weil das Gerücht umging, Georg Lukács als Kultusminister der neuen Regierung Imre Nagy sei nicht bloß verhaftet, sondern hingerichtet. Bloch versuchte, über die Akademie der Wissenschaften in Berlin, deren Mitglied ja auch Lukács war, eine Verbindung nach Budapest herzustellen und eine Einsprache des DDR-Kulturministers, Johannes R. Becher, zu erwirken. Becher, bis dahin erklärter Freund des ungarischen Philosophen und Literaturwissenschaftlers seit den 30er Jahren, verleugnete sich. Bloch, Jugendfreund von Lukács, titulierte Becher einen Lumpen. Ein Fall unter 1000 traurigen Fällen, aber nicht einer – leider – für 1000 Fälle. Das Schlimme an der Partei ist, sagte Bloch einmal, daß sie den Charakter ihrer Mitglieder verdirbt.

Wegen seiner unglaublichen Spontaneität in Sachen Moral und Politik waren die maßnehmenden Instanzen gegenüber diesem Protest einigermaßen ratlos und sprachlos. Offenbar war das Maß noch nicht voll. Dafür sorgte Bloch mit seiner bald geflügelten Sentenz vor den Dozenten und Assistenten seines Instituts: »Ich glaube, wir alle sind enttäuscht von der Politik der SED nach dem XX. Parteitag der KPdSU [Chrustschows Abrechnung mit Stalins Greueltaten]. Der Ulbricht sollte, meinetwegen bei gleicher Machtfülle, etwas zurücktreten. Er hat keinen Sex-Appeal.« Es dauerte ein reichliches halbes Jahr, bis sich die gesellschaftlichen Instanzen vom Ersten Sekretär bis zu allen Grundeinheiten eingeschossen hatten. Danach wurde Ernst Bloch das Vertrauen als Universitätslehrer entzogen, der Zutritt zur Universität verboten und ihm weitgehend auch jede öffentliche Wirksamkeit versagt. Das Gerücht, der Haftbefehl gegen den ›Konterrevolutionär‹ und ›Republikfeind‹ sei bereits ausgeschrieben gewesen, jedoch von sowjetischer Seite gestoppt worden, konnte nicht als Fakt bewiesen werden. Es wurde aber auch nicht widerlegt. Bloch privatisierte wieder, wie er es vor seiner Leipziger Zeit elf Jahre im amerikanischen Exil getan hatte, und arbeitete – zumindest äußerlich – unerschüttert an seinem Gesamtwerk.

Am 13. August 1961, zum Datum des Mauerbaus, war er mit Frau Karola als Festspiel- und Feriengast in Bayern. Sie blieben ›im Westen‹. Die Leipziger Volkszeitung kommentierte diese ›Republikflucht‹ unter der Überschrift »Ernst Bloch, der zu Globke kroch«.

Der wohl bedeutendste liberale Jurist in Deutschland, Paul Anselm Feuerbach, schrieb 1814: »Es ist ein wahres, großes Wort, wer nicht sprechen darf, als was ihm erlaubt ist, wird bald auch nicht das mehr denken, als was man ihm zu sprechen gestattet.« Das paßt am wenigsten auf die geistig großartig, so fest gefügte Natur Ernst Blochs, aber es paßt auf die Geisteszustände des Stalls, den die denkbar ungraziösesten Matadoren aus dem doch einigermaßen hoffnungsträchtigen ersten deutschen Arbeiter- und Bauernstaat gemacht hatten. Ernst Bloch blieb weg von Leipzig; Leipzig verlor seinen genialsten Denker in diesem Jahrhundert.

Mußte wegen dieses Schlusses ein derart entfernter Auftakt mit Anaxagoras (vor fast zweieinhalb Jahrtausenden) gegeben werden? Auf einer solchen Strecke ließe sich doch bequem so mancher finden, dem es nicht viel anders erging als dem zeitweiligen Athener und dem zeitweiligen Leipziger. Willkommen geheißen und dann, wenn es gut ging, verjagt. ›Man darf nicht vergessen, man muß sich erinnern‹, so lautet ein zeitgemäßer Imperativ. Wozu nicht unbedingt ein Jubiläum oder ein dezimaler Gedenktag vonnöten ist. Auch macht viel oder nicht so viel Vergangenheit oder überhaupt Vergangenheit eine Sache nicht wahrer, gar erhabener. Die Vergleichbarkeit aber ist ein Index für das Erkennen und Bewerten. An dieser Stelle vielleicht so: Ein Neues ist selten ganz neu, auch ein schlimmes Neues. Anaxagoras war ein Denker, der die Gescheiten offenbar zum Verwundern und Nachdenken angeregt, die Dummen und Verbohrten hingegen nur beunruhigt hatte, freilich bis zum tödlichen Haß auf den Unruhestifter. Mithin ist, nach Blochs These in seinem Avicenna-Essay, nur jenes Erinnern fruchtbar, das zugleich an das erinnert, was noch zu tun ist. Ein weiterer Ertrag des Vergleichens, auf welche Distanz auch immer, ist das Unterscheiden. So gibt es nicht nur Ähnliches, sich fast Wiederholendes, sondern natürlich auch Entwicklungen, Rückschritte oder, bei aller Ähnlichkeit, die Säure der Nuance. Zum Beispiel: Leipzig ist nie Athen gewesen, die Eule der Minerva hat hier nie so recht ihren Flug begonnen.

Der Leipziger Universität, die nach der Anzahl der Studenten in Deutschland öfter eine Spitzenstelle innehatte, war seit dem Renaissance-Humanismus und der Reformation besonders in der Geisteswissenschaft keine welthistorische Wirksamkeit beschieden; vom Jahrhundert der Aufklärung war sie bei weitem nicht so erleuchtet wie Königsberg, Halle oder Göttingen; gar nicht zu reden von Jena am Ende des 18. und in der ersten Hälfte des 19. Jahrhunderts. Berühmter als ihre Gelehrten waren, so scheint mir, ihre Studenten. Immerhin hatte Bloch, von dem Romanisten Werner Krauss 1948 vor die Wahl gestellt, an die Berliner Humboldt-Universität oder nach Leipzig berufen zu werden, Leipzig gewählt – das Berliner Angebot erschien ihm nicht ganz vertrauenswürdig. Es war ein Geschmacksurteil, der Atlantik lag dazwischen.

Die persönliche Begegnung mit dem Philosophen hat nach vielen Zeugnissen (nicht eben gewöhnlicher Zeugen) etwas Überwältigendes gehabt. Gestalt und Gesicht, auf den ersten Blick in ihrer ernsten Ruhe und Gelassenheit an sehr frühe Photos von großen Indianerhäuptlingen gemahnend, die gleichsam von den ewigen Jagdgründen her ihre Gegenwart beschwören und von einzigartiger Mächtigkeit und Gescheitheit sind. Die schönste Schilderung des Antlitzes ist zitiert in der schönsten Bloch-Biographie, die vor einem Jahrzehnt von Peter Zudeick veröffentlicht wurde. Er zitiert darin Jean Améry: »Sehr selten sah und sieht man dies: ein Antlitz von derart ungeheurer und fast quälender geistiger Angestrengtheit. Lippen, die tief herabgezogen sind, nicht von Spott, noch weniger von Verachtung; von gestrafftestem geistigen Kraftaufwand ganz allein. Längsfalten, wie von Schnitzmessern gekerbt. Durchdringend blickende Augen hinter beängstigend dicken Brillen eines schwer Kurzsichtigen. Dazu eine ganz seltsame Stirn, höhnisches Dementi des Wort- und Bildklischees von der ›Hohen Denkerstirn‹. Ernst Blochs Stirne ist auffallend niedrig, ein mäßig gebogenes Halbrund, gebildet vom Ansatz des dichten, harten Haares. Das ganze Gesicht stellt beunruhigende Anforderungen, vor denen zu bestehen keiner sich so geschwind zutraut.«

Von den Freunden, die Bloch in Leipzig gewann, seien nur genannt: der Romanist Werner Krauss, der Historiker Walter Markov, der Dichter Georg Maurer, der Thomaskantor Günther Ramin und der berühmteste und treueste, der Literaturwissenschaftler Hans Mayer. Die Leute auf Leipzigs Straßen, besonders in den Straßenbahnen, die der Philosoph ein halbes Jahrzehnt benutzen mußte (Heidegger, glossierte Bloch dazu etwas bissig, sei der erste Philosoph in Deutschland gewesen, der sich ein eigenes Auto hatte leisten können), die Leipziger Sachsen, fand Bloch aufgeweckt, durch das Kriegsfiasko gar nicht niedergedrückt. Außerdem habe diese Landschaft wohl ebenso viele Genies hervorgebracht wie das Schwabenland. Wenn er sich jedoch darin versuchte, den Leipziger Dialekt zu imitieren, so fuhr seine damalige Sekretärin, Frau Berger, ständig dazwischen, weil der Chef, der Kant vorzüglich auf ostpreußisch zu rezitieren vermochte, die sächsische Behandlung der sonst strahlenden Vokale oder der harten Konsonanten, wie fast alle ›Nichteingeborenen‹, maßlos übertrieb. An seine von ihm früher für Archetypen erklärten Phänomene »Sachsen ohne Wald« oder »Dialekt ohne Erde« wollte er nicht gern erinnert werden. Mit den Studenten kam er schnell überein, weil der 65jährige sie allesamt an Jugendlichkeit übertraf, auch viel später noch. Er ersparte ihnen keine Schwierigkeiten, denn nicht alles ist so klar wie Wasser, doch das Widerständige im Ergrübelten macht es kostbar. So ließ er auf die naive Frage

Ernst Bloch (1885–1977)
im Kreis seiner Schüler in Leipzig

eines Studenten alle Weisheitsquellen ungeheuer anschaulich sprudeln und bedankte sich am Ende seines Monologs
bei dem Fragesteller für dessen gescheiten Gedanken völlig
unironisch. Der war mit Sicherheit stolz, doch vielleicht
unversehens verwirrt, dann aber aufgestachelt.

»Philosophen sind Leute, denen das Denken schwerer fällt
als anderen Leuten.« Bloch war auch ein ganz außergewöhnlicher Redner, wie es Walter Jens, der erste deutsche Rheto-
rikprofessor nach dem Krieg, an ihm besonders rühmte. Ein
Kolloquium über das Thema »Universität, Wahrheit, Freiheit« vor Hunderten von Studenten im Anatomiehörsaal
1955 leitete er so ein: »Kommilitoninnen und Kommilito-
nen, ich begrüße Sie zum heutigen Abend, lange fällig. Ein
Werdender kann leicht ungeduldig, doch Freunden wird er
immer dankbar sein. Sie lernen in vielen getrennten Fächern,

doch in allen geht es um Wissen, um ein solches, das uns eint. Auch für den Denker ist es nicht gut, daß er allein sei; Sie leben in einer Gemeinschaft, die immer genauer eine werden will. Die endlich ohne Herr und Knecht leben will und so ins Helle strebt. Als Lehrer und Forscher spreche ich zu Ihnen, dem am Herzen liegt, Sie wahrhaft freiwerdend und freiwillig wahrwerdend zu sehen. An beidem hindert noch manches, auswendig Druck und Stoß, inwendig allzuviel Ich und wieder Ich. Entlaufend aus allem, was bindet und gemeinsam macht, was echten Halt gibt. Aber Zwang freilich gibt keinen Halt, und Enge steht nicht nur denen schlecht, die wünschen recht gelehrt zu werden. Aufrechte junge Menschen gehören hierher, der neuen Sache voll. Alles über einen Kamm geschoren, einen allzu üblichen, das schlägt nicht an ...« So wird das Auditorium vorbereitet auf die Durchdringung der drei Begriffe des Themas.

Wenigstens ein Strich in dieser Skizze gebührt dem Erzähler Bloch, der bei vielen Gelegenheiten Geschichten über alles nur Denkbare und Erlebbare zum besten gab in einer Sprache, die zu einem »Glücksfall deutscher Prosa« avancierte. Seine Verheiratung des Narrativ-Kolportagehaften mit dem Grüblerisch-Entdeckenden, ja Errettenden findet sich in der Sammlung *Spuren,* die Platos Wunsch erfüllt, der Philosophos möge zugleich der Philomythos sein.

Unvergessen ist sicher allen Teilnehmern ein Bloch-Seminar im Frühjahr 1950 über das mitten im Semester vom Staatssekretariat verordnete Thema »Der Anti-Dühring von Friedrich Engels«. Zur Debatte an diesem Tage stand das Kapitel »Freiheit und Notwendigkeit«. Bloch eröffnete das Gespräch damit, daß er vorschlug, die Reihenfolge der Kategorien umzudrehen. Nehmen wir doch das mehr Düstere, die Notwendigkeit, zuerst dran, sagte er und begann sogleich, die Genesis von Moira, Ananke, Notwendigkeit, Schicksal, Bestimmung, Gesetz usw. vor den Studenten auszubreiten. Die allemal Hegel fälschlich zugesprochene Formel von der Freiheit als Einsicht in die Notwendigkeit sei, bei allem Respekt vor Engels, unannehmbar. (Hegel hat in seiner Logik von »begriffener Notwendigkeit« gesprochen – der ›Begriff‹ liegt bei ihm über dem ›Sein‹). Thomas Müntzer würde sich im Grabe umdrehen, weil er damit für fürchterlich uneinsichtig erklärt würde. Dann kam Bloch zum Gegenbegriff Freiheit, und den wolle er ein bißchen musikalisch, genauer: opernhaft, exemplifizieren. Das Exempel war Beethovens *Fidelio*, den er vom äußeren Vorspiel zwischen Marcelline und Jaquino an über das gänzlich schon auf Zukunft gespannte Quartett mit dünner, dennoch höchst präziser Stimme buchstäblich aus dem Kopf vorsang, über den Gefangenenchor zum Höhepunkt, der Kerkerszene mit Leonore und Florestan gegenüber Pizarro, und dann zum großen Moment der Erlösung, dem Trompetensignal, bis zum Finale. Ähnlich wie die Romanfigur Wendell Kretzschmar in Thomas Manns *Doktor Faustus* unterbrach er den Gesang mit Erläuterungen, welche die Philosophie dieser Musik herausziselierten. Zu Beginn dieses Ein-Mann-Konzerts hatten sich die Studenten verstohlen angegrinst, zum Schluß schauten sie nicht mehr auf, weil die Augen naß waren. Jetzt wußten sie, was Freiheit bedeutet.

Anekdoten machen noch keinen Philosophen. Was sein Werk, seine Philosophie uns übermittelt, brachte Bloch in Rede und Schrift, in Vorlesungen und Vorträgen, in Seminargesprächen, Debatten und Interviews unter die Leute. Außerhalb der Universität hielt er in Leipzig eine Serie von Vorträgen besonders im ›Kulturbund zur demokratischen Erneuerung Deutschlands‹, kam damit freilich anfangs sonderbar elitär an. Sein erstes Vortragsthema war wohl »Fichtes Reden an die deutsche Nation«, natürlich intensiv das gerade Vergangene von Faschismus und Krieg sowie das unmittelbar Gegenwärtige der ersten Aufbaujahre erinnernd. Bloch, stark kurzsichtig, versuchte sein Publikum ins Auge zu fassen. So viel schien ihm klar, daß die ersten zwei Stuhlreihen besetzt waren, item gab es immerhin ein paar Besucher, vielleicht gar Interessenten. Nach längerer ungestörter Rede, doch auch fast völlig fehlender Resonanz des Auditoriums, vernahm Bloch ein sanftes, klirrendes Geräusch wie an einem späten Sommerabend das leiser werdende Gezwitscher von Vögeln vor dem Einschlafen. Davon sei er wirklich irritiert worden, bekannte er, zumal es in den Reihen, woher es kam, zugleich leicht glitzerte – es handelte sich um die emsig bewegten Stricknadeln der durchaus gutwillig lauschenden Professorengattinnen und -witwen, die höchst heimeligen pragmatischen Sinns die Tageskarte des Bildungsangebotes durchprobierten. Es waren meine ersten Fans in Leipzig, sagte Bloch.

Bloch beginnt in seinen Buch- oder Kapitelanfängen gewöhnlich mit uns selber; mit dem Subjekt gegenüber dem Objekt. Denn beim Philosophieren ist das Ich jedesmal mitten darin. Des Lesers oder Zuhörers eigene Tagebuchnotiz zum letzten Alptraum schließt hier ebenso an wie ein heftiger Gewissensbiß oder eine Sehnsucht nach Besserem, Schönerem. Liegen dazwischen die Koordinaten unseres Daseins? Bereits in Leipzig wurde an dem spät entdeckten Philosophen erkennbar, daß mit ihm der Geist der Utopie (der als Buch 30 Jahre zuvor erschienen war) in die erstarrte Landschaft der ein Dutzend zählenden matten herkömmlichen Schulen und der einzig erlaubten sozialistischen Schule einzudringen begann. Zweifellos im Westen, ganz ohne Verabredung, war man indigniert, weil Bloch seine Lehre dem Marxismus beigesellte. Zweifellos auch im Osten, aus genau demselben Grunde. Das Stichwort und Streitwort lautete: Utopie. Daß man sich bessere Verhältnisse wünscht und ausmalt, ihnen mit mehr oder weniger Phantasie Gestalt verleiht, gehört zum emotionalen Haushalt der Menschen. Denn das Desiderium, d. h. die Sehnsucht nach der Erfüllung eigentlich ganz normaler Wünsche, gehört zu den »ehrlichsten Eigenschaften des Menschen«. Für Bloch, dem die Welt ein Ganzes ist, das syste-

matisch und eben als System zu erforschen ist, doch ohne
Riegel, Abschlüsse und Jenseitigkeiten, ein offenes Totum
also, war es von seiner eigenen Ausgangsposition her eine
offene Welt. Und derart erschien sie, zunächst in ihrer Kul-
turproduktion, durchwaltet von Utopischem.

Kaum ein anderer Begriff der Geschichte und des Welt-
verhaltens sowie der Forschungsmethodik weist eine derart
abenteuerliche Karriere wie ›Utopie‹ aus. Sie reüssiert seit
geraumer Zeit als ausschließlich Unwirkliches, Verblasenes,
Selbstbetrügerisches. Utopisch, das meint wissenschaftlich
unwahr, *wishful thinking*, Wolkenkuckucksheim, Schimäri-
sches usw. usf. Wie krähende Gockel über ihren Revieren
haben sich mannigfaltige Stimmgewaltige erhoben, um das
Ende der Utopie zu verkünden. Es paßte und paßt in die
Après nous le déluge-Stimmung unseres Jahrtausendendes
samt ihrer postmodernen Konsequenzen. Aber die Hoffnung, fast ein Synonym für Utopie, ist als ›Prinzip Hoffnung‹ kopfheister in den Alltagsgebrauch gekommen und in
ihm verkommen als das Letzte, was uns nach aller frustrier-
ten wissenschaftlichen Voraussicht noch bleibt. Nichts-
destoweniger ist dieser Erwartungsaffekt das Erste, was wir
zu unserer Erkenntnis und unserer Daseins- und Hand-
lungsbestimmung brauchen. Daß demgemäß diese Bloch-
sche Hoffnungsphilosophie das Nochnichtbewußte als den
Erkenntnis- und das Nochnichtseiende als den Naturgegen-
stand bzw. die Materie definiert, daß sie in ihrer unver-
gleichlich dynamischen Bewußtseins- und Seinsauffassung
als Fundamentalkategorien die existentiellen Begriffe Tendenz und Latenz einführt, erleichtert dem eleganten Liebhaber der Weisheit gewiß nicht das Verständnis, aber ver-
ankert die Hoffnung in einer gründlichen Tiefe.

Was aber hat schließlich die Messestadt Leipzig wegen jener
acht Jahre öffentlicher Wirksamkeit Blochs mit dieser Philosophie zu tun? Oder was hat sie von ihr gehabt? Zu tun
hatte sie damit durch die Leute, die Ernst Bloch kannten,

ihm wohlwollten oder an den Kragen. Von ihm gehabt hatten Leipzig und seine Studenten einen bedeutenden Lehrer und Gelehrten an der Universität und eine Leitfigur für denkerische Konsequenz sowie für Unbotmäßigkeit in einer Zeit geistiger Mäßigkeit und widerwärtiger politischer Willkür. Und für alle, wenn sie nur wollen, die docta spes, die begreifbare, lernbare Hoffnung in einer Welt, die sie braucht wie nie zuvor.

Eines unterscheidet Ernst Bloch von seinem Leidensgenossen Anaxagoras aus dem alten Griechenland. Dieser starb wenige Jahre nach seiner Flucht aus Athen, Bloch hingegen blühte nach seinem Leipziger Jahrzwölft dann in Tübingen während der 16 Jahre bis zu seinem Tode noch einmal unerhört auf und brachte die Ernte ein.

Daß er nun trotzdem ein ›Großer Leipziger‹ sei? O ja doch! Die Zeitdauer eines Ereignisses hat in der Kulturgeschichte keinen Wert an sich, sondern den empfängt sie von der Intensität desselben. Die Philosophie Blochs ist nicht passé, wie mit fröhlicher Bescheidenheit ein neuer Lehrstuhlinhaber behauptet. Hundert Jahre lang hat man Spinoza wie einen toten Hund behandelt, dann kam er in aller Größe zu uns aus den Händen von Lessing und Goethe. Wenn der Berg nicht zum Propheten kommt, dann muß der Prophet zum Berge gehen. Wenn aber der Prophet nichts mehr galt auf dem Berg und gestorben ist, muß nun der Berg zu ihm gehen. In Ludwigshafen und in Tübingen, Blochs Geburts- und Sterbestädten, sind Straßen, Archive und Institute nach dem großen Philosophen benannt. In Leipzig, seinem ersten Zuhause in Deutschland nach der Hitlerzeit, nach dem Exil in fünf Ländern und nach dem Krieg, gibt es nicht einmal eine Gedenktafel.

In seinen *Tristia* klagte der an die öde, lebensgefährliche Ostgrenze des römischen Imperiums verbannte Ovid: *Barbarus hic ego sum, quia non intelligor ulli,* ein Barbar bin ich hier, weil mich niemand verstehen kann.

Doch wer ihn nicht verstand, das waren die Barbaren.

Anhang

Biographisches

Bach, Johann Sebastian
(* 21. 3. 1685 Eisenach; † 28. 7. 1750 Leipzig)

Von seinem Vater, der als Eisenacher Ratsmusiker das in der Familie tradiierte Spielmannstum fortsetzte, erhielt er die erste Unterweisung in der Bläser- und Streicherkunst; an der Lateinschule seiner Heimatstadt erwarb er in Kantorei und Kurrende das Anfangswissen von Musik und Kirchengesang. 1700 wurde er als Alumnus in das Lüneburger Michaeliskloster aufgenommen und erhielt an der Ritterakademie Musikunterricht; bei Ausflügen nach Hamburg studierte er die hanseatische Orgel- und Orgelbaukunst. Nach ersten Anstellungen in Weimar und Arnstadt wurde er 1707 Organist zu St. Blasius in Mühlhausen und heiratete seine Cousine zweiten Grades, Maria Barbara; aus dieser Ehe gingen sieben Kinder hervor. 1708 kehrte er als Hoforganist und Kammermusiker nach Weimar zurück und wurde 1714 zum Hofkonzertmeister ernannt. 1717 wurde er Hofkapellmeister in Köthen, wo er bis 1723 blieb und sich auf dem Gipfel seines Lebens und Wirkens fühlte. Ein Jahr nach dem Tod seiner ersten Frau heiratete er 1721 Anna Magdalena Wilcken, mit der er sechs Söhne und sieben Töchter hatte. 1723 wurde ihm das Amt des Leipziger Thomaskantors angetragen, nachdem Telemann, Fasch und Graupner abgelehnt hatten. In Leipzig wuchs sein Ansehen als Orgelvirtuose, Komponist, Kompositionslehrer und Orgelgutachter. Die letzten drei Lebensjahre litt er unter einem Augenleiden, das allmählich zur Erblindung führte. Am 31. 7. 1750 wurde Bach auf dem Johannisfriedhof beigesetzt (200 Jahre später wurde der Sarkophag mit seinen Gebeinen in den Chorraum der Thomaskirche übergeführt). Anna Magdalena überlebte ihn zehn Jahre, sie starb in Leipzig in ärmlichen Verhältnissen als ›Almosenfrau‹.

Georg Christoph Biller (* 1955 in Nebra/Unstrut), Thomaskantor, von 1965 bis 1974 Thomaner unter Erhard Mauersberger und Hans-Joachim Rotzsch, erwarb als Präfekt des Thomanerchores erste dirigentische Erfahrungen und studierte von 1976 bis 1982 im Fach Orchesterdirigieren bei Rolf Reuter und Kurt Masur an der Leipziger Musikhochschule. 1976 gründete er den Leipzi-

ger Vokalkreis (heute »Leipziger Vocalensemble«) und war von
1980 bis 1991 Chordirektor am Gewandhaus in Leipzig. Er
gastierte als Dirigent, als Lied- und Oratoriensänger und war
Dozent für Chorleitung an der Kirchenmusikschule Halle und den
Musikhochschulen Detmold und Frankfurt/Main; seit 1994 ist
er Honorarprofessor an der Hochschule für Musik und Theater
in Leipzig. Im Mai 1992 erfolgte die Berufung, im November
1992 der Amtsantritt als Thomaskantor. Auch in seinem kom-
positorischen Schaffen steht die Vokalmusik im Mittelpunkt.

Bloch, Ernst
(* 8. 7. 1885 Ludwigshafen; † 4. 8. 1977 Tübingen)
   Der »Philosoph der Hoffnung« entstammt einer jüdischen Be-
amtenfamilie. Er studierte von 1905 bis 1908 in München und
Würzburg Philosophie, Physik und Musik, promovierte über die
Erkenntnistheorie des Neukantianers Rickert. Die Kerngedanken
seiner eigenen Philosophie entwickelte er als Privatgelehrter schon
früh, seine Essayistik brachte ihn verwandten Geistern der Linken
nahe. 1917 siedelte Bloch in die Schweiz über, den Militarismus als
das Urböse charakterisierend, den Sozialismus in seiner Strategie
kritisierend. 1918 erschien das erste Hauptwerk, »Geist der Utopie«, 1921 folgte »Thomas Müntzer als Theologe der Revolution«. 1919 war er nach Deutschland zurückgekehrt, 1930 kam
die Sammlung philosophischer Erzählungen, »Spuren«, heraus. Ab
1933 mußte er als von den Nazis Verfolgter in noch unbesetzten
demokratischen Ländern Asyl suchen, 1938 emigrierte er in die
USA, um hier sein Werk (ohne Buchmarkt) fortzusetzen – seine
Gegenwartsanalyse »Erbschaft dieser Zeit« hatte 1935 noch in der
Schweiz erscheinen können. 1948 wurde Bloch eingeladen, die Leitung des Instituts für Philosophie an der Leipziger Universität zu
übernehmen, er akzeptierte und lehrte ab 1949 in Leipzig. 1951
erschien sein Hegel-Buch »Subjekt – Objekt«, 1954 der erste Band
seines enzyklopädischen Hauptwerks »Das Prinzip Hoffnung«.
Wegen angeblicher Verführung der Jugend und Staatsfeindlichkeit
wurde Bloch 1957 von der Universität vertrieben; nach dem Bau
der Berliner Mauer kehrte er der DDR den Rücken. In Tübingen
fand der inzwischen international geachtete Philosoph wieder
Heim und Wirkungsstätte.
   Jürgen Teller (* 1926 in Döbeln/Sachsen), war Schüler und

Assistent von Ernst Bloch in Leipzig. Er stand bei dessen politischer Verurteilung zu ihm, wurde 1957 entlassen und als Hilfsarbeiter in ein Stahlwerk abgeschoben, wo er verunglückte und einen Arm verlor. Seine bereits bestätigte Dissertation wurde annulliert und ihm bis 1989 jede eigentliche philosophische Tätigkeit verboten. Als Volkskundler, langjähriger Verlagslektor und Mitarbeiter eines literaturhistorischen Instituts verfaßte er zahlreiche, z. T. unveröffentlichte Arbeiten, so über das Problem der Naturqualitäten, Goethes Farbenlehre, Schillers Demetrius-Fragment und Volker Brauns Dmitri-Stück, Lessings Wiederverkörperungshypothese und die deutsche Spinoza-Renaissance. 1966 promovierte er mit einer zweiten Dissertation zum Dr. phil., 1991 wurde er von der Universität Leipzig rehabilitiert und zum Honorarprofessor berufen.

Breitkopf, Johann Gottlob Immanuel
(* 23. 11. 1719 Leipzig; † 28. 1. 1794 Leipzig)

Der Sohn des Druckers und Verlagsgründers Bernhard Christoph Breitkopf (1695-1777) erlernte das Druckhandwerk und studierte als Geselle ab 1737 gleichzeitig Geschichte sowie alte und neue Sprachen an der Leipziger Universität, u. a. bei Gottsched. 1741 trat er in das Geschäft des Vaters ein und verband seine Tätigkeit in Druckerei und Verlag zeitlebens mit seinen wissenschaftlichen Interessen. Zukunftweisend wurde das von ihm 1754 entwickelte spezielle System des Notendruckes mit beweglichen, bis zum kleinsten Strich und Punkt zerlegbaren Typen. Er beschrieb es in seiner »Nachricht von einer neuen Art Noten zu drucken« (1755) und erlangte einhellige Zustimmung von den führenden Musikern seiner Zeit, wie Telemann, Quantz, Mozart oder Bach. Breitkopf wurde zum führenden Musikverleger seiner Zeit. 1762 übernahm er den Verlag von seinem Vater und experimentierte auch mit dem Druck von Landkarten (»Über den Druck der geographischen Charten«, 1777), Bildnissen und chinesischen Schriftzeichen, befaßte sich mit Schriftschnitt und Schriftgießerei und entwickelte die nach ihm benannte Breitkopf-Fraktur. In seinem Verlag erschienen zahlreiche Zeitschriften (so die »Leipziger gelehrte Zeitung«, das »Magazin des Buch- und Kunsthandels«, das »Magazin der neueren französischen Literatur«), und er produzierte nach englischem Vorbild Buntpapiere und Papiertapeten.

An der von Philipp Erasmus Reich betriebenen Reform des deutschen Buchhandels war er maßgeblich beteiligt, wie auch an den Bestrebungen, nach dem Ende des Siebenjährigen Krieges die Verhältnisse in den Druckereien Leipzigs zu stabilisieren, damit die Stadt »eine Fabrique für gantz Europa« werden könne. Breitkopf entwickelte große Aktivitäten als Sammler wertvoller Drucke, Bilder und Münzen (seine Bibliothek umfaßte fast 20000 Bände) und pflegte mit Maria Friderica Constantia Brixin († 1782), die er 1746 geheiratet hatte, Kontakte mit Künstlern und Gelehrten seiner Zeit, nicht nur mit denen, deren Verleger er war.

Erich Loest (* 1926 in Mittweida/Sachsen), Schriftsteller, arbeitete nach dem Krieg in der Landwirtschaft und in verschiedenen Industriebetrieben. Zwischen 1947 und 1950 war er Volontär und Redakteur der »Leipziger Volkszeitung«, von 1955 bis 1956 Student am Leipziger Literaturinstitut. Er wurde 1957 wegen demokratischer Ideen verhaftet und sieben Jahre im Zuchthaus Bautzen gefangengehalten. Nach seiner Entlassung 1964 lebte er wieder in Leipzig, publizierte unter dem Pseudonym Hans Walldorf. Er wurde ein unbestechlicher Chronist des realsozialistischen Alltags. Aus Protest gegen die Kulturpolitik der DDR verließ er 1979 den Schriftstellerverband und siedelte 1981 in die Bundesrepublik über. Seit 1994 ist er Vorsitzender des Verbandes der Schriftsteller/IG Medien. 1981 erhielt er den Hans-Fallada-Preis der Stadt Neumünster, danach weitere Auszeichnungen. Er lebt in Leipzig und Bonn. Im Februar 1996 wurde er anläßlich seines 70. Geburtstages zum Ehrenbürger der Stadt Leipzig ernannt, dem Ort vieler seiner Romane, u. a. des Erfolgsromans »Nikolaikirche« (1995).

Carus, Carl Gustav
(* 3. 1. 1789 Leipzig; † 28. 7. 1869 Dresden)

Der Sohn eines Färbereibesitzers begann nach dem Besuch der Thomasschule 1804 in Leipzig Naturwissenschaften und Philosophie zu studieren, promovierte 1811 über ein gynäkologisches Thema und habilitierte sich im selben Jahr. Er lehrte in Leipzig als Privatdozent und war Assistent am Entbindungsinstitut. 1814 wurde er als Professor für Geburtshilfe und Leiter des Königlich Sächsischen Hebammeninstituts nach Dresden berufen. Mit seiner Ernennung zum Königlichen Leibarzt wurde er 1827 als Hof- und Medizinalrat am Kollegium der Sächsischen Landesregierung für die Verwaltung des öffentlichen Gesundheitswesens zuständig. Sein »Lehrbuch der Gynäkologie« (1820) wurde zum Standardwerk; darüber hinaus gewann er als empirischer Naturwissenschaftler internationales Ansehen mit dem »Lehrbuch der Zootomie« (1818), den »Erläuterungstafeln zur vergleichenden Anatomie« (1826/55) sowie den je dreibändigen Werken »Grundzüge zur vergleichenden Anatomie« (1828) und »System der Physiologie« (1830-1840). Mit seinem Hauptwerk »Psyche« (1846) wurde er zum maßgeblichen Bindeglied zwischen der an Schelling orientierten Seelenkunde des frühen 19. Jahrhunderts und der späteren lebensphilosophisch-phänomenologischen (Ludwig Klages, Theodor Lessing) bzw. psychoanalytischen (Freud, Jung) Theorie des Unbewußten. Unter dem Einfluß seines Freundes Caspar David Friedrich wurde der schon früh zu seiner Entspannung zeichnende Carus zu einem nicht unbedeutenden Vertreter der romantischen Landschaftsmalerei. Seine »Neun Briefe über Landschaftsmalerei« (1831) sind wesentlich von Goethes Ideal einer objektiven Landschaftskunst bestimmt. Seinem freundschaftlichen Verkehr mit Goethe entsprangen außerdem die Schriften »Briefe über Goethes Faust« (1835), »Goethe. Zu dessen näherm Verständnis« (1843) und »Goethe und seine Bedeutung für diese und die künftige Zeit« (1849, 1863).

Heinz Zander (* 1939 in Wolfen), Maler, Grafiker, Zeichner und Erzähler, studierte von 1959 bis 1964 an der Hochschule für Grafik und Buchkunst in Leipzig bei Bernhard Heisig und von 1967 bis 1970 als Meisterschüler von Fritz Cremer an der Akademie der Künste in Berlin, seither lebt er als freischaffender Künstler in Leipzig. In seinem umfangreichen malerischen Schaffen greift er Anregungen der Donauschule und der Alten Niederländer, der Kunst der Renaissance und des italienischen Manierismus auf. Der radikale Gegner naturalistischer Kunstformen erweist sich in seinen an Zahl kaum noch zu überschauenden bildnerischen wie in seinen erzählerischen Arbeiten (u. a. »Stille Landfahrten«, 1981; »Das sanfte Labyrinth«, 1984; »Das Max-und-Moritz-Syndrom«, 1987; »Puppenspiel mit Moralitäten oder Über die Kunst des Spazierengehens«, 1989) als ein Meister der Fabulierkunst und des psychisch-physiognomischen Ausdrucks, der sein Handwerk und die Methoden des Zitierens und Symbolgebens glänzend beherrscht.

Fechner, Gustav Theodor
(* 19.4.1801 Groß-Särchen; † 18.11.1887 Leipzig)
Er kam 1817 nach Leipzig und setzte hier sein 1816 in Dresden
begonnenes Medizinstudium fort, studierte später noch Physik.
1822 promovierte er, 1823 habilitierte er sich, und 1828 berief ihn
die Leipziger Universität zum außerordentlichen, 1834 dann zum
ordentlichen Professor für Physik. Er richtete das erste physikalische Institut einer deutschen Universität ein und führte Untersuchungen zur Elektrizitätslehre sowie zur Farbenlehre durch. 1839
mußte er dieses Amt wegen einer schweren Erkrankung aufgeben.
Nach seiner Genesung befaßte er sich nur noch mit philosophischen, anthropologischen, psychologischen und ästhetischen Problemen. Der Panpsychismus wurde sein Leitthema; wichtige
Arbeiten sind: »Elemente der Psychophysik« (1860), »Vorschule
der Ästhetik« (1876). Damit wurde er auch zum Anreger der Psychoanalyse – Freud nannte ihn den »großen Fechner«. Unter dem
Pseudonym Dr. Mises schrieb er Satiren, u.a. »Vergleichende Anatomie der Engel« (1825), »Schutzmittel für die Cholera« (1832),
»Das Büchlein vom Leben nach dem Tode« (1836) oder »Warum
wird die Wurst schief durchschnitten?« (1875). Er wurde Ehrenbürger der Stadt Leipzig.

Lothar Sprung (* 1934 in Berlin), Professor für Psychologie im
Ruhestand mit zahlreichen Gastvorlesungs- und Publikationsver-
pflichtungen. Nach Tätigkeiten als Bau- und Möbeltischler studierte er Biologie, Chemie und Psychologie in Berlin und Jena.
Seine Arbeitsgebiete als Professor an der Humboldt-Universität
Berlin waren: Geschichte der Psychologie, Theoretische Psychologie, Psychodiagnostik, Psychologische Methodenlehre, Klinische
Psychologie und Humanontogenese. Er arbeitete u.a. über die Psychologiegeschichte in Leipzig (Weber, Fechner, Wundt) und in Berlin (Lazarus, Steinthal, Ebbinghaus, Stumpf, Köhler, Lewin) und
über deren Beziehungen. In den letzten Jahren sind Beiträge zur
Geschichte der Psychologie in der DDR hinzugekommen.

Prof. Dr. Wolfgang G. Bringmann (University of South Ala-
bama, Mobile, USA) stellte Lothar Sprung für diesen Essay den
von ihm aufgefundenen, bisher unveröffentlichten Lebenslauf
Fechners zur Verfügung und war ihm geistiger Partner in allen Pha-
sen seiner Fechnerstudien.

Frege, Christian Gottlob
(* 21.11.1715 Lampertswalde; † 20.5.1781 Leipzig)

Der Sohn eines Pfarrers kam 1735 nach Leipzig und begann 1739 mit nur geringem Eigenkapital einen Handel mit getrockneten Früchten, verbunden mit Wechsel- und Kommissionsgeschäften. Das wachsende Ansehen des »Bankiers Frege« bewirkte, daß der sächsische Kurfürst wiederholt seine Dienste in Anspruch nahm und Frege 1746 mit einem Ehrenamt in der städtischen Verwaltung betraut wurde; 1753 übernahm er die Pacht der Leipziger Münze. Seine Geschäftsverbindungen reichten bis Holland, Polen, Spanien und Portugal. Inzwischen Ratsherr und Kammerrat, gründete er 1764 mit gleichgesinnten Bürgern und Adligen die »Leipziger ökonomische Sozietät«, die nach dem Ende des Siebenjährigen Krieges Einfluß auf die Staatsreform und die Wiederherstellung des Landes nehmen wollte. Bis zu seinem Tod blieb er die tragende Figur dieser Vereinigung, die Wissenschaft und Kultur für die Förderung der Wirtschaft einsetzte und erheblichen Einfluß auf die Entwicklung der Landwirtschaft in Sachsen nahm.

Uwe Spaniol (* 1934 in Saarbrücken), Generalbevollmächtigter der Dresdner Bank AG, Leiter der Niederlassungen Leipzig und Dresden, war nach einer Banklehre in Pforzheim und dem Studium der Betriebswirtschaft in Saarbrücken in der Zentrale der Dresdner Bank in Frankfurt am Main tätig. Seit 1973 Mitleiter der Niederlassung München, wurde er im Oktober 1990 mit dem Aufbau der Dresdner Bank in Leipzig betraut. Seit 1995 ist er auch Mitleiter des Niederlassungsbereiches Dresden, der Stadt, in der die Bank 1872 gegründet wurde. Neben seinen beruflichen Aufgaben gilt sein besonderes Augenmerk der Erhaltung und Wiederbelebung der kulturellen Tradition Leipzigs – Schwerpunkte sind dabei die Musik, die bildende Kunst, die Museen und regelmäßige Ausstellungen »Kunst in der Bank«.

Der Beitrag von Uwe Spaniol verdankt seine Entstehung wesentlich einer Arbeit von Manfred Unger: »Kaufleute par excellence – die Freges« (Wien 1989).

Gellert, Christian Fürchtegott
(* 4.7.1715 Hainichen; † 13.12.1769 Leipzig)

Der Pastorensohn kam mit 14 Jahren auf die Fürstenschule St. Afra in Meißen und begann 1734 in Leipzig Theologie, Philosophie, Geschichte und Literatur zu studieren. Er mußte das Studium 1738 wegen Geldmangels unterbrechen und kam 1740 auf Dauer zurück in die Stadt, sie später nur zu Kuraufenthalten in Karlsbad mehrfach verlassend. 1744 promovierte er, 1745 habilitierte er sich, und 1751 wurde er zum außerordentlichen Professor für Philosophie an die Leipziger Universität berufen, deren damals berühmtester Professor er mit seinen Vorlesungen und Übungen zu Poetik und Stilkunde bald wurde. Auch Goethe gehörte zu seinen oft bis zu 400 Hörern. In der Zeit des Siebenjährigen Krieges (1756-1763) und der preußischen Besetzung waren auch viele Offiziere in seinen Collegien. Friedrich II. von Preußen empfing ihn am 11. Dezember 1760 im Apelischen Hause zu der bekannten Unterredung. – Noch vor seiner Berufung an die Universität war Gellert mit Fabeln und Erzählungen bekannt geworden; die Trauer bei seinem Tod war allgemein. Er wurde am 16. Dezember 1769 auf dem Johannisfriedhof beigesetzt, am 17. Oktober 1900 wurden seine Gebeine an die Seite Johann Sebastian Bachs in die Johanniskirche umgebettet. Aus der Bach-Gellert-Gruft kam er im Juli 1949, die Johanniskirche war durch Bomben schwer beschädigt, in die Universitätskirche. Als diese am 30. Mai 1968 gesprengt wurde, bekam der Dichter sein viertes Grab: auf dem Südfriedhof.

Gottfried Honnefelder (* 1946 in Köln), Verleger, Herausgeber u. a. von Christian Fürchtegott Gellerts Werken im Insel Verlag, studierte Germanistik und Philosophie in Bonn, London und München, promovierte 1974 zum Dr. phil.; im gleichen Jahr begann seine Tätigkeit im Suhrkamp Verlag Frankfurt am Main. Seit 1979 ist er Mitglied der Geschäftsführung des Suhrkamp Verlags und des Insel Verlags sowie geschäftsführender Gesellschafter des Deutschen Klassiker Verlags; seit 1990 leitet er den Insel Verlag Frankfurt am Main und Leipzig.

Der Beitrag zu Ch. F. Gellert ist eine überarbeitete Fassung der »Einleitung« zu »Gellert: Werke«, Frankfurt am Main 1979.

Gottsched, Johann Christoph
(* 2. 2. 1700 Judittenkirchen; † 12. 12. 1766 Leipzig)

Der Sohn eines Pfarrers sollte in Königsberg Theologie studieren, befaßte sich dort aber bald schon mit Philosophie, Mathematik, Physik, klassischer Philologie, Poesie und Rhetorik, verteidigte 1719 seine erste, einem meteorologisch-physikalischen Thema gewidmete Dissertation und wurde 1723 Magister. Als ihm die Zwangsrekrutierung durch preußische Werber drohte, floh er im Januar 1724 gemeinsam mit seinem Bruder nach Leipzig. Empfehlungen an einflußreiche Lehrer dort und die Unterstützung des Universalgelehrten Johann Burkhard Mencke ermöglichten Gottsched den erfolgreichen Beginn seines umfassenden, vier Jahrzehnte währenden Wirkens in Leipzig, als Herausgeber, Übersetzer, Dichter, Literaturtheoretiker und Universitätslehrer, als Dekan und Rektor. 1724 verteidigte er seine zweite Dissertation, 1730 wurde er zum Professor für Poetik und Rhetorik an die Leipziger Universität berufen. 1735 heiratete er Luise Adelgunde Victorie Kulmus, die »Gottschedin«, und von 1727 bis 1745 währte die Zusammenarbeit mit Friederike Caroline Neuber, der »Neuberin«, die mit ihrer Truppe der »Privilegierten Dresdner Hofkomödianten« während der Messen in Leipzig auftrat und 1737 mit einer symbolischen Verbrennung den Hanswurst von der deutschen Bühne verbannte. Gottscheds letzte Lebensjahre wurden durch den Tod seiner Frau, 1763, überschattet; am 15.12.1766 wurde er auf dem Friedhof der Pauliner (Universitäts-)Kirche feierlich beigesetzt.

Hans-Ulrich Treichel (* 1952 in Versmold), Autor und Literaturwissenschaftler, studierte Germanistik und Politologie an der Freien Universität Berlin, promovierte 1983 zum Dr. phil. und war als Lektor für deutsche Sprache in Italien tätig. In den Jahren 1985 bis 1991 arbeitete er als Wissenschaftlicher Mitarbeiter an der Freien Universität Berlin, wo er sich 1993 habilitierte. Er gab gemeinsam mit Marcel Reich-Ranicki das Gesamtwerk Koeppens heraus und schreibt Lyrik, Prosa und Libretti (u. a. für Hans Werner Henze). 1995 wurde er als Professor für deutsche Literatur an das Deutsche Literaturinstitut Leipzig der Universität Leipzig berufen.

Harkort, Gustav
(* 3.3.1795 Gut Harkorten b. Hagen; † 29.8.1865 Leipzig)
Nach einer Ausbildung in Hagen und kaufmännischer Praxis in den Stahl- und Eisenhammerwerken des Vaters kam er Anfang 1820 nach Leipzig und gründete wenige Monate später mit seinem Bruder Carl ein Kommissions- und Speditionsgeschäft, später eine Eisengießerei und einen Betrieb für galvanische Arbeiten. Er gehörte viele Jahre dem Direktorium der Leipziger Kammgarn-

spinnerei an und war als Bankkaufmann engagiert. Seine Bedeutung für die deutsche Eisenbahngeschichte ist lange Zeit überdeckt worden vom Namen seines Bruders Friedrich, der in Westfalen lebte und sich früh schon mit publizistischen Arbeiten für den Eisenbahnbau einsetzte, sowie vom Namen Friedrich Lists, dessen Streckenplan für die Leipzig–Dresdner-Eisenbahn (über Meißen führend) nicht verwirklicht wurde. Nach der Probestrecke Nürnberg–Fürth wurde am 7. April 1839 zwischen Leipzig und Dresden die erste deutsche Eisenbahnstrecke eingeweiht. Gustav Harkort war Gründungsmitglied eines Vorbereitungskomitees zum Bau dieser Strecke und ab 1835 Vorsitzender ihres »Constituierten Directoriums«. Als sächsischer Landtagsabgeordneter engagierte er sich 1848 mit seinem Freund Albert Dufour-Feronce u. a. für weitreichende Reformen in Sachsen. 1864 wurde er Ehrenbürger von Leipzig.

Heinz Dürr (* 1933 in Stuttgart), Vorstandsvorsitzender der Deutschen Bahn AG, studierte nach Abitur, Stahlbauschlosserlehre und einem Praktikum im Waggonbau 1954 an der Technischen Universität Stuttgart Maschinenbau. 1957 wurde er technischer Leiter in der väterlichen Firma Otto Dürr, Stuttgart, die er von 1967 bis 1980 leitete. Von 1975 bis 1980 war er Vorsitzender des Verbandes der Metallindustrie Baden-Württemberg e. V. und Mitglied des Präsidiums von Gesamtmetall, von 1980 bis 1990 Vorstandsvorsitzender der AEG Aktiengesellschaft Berlin und Frankfurt am Main, außerdem von 1986 bis 1990 Mitglied des Vorstandes der Daimler Benz AG. Im Januar 1991 wurde er Vorsitzer des Vorstands der Deutschen Bundesbahn, ab September 1991 hatte er in Personalunion auch den Vorsitz des Vorstands bei der Deutschen Reichsbahn inne. Seit 1994 ist er Vorstandsvorsitzender der Deutschen Bahn AG mit dem Ziel, mehr Verkehr auf die Schiene zu holen und dauerhaft Gewinn zu erwirtschaften.

Heinicke, Samuel
(* 10. 4. 1727 Nautschütz; † 30. 4. 1790 Leipzig)

Der Sohn eines Bauern ging als 23jähriger nach Dresden und diente dort in der Leibgarde des sächsischen Kurfürsten. Nach einem kurzen Studium an der Universität Jena (1757/58) lebte er zwanzig Jahre lang zunächst in Hamburg und dann in Eppendorf, wo er als Kantor und Lehrer auch Taubstumme unterrichtete. Auf diesem Gebiet sammelte er nach und nach reiche Erfahrungen und erzielte beachtliche Erfolge. Am 14. April 1778 eröffnete er sein Taubstummeninstitut in Leipzig als das dritte in der Welt nach Edinburgh (1760) und Paris (1770) und unterrichtete seine Schüler nach der von ihm begründeten Lautsprachmethode. Sein verdienstvolles Wirken war ihm nur zwölf Jahre lang möglich – nach seinem Tode im Jahre 1790 übernahm seine Witwe, *Anna Catharina Elisabeth Heinicke* (1757-1840), die Leitung des Instituts und setzte die Arbeit in seinem Sinne noch 38 Jahre lang erfolgreich fort. Als sie nach 50 Dienstjahren 1828 in Pension ging, empfing sie Ehrungen durch die Stadt und den sächsischen König Anton. Sie hatte sieben Umzüge des Instituts bewältigt, mußte 1813 mit ihren gehörlosen Schülern vor den napoleonischen Truppen fliehen und erlebte noch den ersten Neubau des Leipziger Taubstummen Instituts »vor dem Windmühlentor«, auf dem Gelände der heutigen Universitäts-Augenklinik in der Liebigstraße.

Gabriele Fechner (* 1954 in Erfurt), Direktorin der Samuel-Heinicke-Schule, Förderschule für Gehörlose und Schwerhörige in Leipzig, studierte von 1973 bis 1977 an der Humboldt-Universität zu Berlin Chemie und Biologie, von 1980 bis 1982 durchlief sie an dieser Hochschule ein Fachstudium für Hörgeschädigtenpädagogik. Seit 1977 ist sie Lehrerin an der Samuel-Heinicke-Schule, seit 1990 deren Direktorin.

Kippenberg, Anton
(* 22. 5. 1874 Bremen; † 21. 9. 1950 Luzern)

Der Sohn des Gründers und Leiters eines Lehrerinnenseminars durchlief eine Buchhändlerlehre und ließ sich 1896 in Leipzig nieder, wo er zunächst in den wissenschaftlichen Verlag von Wilhelm Engelmann eintrat. Nebenberuflich studierte er an der Leipziger Universität Germanistik und promovierte 1901 zum Dr. phil. 1905 heiratete er die Hamburgerin Katharina von Düring (1876-1947), die seine engste Mitarbeiterin wurde. Am 1. Juli 1905 trat er in den von Otto Julius Bierbaum, Alfred Walter Heymel und Rudolf Alexander Schröder 1899 gegründeten Insel Verlag ein. Von 1906 an bis zu seinem Tode war er der alleinige Leiter dieses schöngeistigen und bibliophil der neuen Buchkunst verpflichteten Verlages. Er erweiterte das Verlagsprogramm über die zeitgenössische Literatur hinaus und räumte insbesondere den Werken Goethes und dessen

Zeitgenossen großen Raum ein. Der Insel Verlag unter Anton Kippenberg setzte mit seinen Klassiker-Dünndruckausgaben neue Maßstäbe für Edition und Buchgestalt. 1912 erschienen die ersten Bände der bis heute erfolgreichen Insel-Bücherei. Anton Kippenberg war neben seiner Verlegertätigkeit Autor, Herausgeber, Sammler (er besaß u. a. die größte je in Privatbesitz befindliche Goethe-Sammlung), er war von 1919 an Vorstandsmitglied der Goethegesellschaft, ab 1938 ihr Präsident, ab 1926 Mitglied und ab 1932 lange Zeit Vorsitzender des Gewandhausdirektoriums, Vorsitzender des Verwaltungsrats »Deutscher Verein für Buch- und Schriftwesen«, er war Mitglied zahlreicher Freundeskreise musisch Interessierter in Leipzig, Gründer der Stadelmann-Gesellschaft u. a. m., dazu ein großzügiger Förderer des Thomanerchors und des Städtischen Museums für Kunsthandwerk zu Leipzig. Nach der Zerstörung von Verlags- und Wohnhaus im Zweiten Weltkrieg ging er nach Marburg, wohin die aus Sachsen abziehenden Amerikaner seine geborgenen Sammlungen, vor allem die Goethe- und die Rilke-Sammlung, gebracht hatten. Er verstand seinen Marburger Wohnsitz als »Exil«, leitete von dort aus bis zu seinem Tode das Leipziger Stammhaus und eine in Wiesbaden gegründete Filiale.

Siegfried Unseld (* 1924 in Ulm), Verleger, ist persönlich haftender Gesellschafter der Verlage Suhrkamp, Insel und Nomos. Er studierte Germanistik, Philosophie, Völkerrecht und Sinologie in Tübingen und Cambridge, promovierte 1951 mit einer Arbeit über Hermann Hesse zum Dr. phil. Er trat 1952 in den Suhrkamp Verlag ein, dessen Verleger er 1959 nach dem Tode von Peter Suhrkamp wurde. Der Suhrkamp Verlag erwarb 1962 den Insel Verlag Frankfurt am Main, der aus einer 1945 durch Anton Kippenberg in Wiesbaden gegründeten Niederlassung des Insel-Verlages Leipzig hervorgegangen war. 1990 schuf er mit der Umwandlung des Leipziger Insel-Verlages in eine Niederlassung des Frankfurter Hauses die Voraussetzung für das Weiterbestehen des Verlages auch an jenem Ort, an welchem er 1899 begründet und von Anton Kippenberg zur berühmten »Insel« entwickelt wurde. – Siegfried Unseld ist mehrfacher Ehrendoktor und Honorarprofessor der Universität Heidelberg; er ist Herausgeber und Verfasser zahlreicher Werke, darunter das im Insel Verlag erschienene Buch »Goethe und seine Verleger«.

Klinger, Max
(* 18. 2. 1857 Leipzig; † 4. 7. 1920 Großjena)

Der Sohn des Seifenfabrikanten Heinrich Louis Klinger besuchte die Bürgerschule in Leipzig und erhielt mit zwei Brüdern
Zeichenunterricht in der Sonntagsschule. 1874 begann er ein Studium an der Großherzoglich Badischen Kunstschule in Karlsruhe,
das er 1875–77 an der Königlichen Akademie der Künste zu Berlin
fortsetzte. Nach Aufenthalten in Berlin, Brüssel, Paris, Rom und
München kehrte er 1893 nach Leipzig zurück. Die Dresdner
Gemäldegalerie erwarb ein erstes Gemälde von ihm, das Leipziger
Städtische Museum Radierungen. 1897 wurde er zum Professor
an der Königlichen Akademie der graphischen Künste Leipzig
ernannt und zum korrespondierenden Mitglied der Wiener Seces-
sion. Im Februar 1898 lernte er die Schriftstellerin Elsa Asenijeff
(1867 bis 1941) kennen – sie wurde für 15 Jahre seine Lebensge-
fährtin und sein Modell; 1900 wurde in Paris die Tochter Désirée
geboren. 1902 vollendete er das Beethoven-Denkmal, 1905 wurde
sein Vorschlag, ein Künstlerhaus in Florenz (die »Villa Romana«)
zu begründen, realisiert; 1906 wurde er Vorsitzender des Villa
Romana Vereins mit Sitz in Leipzig und Vorstandsmitglied des
Leipziger Kunstvereins. Es folgten Ehrendoktorwürden und
Ehrenmitgliedschaften, Ausstellungen, 1909 die Ernennung zum
sächsischen Geheimen Hofrat als Anerkennung für das Wandbild
in der Aula der Leipziger Universität, das Brahms-Denkmal für die
Hamburger Musikhalle wurde vollendet. 1910 lernte er Gertrud
Bock, seine spätere Frau, kennen. 1911 wurde unter seinem Vorsitz der Verein »Leipziger Jahresausstellung« gegründet. 1920
starb Klinger auf seinem Weinberg in Großjena bei Naumburg, wo
er auch beigesetzt wurde.

Herwig Guratzsch (* 1944 in Dresden), Direktor des Museums
der bildenden Künste Leipzig, studierte nach dem Besuch der
Dresdner Kreuzchorschule in Rostock von 1962 bis 1967 Theologie und Philosophie, von 1971 bis 1976 Kunstgeschichte in München, wo er 1976 zum Dr. phil. promovierte. Er war danach bis
1978 Stipendiat des Bayerischen Staates am Zentralinstitut für
Kunstgeschichte in München, von 1978 bis 1993 Direktor des Wil-
helm-Busch-Museums, Deutsches Museum für Karikatur und kri-
tische Graphik, Hannover. Im April 1993 erfolgte seine Berufung
zum Direktor des Museums für bildende Künste in Leipzig, das

u. a. eine große Sammlung von Werken Max Klingers besitzt. Neben Publikationen zur niederländischen Malerei und zu Wilhelm Busch gab Herwig Guratzsch Ausstellungskataloge und Jahrbücher heraus. Er ist u. a. Mitglied im Kunstausschuß für deutsche Kunstausstellungen im Ausland des Auswärtigen Amtes (Bonn) und im Kuratorium der Universität Leipzig.

Leibniz, Gottfried Wilhelm
(* 1. 7. 1646 Leipzig; † 14. 11. 1716 Hannover)
Der Sohn des Moralphilosophen Friedrich Leibniz muß ein frühreifes Kind gewesen sein. Mit acht Jahren brachte er den lateinischen Büchern der Bibliothek seines zwei Jahre zuvor verstorbenen Vaters mehr Interesse entgegen als dem Spiel der Kinder. Nach acht Jahren an der Nikolaischule begann er 1661 das Studium der Mathematik und Philosophie (letzteres bei Thomasius) an der Universität Leipzig, das er 1663 in Jena fortsetzte und 1664 in Leipzig mit einem Jahr Jurisprudenz abschloß. Da ihm die 1666 an der juristischen Fakultät in Leipzig angestrebte Promotion wegen seiner Jugend verweigert wurde, verließ er die Stadt und promovierte 1667 an der zu Nürnberg gehörenden Universität Altdorf, schlug dann aber eine Universitätslaufbahn aus und wurde mit kaum 24 Jahren zum Richter am obersten Gerichtshof des Kurfürstentums Mainz berufen. Es folgten ausgedehnte Reisen nach Paris und London, später nach Wien, Rom, Florenz und Venedig. Von 1676 an bis zu seinem Tode stand Leibniz als Bibliothekar und Hofrat im Dienst des Herzogs von Hannover und mußte unter anderem an einer umfangreichen Geschichte der Welfen, also des Hauses seines Dienstherren, arbeiten. In der Bibliothek zu Wolfenbüttel führte er eine Systematik ein, die viel zu deren Bedeutung beigetragen hat und bis heute gültig ist. Seine vielfältigen diplomatischen, wissenschaftlichen und wissenschaftspolitischen Aktivitäten, seine Reisen und seine extensive Korrespondenz brachten ihn in Verbindung mit fast allen bedeutenden Köpfen Europas. Auf seine Anregung hin gründete Kurfürst Friedrich Wilhelm von Preußen 1700 die Berliner Sozietät der Wissenschaften – die spätere Preußische Akademie der Wissenschaften –, deren erster Präsident Leibniz bis zu seinem Tode war. Er leistete bedeutende Beiträge zu zahlreichen Gebieten der Wissenschaft, von der Mathematik, Physik, Chemie, Biologie und Medizin bis zur Theologie

und Rechtswissenschaft, er baute den ersten Rechenautomaten und entwickelte seine Philosophie von der »besten aller möglichen Welten«.

Manfred Bierwisch (* 1930 in Halle/Saale), Professor an der Humboldt-Universität Berlin, war nach dem Studium der Germanistik in Leipzig ab 1957 an der Akademie der Wissenschaften in Berlin bis zu deren Ende 1991 als Sprachwissenschaftler tätig. Seit 1992 ist er Leiter der Max-Planck-Arbeitsgruppe »Strukturelle Grammatik« und seit 1993 Vizepräsident der Berlin-Brandenburgischen Akademie der Wissenschaften. Er hat wesentlich an der neueren Entwicklung der Linguistik in Deutschland sowie an ihrer Verzahnung mit den kognitiven Nachbardisziplinen mitgewirkt.

Lotter, Hieronymus
(* um 1497/98 Nürnberg; † 22. 7. 1580 Geyer/Erzgebirge)

Der Sohn des Kaufherrn Michael Lotter besuchte in Annaberg die Lateinschule, kam 1522 nach Leipzig und erwarb 1533 das Bürgerrecht der Stadt. 1545 leitete er als Baumeister den Bau des Kornhauses am Brühl; vom Kurfürsten Moritz zum kurfürstlichen Baumeister ernannt, war er am Bau von Befestigungsanlagen beteiligt, leitete den Bau der Pleißenburg (1550/64), der Moritzbastei (1551/53) und der Thomasschule (1553). Bereits 1549 zum Ratsherren gewählt, wurde er 1555 erstmals Bürgermeister der Stadt und hatte dieses Amt noch siebenmal, in den Jahren 1556, 1558, 1561, 1564, 1567, 1570 und 1573, inne. Von seinen weiteren Bauten, darunter die Alte Waage (1555/56) und die Augustusburg auf dem Schellenberg bei Chemnitz (1568/72), ist das Alte Rathaus (neu aufgezogen in den Jahren 1556/57) am bekanntesten geworden, mit ihm ist er als einer der bedeutendsten Renaissance-Baumeister in die Architekturgeschichte eingegangen. Der Baumeister, Bürgermeister und Unternehmer im erzgebirgischen Bergbau mußte 1574 seine Häuser in Leipzig verkaufen, er lebte fortan in Geyer, wo er verarmt auf seinem »Lotterhof« starb.

Rudolf Skoda (* 1931 in Leipzig), Leiter und Inhaber eines Architekturbüros in Leipzig, studierte nach einer Maurerlehre Architektur an der Hochschule für Architektur und Bauwesen Weimar, promovierte 1968 zum Dr.-Ing. und war von 1982 bis 1992 Professor an der Technischen Hochschule Leipzig, wo er sich 1986 habilitierte. Er war an mehreren Neubauten Leipzigs als Architekt

beteiligt (Messeamtsgebäude, Betriebsgebäude robotron, Hörsaal-
komplex der Leipziger Universität). Von 1977 bis 1981 war er
Chefarchitekt des Neuen Gewandhauses am Augustusplatz. Er hat
sich mit zahlreichen Publikationen vor allem auch Fragen des
Konzertsaalbaus zugewandt.

Lotter, Melchior
(* um 1470 Aue/Erzgebirge; † 1. 2. 1549 Leipzig)
Er begann vermutlich im Jahr 1491 bei Konrad Kachelofen,
dem ersten seßhaften Drucker Leipzigs, seine Lehre als Drucker,
heiratete dessen Tochter und erhielt 1498 das Bürgerrecht. Um
1499 übernahm er die Druckerei des Schwiegervaters, vergrößerte
sie und führte sie in kürzester Zeit zur bedeutendsten Druckerei
Leipzigs. Er druckte als erster Leipziger Drucker mit griechischen
Typen und war der erste, der 1511 Antiqua-Lettern einführte.
Auch andere wichtige Neuerungen in der Druckgeschichte gehen
auf ihn zurück. Er war für einige Jahre der wichtigste Drucker
Martin Luthers und zählt nicht nur deshalb zu den bedeutendsten
Druckern der Reformationszeit. 1519 gründete er einen Zweigbetrieb in Wittenberg und übertrug die Leitung seinem Sohn Melchior Lotter d. J., der u. a. Luthers Übersetzung des Neuen Testaments druckte. Melchior Lotter hat über 500 Drucke als Verleger
selbst herausgegeben. 1539 wurde er als erster Buchdrucker Leipzigs zum Ratsherren und Stadtrichter ernannt. Die Schriften und
Holzschnitt-Initialen (u. a. eines Alphabets von Lukas Cranach)
der zahlreichen von ihm gedruckten Missalien, Breviere und Psalter gehören zum Besten, was der Missaldruck überhaupt geschaffen hat.
Eckehart SchumacherGebler (* 1934 in Berlin), Inhaber des
Typostudios SchumacherGebler München, des Typostudios SchumacherGebler Dresden (gegründet 1990) und der Offizin Haag-
Drugulin in Leipzig (Erwerb 1992), durchlief eine graphische Ausbildung bei R. Oldenbourg in München und sammelte berufliche
Erfahrungen in Stuttgart, Winterthur und München, bevor er 1961
sein Typostudio begründete, eines der ganz wenigen, das mit
Monotype arbeitet und in dem auch bibliophile Bücher gesetzt und
gedruckt werden, darunter die ›Bibliothek SG‹. 1992 führte er in
Leipzig die Schrift- und Matrizenbestände des Typostudios München, einer unvergleichlichen Sammlung nahezu aller Monotype-

385

Garnituren, mit dem von Leipziger Buchdruckern errichteten historischen Letternschatz der Offizin zum bedeutendsten Fundus historischer Buchdrucklettern Deutschlands zusammen. Er ist einer der herausragenden Förderer und Bewahrer guter Typographie und Buchkunst, nicht zuletzt durch die Errichtung der »Werkstätten und Museum für Druckkunst Leipzig« (1994).

Mendelssohn Bartholdy, Felix
(* 3. 2. 1809 Hamburg; † 4. 11. 1847 Leipzig)
Der Sohn des Bankiers Abraham Mendelssohn und Enkel des Philosophen Moses Mendelssohn wuchs im geistig-künstlerisch anregenden Berlin auf. 1816 ließ der Vater die Familie protestantisch taufen und legte ihr den Beinamen Bartholdy zu. Drei Jahre später wurde Felix Schüler von Carl Friedrich Zelter, dem Leiter der Berliner Singakademie, der ihn 1821 bei Goethe in Weimar einführte. Mit der Wiederaufführung von Bachs Matthäus-Passion 1829 in Berlin gab Mendelssohn wesentliche Impulse für die Bach-Renaissance im 19. Jahrhundert. Kunstreisen führten ihn nach Frankreich, Italien, England und Schottland; die dort empfangenen Eindrücke schlugen sich in zahlreichen Kompositionen nieder. 1833 wurde er Städtischer Musikdirektor in Düsseldorf. Zwei Jahre darauf folgte die Berufung zum Gewandhauskapellmeister in Leipzig; unter seiner Führung gewann das Orchester europäischen Ruf. Die Jahre in Leipzig brachten Mendelssohn die größten Erfolge. Er ließ hier 1843 das erste Bach-Denkmal errichten, gründete das erste deutsche Konservatorium und entfaltete eine vielseitige künstlerisch-organisatorische Tätigkeit. Im Frühjahr 1847 mußte er aus gesundheitlichen Gründen sein Amt aufgeben. Die Nachricht vom Tod seiner Schwester Fanny traf ihn tief. Nach einem Schlaganfall starb Mendelssohn, 38jährig, in Leipzig.
Johannes Forner (* 1936 in Leipzig), Professor für Musikwissenschaft an der Leipziger Hochschule für Musik und Theater »Felix Mendelssohn Bartholdy«. Er studierte an dieser Hochschule Klavier und Musiktheorie sowie an der Leipziger Universität Musikwissenschaft bei Heinrich Besseler, habilitierte sich mit einer Arbeit über Brahms und war von 1973 bis 1981 Chefdramaturg des Gewandhauses. Seit 1986 ist er Mitherausgeber der Ausgabe »Richard Wagner – Sämtliche Briefe«; Herausgeber und Hauptautor der »Gewandhauskonzerte zu Leipzig, 1781-1981« (1981);

zahlreiche Veröffentlichungen, u. a. zu Bartók, Beethoven, Mendelssohn Bartholdy, Brahms und Wagner, außerdem musiktheoretische Arbeiten, Aufsätze und Essays zur Musikgeschichte Leipzigs.

Oeser, Adam Friedrich
(* 17. 2. 1717 Preßburg; † 18. 3. 1799 Leipzig)

Nach seiner Ausbildung an der Wiener Akademie ging Oeser 1739 nach Dresden, wo er zum Freund Johann Joachim Winckelmanns wurde und seinen eigenen Malstil entwickelte. 1745 heiratete er Rosine Elisabeth Hohburg, mit der er vier Kinder hatte. Am Beginn des Siebenjährigen Krieges floh die Familie 1756 auf das Schloß Dahlen, 1759 zog sie nach Leipzig, wo Oeser 1764 zum Direktor der neugegründeten Leipziger Kunstakademie berufen wurde. Er konnte eine große Zahl von Studenten, darunter Goethe, aber auch viele Handwerker an die Akademie ziehen, in dem Bestreben, der Verbindung zwischen Kunst und Handwerk die Bedeutung wiederzugeben, die sie einst hatte. Mit Buchausstattungen für den Verleger Philipp Erasmus Reich begründete er die Zusammenarbeit zwischen der Leipziger Hochschule und den Verlagen der Stadt. Zahlreich waren neben der 35 Jahre währenden Direktions- und Lehrtätigkeit seine Arbeiten als Maler für die Stadt, u. a. in der Pleißenburg, dem Neuen Theater, dem Gohliser Schlößchen, der Nikolaikirche und in vielen Bürgerhäusern. Mit dem Bürgermeister Karl Wilhelm Müller und mit Johann Carl Friedrich Dauthe nahm er entscheidenden Einfluß auf das sich nach dem Niederreißen der Befestigungsanlagen verändernde Stadtbild (»Promenaden«) Leipzigs.

Albrecht v. Bodecker (* 1932 in Dresden), Rektor der Hochschule für Grafik und Buchkunst Leipzig, Grafiker, Illustrator. Nach dem Besuch der Fachschule für angewandte Kunst Wismar-Heiligendamm studierte er an den Kunst-Hochschulen in Berlin-Weißensee (1954 bis 1957, bei Toni Mau, Kurt Robbel, Bert Heller und Gabriele Mucchi) und in Berlin-Charlottenburg (1958 bis 1961, bei Friedrich Stabenau). Seit 1962 war er freischaffend in Berlin als Illustrator und Buchgestalter von Kinderliteratur und Belletristik tätig. Von 1991 bis 1993 nahm er einen Lehrauftrag für Natur-Studien an der Hochschule für Grafik und Buchkunst wahr, seit 1993 hat er eine Professur an dieser Hochschule inne, und seit

1994 ist er deren Rektor. Zahlreiche der von ihm gestalteten Bücher und Plakate sowie viele seiner Illustrationen wurden mit Auszeichnungen geehrt.

Ostwald, Wilhelm
(* 2. 9. 1853 Riga; † 4. 4. 1932 Leipzig)

Der Sohn eines Böttchermeisters und spätere Nobelpreisträger war bereits an der deutschsprachigen Universität seiner lettischen Heimat durch außergewöhnliche Leistungen hervorgetreten, als er 1887 nach Leipzig auf den einzigen Lehrstuhl für physikalische Chemie in der Welt berufen wurde. Er gilt als Mitbegründer dieser Fachrichtung, der er mit Lehrbüchern, einer schulbildenden Lehre und der »Zeitschrift für physikalische Chemie« zur weltweiten Durchsetzung verhalf. In Anerkennung seiner Definition der Katalyse erhielt er 1909 den Nobelpreis für Chemie. Nach der Jahrhundertwende entwickelte er eine neue Form der Naturphilosophie, seine Vorlesungen zu diesem Thema zogen Hörer aller Fachrichtungen an die Leipziger Universität. 1906 ließ Ostwald sich in Großbothen als freier Forscher nieder; kaum überschaubar sind die wissenschaftlichen und publizistischen Arbeiten, die dort entstanden.

Margarete Brauer (* 1918 in Klein-Miltitz bei Leipzig), Enkelin von Wilhelm Ostwald, begann ihren Berufsweg als Kindergärtnerin und trieb Studien vergessener Handwerke in Sachsen. Nach 1945 war sie zunächst »ungelernte Arbeiterin«, wurde dann Röntgentechniker in der Schweißtechnik und absolvierte ein Studium zum Ingenieur für Chemischen Apparatebau. Seit 1974 versteht sie sich als Schlüsselbewahrerin zu den ehemaligen Wohn- und Arbeitsräumen Wilhelm Ostwalds, sie war verantwortlich für die Archiv- und Gedenkstätte auf seinem Grundstück »Energie« in Großbothen bei Leipzig und ist seit 1990 die ehrenamtliche Hüterin dieser Ostwald-Gedenkstätte.

Otto-Peters, Louise
(* 26. 3. 1819 Meißen; † 13. 3. 1895 Leipzig)

Die Tochter eines Advokaten und Gerichtsdirektors war mütterlicherseits Enkelin eines Kunstmalers der Königlichen Porzellanmanufaktur Meißen. Es kennzeichnet den Geist des Elternhauses, daß die klassische Literatur (Goethe, Schiller, Jean Paul), aber auch (heimlich) Schlegels »Lucinde« gelesen wurden. Politische Ereignisse, wie die Julirevolution von 1830 in Frankreich und das Ende der Geschlechtsvormundschaft über die Frau, herbeigeführt durch den sächsischen Landtag, fanden lebhafte Zustimmung. Mit 16 Jahren verlor sie beide Eltern, lebte aber mit ihren beiden Schwestern weiter im Haus der Familie. Sie war 22, als ihr erster Verlobter, der Schriftsteller Gustav Müller, starb. Ihre Romane und vor allem ihre Gedichte trafen mit ihrem sozialkritischen und nationalrevolutionären Inhalt den Nerv der Zeitgenossen, sicherten ihr einen hohen Bekanntheitsgrad und weckten besonders das Vertrauen der Frauen. Ihre Heirat mit dem aus einer Arbeiterfamilie stammenden August Peters war über die persönliche Zuneigung hinaus auch eine bewußte Handlung, um Klassenschranken zu überwinden. In einem Gedicht sprach sie ihn als »Sohn des Volkes« an, dem sie sich verbinden wolle. Neben zahlreichen publizistischen Beiträgen, auch in der von ihr geleiteten Vereinszeitschrift »Neue Bahnen«, umfaßt ihr Schriftenverzeichnis mehr als 50 Titel, vor allem Erzählungen, Romane und Gedichtbände.

Cordula Koepcke (* 1931 in Misdroy auf Wollin, Pommern), freie Schriftstellerin. Sie lebt seit 1946 in Kiel und studierte Geschichte, Philosophie und Zeitungswissenschaft. Seit 1960 ist sie freie Autorin mit besonderer Vorliebe für biographische Darstellungen (u. a. zu Lou Andreas-Salomé, Louise Otto-Peters, Jochen Klepper, Edith Stein, Reinhold Schneider und Ricarda Huch). Aus ihrer schriftstellerischen Tätigkeit ergibt sich auch die Übermittlung von geistesgeschichtlichen und politisch-historischen Zusammenhängen als Referentin in der Erwachsenenbildung. Von ihren zahlreichen Arbeiten zur Frauenbewegung seien »Die Frau und die Gesellschaft« (1973) und »Frauenbewegung« (1979) genannt.

Reclam, Anton Philipp
(* 28. 6. 1807 Leipzig; † 5. 1. 1896 Leipzig)

Die Reclams waren als Hugenotten im 16. Jahrhundert nach Genf gezogen, ein Zweig der Familie kam im 18. Jahrhundert nach Berlin. Der Vater Charles Henri war Buchhändler und ließ sich in Leipzig nieder. Sein Sohn Anton Philipp erwarb nach vierjähriger Ausbildung bei seinem Onkel, dem Verleger Friedrich Vieweg in Braunschweig, 1828 das »Literarische Museum«, Leihbibliothek und Journalistikum in Leipzig, dem er noch im gleichen Jahr einen eigenen Verlag anschloß; 1839 kaufte er eine Druckerei hinzu. Mit der Herausgabe von Bibeln, Wörterbüchern, Liedersammlungen und Klassikerausgaben sammelte Reclam buchhändlerische Erfahrungen; Verlag und Druckerei prosperierten. Antihabsburgischer, liberaler Schriften wegen wurde der Verlag 1846 für Österreich verboten. Reclam erkannte das Bedürfnis eines breiten Lesepublikums nach preisgünstigen Ausgaben der Klassiker (den ersten großen Erfolg brachten 1858 Shakespeares sämtliche dramatischen Werke): 1867 begründete er die »Universal-Bibliothek«, als deren erste Nummer Goethes »Faust I« erschien. In schmalen Bändchen für zwei Groschen, die ihm den Spottnamen »Groschen-Reclam« einbrachten, gab er die bedeutendsten Werke der Weltliteratur heraus und erreichte ein breites Publikum. Unter seiner Leitung noch wuchs die Universal-Bibliothek auf 3 470 Nummern. Sein einziger Sohn, Hans Heinrich, und die folgenden Generationen bauten das Unternehmen weiter aus.

Dietrich Bode (* 1934 in Gießen), Verleger, studierte Germanistik, Geschichte, Kunstgeschichte und Politische Wissenschaften in Marburg, Frankfurt am Main und Wien, promovierte 1960 zum Dr. phil. Er war Wissenschaftlicher Assistent am Deutschen Seminar der Universität Heidelberg, ab 1962 Lektor im Verlag Philipp Reclam jun., Stuttgart. Seit 1981 ist er Geschäftsführer dieses Verlages, seit 1985 Verleger und auch Geschäftsführer des Graphischen Betriebs Philipp Reclam jun., sowie seit 1992 des Reclam Verlags Leipzig. – Er ist Herausgeber mehrerer Anthologien und Texte der deutschen Literatur, Autor verlagshistorischer Publikationen: »150 Jahre Reclam« (1978) und »Reclam. 125 Jahre Universal-Bibliothek« (1992).

Reich, Philipp Erasmus
(* 1. 12. 1717 Laubach; † 3. 12. 1787 Leipzig)

Der Sohn eines Arztes kam nach einer Buchhändlerlehre in Frankfurt am Main 1745 nach Leipzig und übernahm die Weidmannsche Verlagsbuchhandlung, die er zum Verlag der Werke von Gellert, Wieland, Gottsched, Herder, Christian Felix Weiße u. a. machte und so sich selbst, nach einem Worte Wielands, zum »ersten Buchhändler der Nation«. Mit dem einflußreichen deutschen Prediger der französisch-reformierten Gemeinde, Georg Joachim Zollikofer, und mit Adam Friedrich Oeser befreundet, war Reich auch als Kunstsammler, mit seinem Geschäftslokal und seinem Salon in Sellerhausen eine zentrale Gestalt des kulturellen Lebens der Stadt. 1764 bewirkte er mit seiner Absage an die Frankfurter Buchmesse eine Umorientierung des deutschen Buchhandels auf Leipzig; 1765 wurde er der erste Sekretär der »Buchhandlungsgesellschaft in Deutschland«. Er legte zur Ostermesse 1765 ein »Erstes Grundgesetz der neu errichteten Buchhandlungsgesellschaft in Deutschland« vor, das den Schutz des Eigentums und die Festschreibung von Handelsbräuchen garantieren sollte, und wurde damit zum Vorreiter für das erst viel später entstehende Urheber- und Verlagsrecht. 1774 gehörte er neben dem Leipziger Zacharias Fritzsche zu den ersten Buchhandlungs-Deputierten.

Gerhard Kurtze (* 1932 in Hamburg), Vorsteher des Börsenvereins des deutschen Buchhandels. Der gelernte Buchhändler ist Gesellschafter und Geschäftsführer der Firma Grossohaus Wegner & Co. GmbH Hamburg. Er setzt sich als Vorsteher des Börsenvereins mit beeindruckendem Engagement für den Fortbestand der »Buchstadt Leipzig« ein.

Schumann, Clara, geb. Wieck
(* 13. 9. 1819 Leipzig; † 20. 5. 1896 Frankfurt am Main)

Clara Wieck spielte schon im Alter von 9 Jahren vor Kennern und Freunden Konzerte von Mozart und eines von Hummel. Mit 11 Jahren konzertierte sie in Leipzig zum ersten Male öffentlich, eine Konzertreise durch mehrere Städte schloß sich an, ein Jahr später konzertierte sie in Paris, wo sie Chopin, Liszt und Kalkbrenner hören wollte. 1835, 16 Jahre alt, galt sie schon als Pianistin von europäischem Rang und nahm Kompositionsunterricht bei H. Dorn. Zu ihrem Repertoire gehörten auch Kompositionen von Robert Schumann, den sie mit 11 Jahren als Schüler ihres Vaters kennengelernt hatte. Gegen den Willen ihres Vaters heirateten beide am 12. September 1840 in Leipzig. Konzertreisen folgten, sie wurde zur österreichischen Kammervirtuosin ernannt und Ehrenmitglied der Musikfreunde Wien, der philharmonischen Gesellschaft in Petersburg und des Konservatoriums in Prag. 1844 zogen Clara und Robert Schumann von Leipzig nach Dresden, 1850 nach Düsseldorf. Bis 1854 gebar sie acht Kinder. Sie konzertierte weiter und komponierte Lieder, ein Klaviertrio, drei Romanzen für Violine und Klavier sowie mehrere Klavierwerke. Nach einem Selbstmordversuch Schumanns (1854) wurde sie bis zu dessen Tod, 1856, von Johannes Brahms unterstützt. 1857 zog sie nach Berlin, lebte von 1863 bis 1873 in Lichtental, dann wieder in Berlin. Ab 1878 blieb sie dann in Frankfurt am Main, wo sie am Konservatorium Unterricht gab. Bis ins hohe Alter blieb sie pianistisch tätig, als hervorragende Interpretin nicht nur der Werke ihres Mannes, sondern auch der von Beethoven, Chopin und Brahms. Gemeinsam mit Brahms betreute sie die Gesamtausgabe der Werke Schumanns, veröffentlichte Schumanns Jugendbriefe und gab Czernys Klavierschule heraus.

Brigitte Fassbaender (* 1939 in Berlin), Mezzosopranistin. Die Tochter des Baritons Willy Domgraf-Fassbaender begann nach der Ausbildung bei ihrem Vater am Nürnberger Konservatorium und ihrem Debut 1961 an der Staatsoper München ihre internationale Opern-Karriere, zu der auch ihr großartiges darstellerisches Vermögen (ihre Mutter war die Filmschauspielerin Sabine Peters) beitrug. Ihre populärste Rolle war der »Octavian« in Richard Strauss' »Rosenkavalier«. In wachsendem Maße und ebenso beeindruckend widmete sie sich dem Oratorium und dem Lied. Seit 1990 ist sie auch als Opernregisseurin tätig und nach ihrem Abschied als Sängerin Operndirektorin des Staatstheaters Braunschweig. Nebenberuflich widmet sie sich der Malerei. Sie gehörte zu den ersten Künstlern des westlichen Deutschland, die nach der »Wende« im Leipziger Gewandhaus gastierten.

Thomasius, Christian
(* 1. 1. 1655 Leipzig; † 23. 9. 1728 Halle)

Aus einer Gelehrtenfamilie stammend, begann Thomasius mit 15 Jahren sein Studium an der Leipziger Universität, wurde im folgenden Jahr Baccalaureus an der philosophischen Fakultät und 1672 Magister; sein Hauptfach wurde die Jurisprudenz. 1675 wechselte er an die Universität Frankfurt/Oder, wo er juristische Privatvorlesungen hielt und 1676 zum Dr. jur. promovierte. Nach einer Bildungsreise durch Holland kehrte er nach Leipzig zurück und war hier als Advokat tätig, hielt Privatvorlesungen und publizierte mehrere Abhandlungen sowie sein erstes Lehrbuch zum Zivilrecht. Bewußt provokativ hielt er am 10. November 1687 die erste Vorlesung in deutscher Sprache; im nächsten Jahr begründete er die erste deutsche gelehrte Zeitschrift (»Freymüthige Lustige und Ernsthaffte iedoch Vernunfft- und Gesetz-Mäßige Gedancken oder Monats-Gespräche über allerhand, fürnehmlich aber Neue Bücher«), die ihm den Beinamen »Vater des Journalismus« eintrug und deren Beiträge zu einer Vorzensur durch die theologische Fakultät führten. Seine Schrift über die konfessionell gemischte Fürstenehe schließlich hatte 1690 das Publikations- und Lehrverbot aus Dresden zur Folge. Thomasius verließ Leipzig und ging nach Halle. Er nahm richtungweisenden Einfluß auf den Aufbau der dortigen Universität und wurde 1710 als Universitätsdirektor auf Lebenszeit benannt, nachdem er 1709 einen versöhnenden Ruf nach Leipzig ausgeschlagen hatte. Das Hallenser Konzept der Juristenfakultät mit seiner Ausrichtung auf das Praktische des Faches war ein Jahrhundert lang Vorbild für andere deutsche Universitäten.

Walter Jens (* 1923 in Hamburg), Rhetorik-Professor, Essayist, Erzähler und Literaturkritiker, studierte von 1941 bis 1944 Klassische Philologie und Germanistik in Hamburg, promovierte 1944 zum Dr. phil. und habilitierte sich 1949 in Tübingen, wo er 1963 auf den Lehrstuhl für Allgemeine Rhetorik berufen wurde. 1950 wurde er Mitglied der Gruppe 47, von 1976 bis 1989 war er Präsident des P. E. N.-Zentrums der Bundesrepublik, seit 1989 ist er Präsident der Berliner Akademie der Künste. Als Autor und als Persönlichkeit wurde er mit seinem umfangreichen literarischen, wissenschaftlichen und publizistischen Werk auch zum Vorbild für demokratisches Engagement in Deutschland. Mit seinen zahlreichen Gastvorlesungen in und nahe Leipzig hat er keinen geringen Anteil daran, daß Thomasius' Gedanke vom gewaltfreien Disputieren hier niemals verlorenging – eine Voraussetzung dafür, daß Leipzig zum Ausgangspunkt einer »sanften Revolution« werden konnte.

Wagner, Richard
(* 22. 5. 1813 Leipzig; † 13. 2. 1883 Venedig)

Er wuchs teils in Dresden, teils in Leipzig auf, war Schüler der Nikolai- und der Thomasschule und begann nach erstem, heimlich genommenem Kompositionsunterricht 1831 an der Leipziger Universität Musik zu studieren. Wichtig für ihn wurde der Unterricht bei Thomaskantor C. T. Weinlig. Wagner erlebte in Leipzig die Uraufführungen von drei eigenen Kompositionen: im Theater die »Neue Ouvertüre«, im Gewandhaus die »Ouvertüre in d-moll«

und die »Symphonie in C-Dur«. 1833 war er kurze Zeit Korrepe-
titor in Würzburg, bevor er Leipzig verließ und Kapellmeister in
Magdeburg, dann in Königsberg (wo er Minna Planer heiratete)
und Riga wurde. Stark verschuldet ging er 1839 nach Paris und
sicherte seinen Lebensunterhalt mit Opernarrangements und
schriftstellerischen Arbeiten. 1842 wurde seine Oper »Rienzi« in
Dresden uraufgeführt, 1843 folgten dort die Ernennung zum
Hofkapellmeister, die Uraufführung des »Fliegenden Holländer«
und (1845) des »Tannhäuser«. Wegen seiner Beteiligung am
Maiaufstand 1849 mußte er fliehen. Ab 1857 wohnte er in Zürich
auf dem Grundstück der Wesendoncks und arbeitete am »Ring der
Nibelungen«, 1859 schloß er in Luzern »Tristan und Isolde« ab.
Nach der Amnestie, 1860, lebte er in Karlsruhe, Weimar und
Wien; 1864 wurde er von Bayernkönig Ludwig II. nach München
berufen, wo unter Hans von Bülow »Tristan und Isolde« (1865)
uraufgeführt wurde. Seine Lebensführung und Versuche, den
König zu beeinflussen, führten 1866 zu seiner »Verbannung«;
Ludwig II. sicherte aber sein weiteres Leben, zunächst in Genf und
Luzern, materiell ab. 1868 lösten die »Meistersinger« in München
Beifallsstürme aus. 1869 kam es zur ersten Begegnung mit Nietz-
sche, 1870 heiratete Wagner seine zweite Frau, Cosima von Bülow.
1872 übersiedelten sie nach Bayreuth, 1874 bezogen sie das von
Ludwig II. geschenkte Haus »Wahnfried«, und am 13.8.1876
wurden die ersten Bayreuther Festspiele eröffnet – Kaiser und
Könige erwiesen Wagner ihre Reverenz. 1882 wurden die zweiten
Festspiele mit »Parsifal« eröffnet. An einem Aufsatz »Über das
Weibliche im Menschen« schreibend, starb Wagner am 13.2.1883
in Venedig.

Peter Konwitschny (* 1945 in Frankfurt am Main), Opernregis-
seur. Als Sohn des Gewandhauskapellmeisters Franz Konwitschny
wuchs er in Leipzig auf, studierte in Berlin Opernregie und war
anschließend mehrere Jahre Regieassistent am Berliner Ensemble,
vor allem als Mitarbeiter von Ruth Berghaus. In diese Zeit fallen
seine ersten Regiearbeiten im Schauspiel und in der Oper sowie
verschiedene Lehrtätigkeiten. Seit 1980 inszeniert er an Opern-
häusern des In- und Auslands. Er begründete mit seinem kon-
zeptionellen und strukturellen Neuansatz bei der szenischen Interpretation Händelscher Opern eine neue Ära der Halleschen
Händelpflege. Letzte wichtige Regiearbeiten sind »Cassandre«

(Uraufführung) in Paris, »Der feurige Engel« in Bremen, »Maskenball« in Dresden, »Aida« in Graz, »Eugen Onegin« in Leipzig, »Friedenstag« in Dresden und »Parsifal« 1995 in München.

Der Beitrag zu Richard Wagner in diesem Buch basiert auf Interviews, die *Dr. Hanspeter Krellmann*, Chefdramaturg der Bayerischen Staatsoper, und die Herausgeberin 1995 mit Peter Konwitschny führten.

Weiße, Carl Friedrich Ernst
(* 4. 1. 1781 Berlin; † 18. 12. 1836 Leipzig)
Der Sohn eines Kammermusikers erhielt seine kaufmännische Ausbildung in Berlin und Hamburg, wo er auch die damals modernen Formen der Feuerversicherung kennenlernte (in Hamburg die seit 1676 bestehende »General-Feuer-Ordnungs-Kasse«, in Berlin die unter Friedrich Wilhelm I. entstandene »Städtische Feuer-Societät«). Als Weiße dann am 1. 6. 1819 die »Leipziger Feuer-Versicherungsanstalt« gründete, eine Aktiengesellschaft, die Häuser, Hausrat, Fabriken und Maschinen gegen Risiken versicherte, war diese die erste ihrer Art in Sachsen. Zahlreiche Repräsentanten des damaligen Wirtschaftslebens, aber auch Vertreter von Recht und Wissenschaft, wurden zu Förderern des jungen Unternehmens, das von Weiße besonnen und erfolgreich geleitet wurde. 1813 hatte er die Tochter des Leipziger Komponisten, Gewandhausleiters und Thomaskantors Johann Gottfried Schicht geheiratet; sein Haus stand einheimischen und fremden Künstlern offen, und er half heranwachsenden musikalischen Talenten durch Vermittlung und finanzielle Unterstützung. Er starb, erst 55 Jahre alt, fünf Jahre nach dem Tod seiner Frau. Die von ihm gegründete Versicherungsgesellschaft wurde über die Zeitläufte hin als die heutige »Alte Leipziger« erhalten, heute mit Hauptsitz in Oberursel bei Frankfurt am Main. Seit 1990 ist sie auch wieder in Leipzig vertreten.

Hanns-Jürgen Weigel (* 1943 in Frankfurt am Main), Generaldirektor und Vorstandsvorsitzender der Alten Leipziger Gesellschaften und der Hallesche-Nationalen Krankenversicherung. Nach Jurastudium und Promotion zum Dr. jur. trat er 1972 in die Rechtsabteilung der Alten Leipziger Lebensversicherungsgesellschaft aG ein, im Jahr darauf wurde ihm die Leitung dieser Abteilung übertragen, 1980 übernahm er Aufgaben in der Vermögensverwaltung und in den Folgejahren weitere verantwortungsvolle Funktionen: 1989 die des Vorsitzenden der Vorstände von Alte Leipziger Leben, Sach, Rück und Zenith. Neben seinem beruflichen Engagement und verschiedenen Funktionen in den Verbänden der Versicherungswirtschaft gilt sein Interesse der Musik und der Literatur. Er ist ein Förderer mitteldeutscher Kunst und initiierte verschiedene Ausstellungen von Künstlern aus Sachsen in der Direktion der Alten Leipziger in Oberursel, u. a. 1994 eine Gerhard Altenbourg-Ausstellung.

Wundt, Wilhelm
(* 16. 8. 1832 Neckarau; † 31. 8. 1920 Großbothen b. Leipzig)

Der Pfarrerssohn studierte von 1851 bis 1856 in Tübingen und Heidelberg Medizin, schloß das Studium bei dem Experimentalphysiologen Johannes Müller ab, promovierte 1856 und war nach seiner Habilitation 1857 Assistent von Hermann von Helmholtz an dessen Heidelberger Institut für Physiologie. 1864 wurde er zum außerordentlichen Professor für Anthropologie und medizinische Psychologie ernannt, 1874 übernahm er eine Professur für induktive Philosophie in Zürich. Ein Jahr später wurde er als ordentlicher Professor für Philosophie an die Universität Leipzig berufen, wo er bis zu seinem Tode lehrte. 1879 begründete er in Leipzig das erste Institut für experimentelle Psychologie, das zu dem internationalen Zentrum der jungen Wissenschaft wurde, und gab dort das weltweit erste psychologische Periodikum »Philosophische Studien« heraus. Zu seinen Hauptwerken zählen: »Beiträge zur Theorie der Sinneswahrnehmung« (1862), »Grundzüge der physiologischen Psychologie« (1873/74), und die zehnbändige »Völkerpsychologie« (1910/21). Über die Psychologie hinaus hat er Lehrbücher zur medizinischen Physik und Philosophie verfaßt, u. a.: »Logik« (1880/83), »System der Philosophie« (1889), »Sinnliche und übersinnliche Welt« (1914), »Die Zukunft der Kultur« (1920). Im Jahr seines Todes erschien seine Autobiographie »Erlebtes und Erkanntes«.

Jürgen Guthke (* 1938 in Halle/Saale), Professor für Psychologie, studierte, promovierte und habilitierte sich am Institut für Psychologie »Wilhelm Wundt« der Leipziger Universität. Nach seinem Studium zunächst als klinischer Psychologe praktisch tätig, erhielt er 1978 eine Professur für Klinische Psychologie am o. g.

Institut und 1991 eine Professur für Differentielle Psychologie und Psychodiagnostik an der Fakultät für Biowissenschaften, Pharmazie und Psychologie der Universität Leipzig. Er ist Direktor des Instituts für Entwicklungspsychologie, Persönlichkeitspsychologie und Psychodiagnostik, forscht vor allem auf dem Gebiet der Psychodiagnostik, speziell der Intelligenz- und Lernfähigkeitsdiagnostik, und publizierte zahlreiche Arbeiten, darunter mehrere Monographien und Lehrbücher.

Die Herausgeberin:
Vera Hauschild (* 1942 in Falkensee), Lektorin in der Leipziger Niederlassung des Insel Verlages, studierte von 1962 bis 1967 in Leipzig Germanistik und klassische Philologie. Sie war 1967/68 Deutsch- und Lateinlehrerin in Naumburg, danach Wissenschaftliche Assistentin an der Universität Leipzig, promovierte 1979 zum Dr. phil. Ab 1979 war sie als Lektorin für die Verlage Gustav Kiepenheuer, Insel-Verlag Leipzig und Dieterich'sche Verlagsbuchhandlung tätig, seit 1990 für den Insel Verlag.

Abbildungsnachweis

Wir danken der Deutschen Bibliothek / Deutsche Bücherei Leipzig, die für diese Ausgabe die mit (1) bezeichneten Abbildungen nach: Gustav Wustmann: Bilderbuch aus der Geschichte der Stadt Leipzig für Alt und Jung, Leipzig 1897, anfertigte, dem Stadtgeschichtlichen Museum Leipzig, das für die mit (2) bezeichneten Abbildungen Fotos nach Originalen aus dem Museumsbestand anfertigte, und der Universität / Universitätsbibliothek Leipzig, die für die mit (3) bezeichneten Abbildungen Fotos nach Originalen oder Büchern aus Universitätsbesitz anfertigte.